JN123810

愛知を生きた女性たち

自由民権運動からピースあいちへ

伊藤康子
Itou Yasuko

風媒社

はじめに

日清戦争（一八九四―五、明治二七―八年）のころ、名古屋市郊外の酒屋の次女として誕生したSさんの父は、「女の子」と聞いていいました。

「女か、かたわよりええ」

それ以後も父親は「女はかたわの手前だ」といっていました。尋常小学校を卒業して、女学校へ行きたいと願いましたが許されず、でも裕福な家だったので高等小学校四年を卒業し、以後花嫁修業を仕込まれます。「どこへもらってもらうことになるかわからん」と、どこに嫁入りしても間に合うように、華道、茶道、裁縫は当然のこと、農家の嫁になっても間に合うように苗取り、養蚕を、商家の嫁になるかもしれないとそろばんの練習もさせられます。「今どきの花嫁修業なんてお遊びごとではなくて、それは厳しくて」、免状のためではなく、実際の仕事に役立つこと、技術を身につけることが要求されました。

近くの精米屋が仲に入り、名古屋市納屋（現中村区）の小麦粉・米を扱う問屋の長男との縁談があり、自宅にのちの夫・姑、仲人夫婦が来た見合いの席で、Sさんはずっとうつむいていて相手の顔を見られなかったのですが、それでも縁談は決まり、一九一二（大正元）年、嫁入り道具五吊とともに、一八歳で嫁入りました。

その直後から、店の番頭以下店員の盆暮れの仕着せの縫物が積まれて、台所仕事はしないけれど忙しく過ごします。朝の挨拶、仕着せの縫い上がり、食事のたびに、お辞儀ばかりしていました。婚家からは小遣いももらえず、実家へ帰った時に「おかあさん、おかねないの」といってもらって帰ります。米を扱っていた関係で米騒動の時は群衆に押し寄せられ、家に石を投げ込まれ、座敷一杯に石が敷き詰められたようになり、怖い思いもします。

納屋あたりの店の主人は、当時芸者遊びや妾を置くのは普通のこと、姑は「自分は夫の女道楽で苦労をしたが、息子は堅気だからお前は幸せだ」と何度もいいました。Sさんは「そんなことわからないなあ、これが幸せというもんだろうか」と思いながら暮らします。いよいよ妾がいるとわかっても、商売先で泊まれといわれた、仕事の用と夫がいえば、どう思っても「いってらっしゃいませ」とお辞儀して送り出さなければなりませんでした。

一九三〇（昭和五）年、五歳と二歳の男の子をおいて、夫は病死、その後事業に失敗し、仕立物で生活したこともあります。アジア太平洋戦争終結後、長男は結婚、共に暮らしていた次男の結婚相手が「うちは長男でないのに、お母さんはいつまで一緒にいる気だろう」といったのが聞こえて、長男の家に離れを建ててもらって暮らします。

長い話を語ったSさんの結びは「むかしもん（昔者）の女はつまらんかった（惨めだった）」、それはSさん自身の総括でした（一九六八年九月六日、名古屋市瑞穂区での聞き取り、伊藤康子「地域女性史の可能性」『現代と思想』一九七八年九月号）。

経済的に恵まれた生活でしたが、Sさんは女学校に行きたくても行くことができず、仕着せの縫物で婚家に貢献しても小遣いももらえず、女道楽しない夫であってほしいと願っても口に出せない、家父長制度のもとで惨めだった女性の生活を送りました。しかし、本当はこうであってほしいという願いをもっているのは、そういう願いのモデルが既にあり、あきらめの中の真っ暗闇と異なり、幸せな生活を心に描ける夜明け前の薄暗がりといえるでしょう。

Sさんが自分の半生をふり返った一九六八年は、日本国憲法、旧民法改正後約二〇年たっています。大日本帝国憲法・旧民法下と違った生活を日本国民はもって当然と思えるのに、女性の思いは昔を引きずったままです。法律や制度は民主主義的に変わっても個人の生活はほとんど変わらず、惨めとしか思えないのはなぜでしょうか。

私たちは、生まれてくる時代・地域・家族等を選べません。同じ時代や地域や家族で暮らしても、傾向は共通しても、多様な人生がありえます。しみついた意識は残ります。複雑に絡み合う歴史を単純化することはできません。けれども「本当はこうあってほしい」願いの向かう先は似通っているように思えます。愛知の近現代を生きた女性が、ほんとうはどう生きたかったのか、その希望は私たちにもつながるのではないでしょうか。その具体的な姿を私は探り出していきたいと思います。

二〇二〇（令和二）年、『愛知県史』は県内外の研究・調査・知見等を集め、五八巻で完結しました。塩澤君夫県史編さん専門委員長は、当初から政治史ではなく、経済発展史でもなく、県民の歴史をという方針を明示されました。けれども近現代に限っても県民の半分である女性の姿はあまり見えません。本書は『愛知県史』近現代の資料集一二冊、通史四冊とは比較しようもない小さな本ですが、『愛知県史』で明らかにされた経済・政治・社会の動きを土台として活用して、女性に焦点を当てた近現代県民の足跡をまとめ、ほんとうは女性にとってこういう愛知であってほしい未来像を見通したいと考えています。愛知県の経済・政治・社会の全体の動きについて、『愛知県史』を読んでいただければ、私たちの現在についてより理解を深めることができるでしょう。

二一世紀に生きる女性は、ほとんどの人が高校へ進学し、その半数は大学で学び、就職は希望通りにはいかなくてもともかく働き始め、転職・退職の中で、結婚相手を自分で決めることも、離婚も、独身生活を続けることもでき、思い通りになるとは限らず、挫折することがあっても、自分が、自分らしい幸せを求めて生きます。Sさんの時代から、誰が、どのようにしてそう変えたのでしょうか。誰にも紆余曲折あって、思い通りにいかないことは多く、逆風にさらされ、死んだ人は語ることさえできず、それでも社会の変化と共にここまで来たのです。

日本は経済大国、長寿国、教育の行き届いた社会と世界が認めていますが、女性の社会的地位は低い、世界の男女平等の水準には程遠いと思われてもいます。Ｓさんの生きた時代と何が変わり、どういう風に、誰が変えたのかわかれば、変えたいことを変えられる県民になっていくことができるでしょう。知ることは力になるでしょう。私たちが自分の人生を振り返るとき、「自分の人生は惨めだ」といいたいでしょうか。自分自身はこうしたい、なりたいという生きる芯をいつの日か見定めて、人間として平等の権利をもち、仲間を助け助けられ、「つらいことも楽しいこともあったけれど、よく働き、忙しい日々が報われて、後悔しない人生」といいたい、そうできるには人を殺すこと殺されることなく安心して暮らせる社会が必要ということを、愛知に暮らした女性の歴史は語っています。

女性史が研究されて以来、資料がない、女性自身が学習で獲得した文字を活用しない、周囲に逆らわず無難に生きてしまうので本音がわからなくなる、男性の差別観でゆがんだ女性像が残される、史料批判が必要という声は続いています。女性史の研究を深めながら、女性の実像を探り当てていきたいと思います。

本書は一八七二（明治五）年愛知県成立から二〇〇〇（平成一二）年までを視野に入れること

とし、記述は最近まではみ出しもしましたが、近現代の『愛知県史』を基礎にして、その上に県民女性が書き、語り、聞かれた文章、新聞記事や図書館に集積された文献、愛知女性史研究会員が協力した書き上げた論考、聞き書き、年表、人名事典の成果を盛り込みました。典拠・参考文献は煩雑にならないよう主要なものを章末にまとめました。県民女性のすべてを書き尽くすことはもちろんできませんが、発言や活動の諸相と、その中に見え隠れする、自由民権運動以来の自立・平等・連帯・平和への願い、途切れたりつながったりしているようにみえる女性のあゆみを跡付けるよう努力しました。

近代以降女性を取り巻く社会環境は大きく変化し、昔は「婦人」という言葉が普通でしたが、婦人では女の子・少女を含んでいないように感じるなど議論があり、今は「女性」が普通に使われますが、教育・労働分野では女子・男子がよく使われるので適宜使用します。近代のはじめ、ごく上流の家族以外の女の子の名前には「子」を付けないのが普通でしたが、以後自分の好みで「子」をつけたり、仮名を漢字に変えた人もいるので、戸籍名と違うこともあります。「障がい」の表記も「障碍」「障害」と変わり、まだ統一が取れていません。身分や職業等に関する表現も史実にもとづいて使用したので、差別を認めるものではありません。敬称・敬語は省略しました。

常用漢字、現代かなづかい、西暦表記を原則とし、和暦は参考として節の初出に（　）内に示し、町村合併による自治体名変更、学校名その他の変更もなるべく（　）内に入れました。「県」は愛知県、「市」は名古屋市です。一九四五年第二次世界大戦敗北以前を「戦前」、第二次大戦中を「戦時」、敗戦後を「戦後」と表現しました。その他慣用句・略記は適宜使用しました。『　』は書名・新聞雑誌名、「　」は埋もれさせたくない事項、引用文、多様な作品などです。新聞は原則として愛知県で読んでいる版で、他紙にも共通する記事があります。（　）の中の文献名では「新聞」や『　』を省略しました。

主要な略記は次の通りです。

＊婦人団体　愛知県地域婦人団体連絡協議会→県婦連　愛知婦人民主クラブ→愛知婦民　国際婦人年あいちの会→あいちの会　国際婦人年日本大会の決議を実現するための連絡会→国際婦人年連絡会　新日本婦人の会→新婦人　名古屋クラブ婦人団体連絡協議会→ク婦協　名古屋市地域婦人団体連絡協議会→市婦協　日本基督教女子青年会→ＹＷＣＡ　日本基督教婦人矯風会→矯風会　日本婦人有権者同盟→有権者同盟　婦人民主クラブ→婦民　婦選獲得同盟→獲得同盟

＊各種団体　愛知県高等学校教職員組合→愛高教　愛知県地方労働組合評議会→愛労評　愛知県労働組合総連合→愛労連　愛知障がい者（児）の生活と権利を守る懇談会・連絡協議

会↓愛障懇・愛障協　学童保育所↓学童　教育研究集会↓教研　教職員労働組合↓教組
共同保育所↓共保　勤労者音楽協議会↓労音　産業別労働組合会議↓産別　社会保障推進協議会↓社保協　生活協同組合↓生協　全国戦災傷害者連絡会↓全傷連　名古屋市職員労働組合連合会↓市労連　日本キリスト教青年会↓YMCA　日本労働組合総同盟↓総同盟
日本労働組合総連合会愛知県連合会↓連合愛知　農業協同組合↓農協　保育問題研究会↓保問研　民主商工会・全国商工団体連合会↓民商・全商連　労働組合総評議会↓総評
*その他　愛知・名古屋　戦争に関する資料館↓戦争資料館　教育委員会↓教委　警察官職務執行法↓警職法　原子力発電所↓原発　県立第一高等女学校↓県一　雇用の分野における男女の均等な機会及び待遇の確保を促進する労働省関係法律の整備等に関する法律↓男女雇用機会均等法　女子に対するあらゆる形態の差別の撤廃に関する条約↓女性差別撤廃条約　政治分野における男女共同参画推進法↓候補者男女均等法　男子普通選挙法↓普選　日米安全保障条約↓安保条約　婦人参政権↓婦選　平和のための戦争メモリアルセンターピースあいち↓ピースあいち　遊郭・娼妓廃止↓廃娼

愛知を生きた女性たち

*

目次

第二章　女性が静かに動かす大正デモクラシー 58

第三章　戦争は生活を崩す　108

第四章 敗戦、女性はどう生きていくのか 168

第五章　母の本音、主婦、労働者、女子学生226

装画・青柳清子／本文カット・西悦子

第一章　近代社会へ一歩踏み出す

1．人間の自立・平等・連帯の芽

明治維新で愛知県誕生

一八七一（明治四）年に廃藩置県、翌年尾張と三河両国を統合した愛知県が誕生しました。この年戸籍制度もでき、国民を一人残らず把握する徴兵の基礎がつくられます。一八五三（嘉永六）年アメリカのペリー艦隊が来航して以来、国内の戦争、世直し・打ちこわし・ええじゃないかの展開、王政復古・版籍奉還等の大改革を経て、日本で天皇を頂点とした国家が成立し、資本主義世界の一端に連なります。

一八七二年愛知県人口は約一二一万人、女性を一〇〇とすると男性は九八・四、男女はほぼ半々でした。一八七三年名古屋市人口は一二・五万人、県民の約一割を占め、街場の熱田一・五万人、岡崎一・三万人、豊橋〇・七五万人です。名古屋だけが大都市、東京、大阪、京都に次ぐ人口でした。

自由民権運動と村雨のぶの信念

伊勢暴動、西南戦争で地域が激動したのち、新しい政治を求めて三河でも自由民権運動が盛んになり、田原の自由民権家村松愛蔵は一八八一年憲法草案を書き、「日本人民タル満十八歳以上ノ男子若クハ女戸主ニシテ国税ヲ納ル者ハ総テ選挙人タルノ権ヲ有ス」として、男性と同等ではないけれども女性の選挙権を認めていました。この年東京で自由党結成式が開かれ、全国七八人中県から六人が参加しています。豊橋での政談演説会がもっとも盛んだったのは一八八二年、板垣退助が豊橋に来た時でした。板垣らを囲む大懇親会で地元代表の一人村雨のぶ（信子、村雨案山子の妻）も座の中央で意見を述べましたが、言葉がさわやかで大胆なのに皆驚いたといいます（日本立憲政党新聞一七号、一八八二年四月二日）。のぶは風邪で倒れた板垣を看護し、花火づくりの内職をしてためた五円を自由党本部へ寄付し、一八八三年には、西川サト、金子トウ、近藤エイらと「豊橋婦女協会」を設立します。その趣旨は女性自身が自由民権のために活動するのではなくて、家族の男性が国家のために働くのを助ける団体でした（自由新聞一八八三年一〇月三〇日）。また周りの女性たちからも集めた慰問金を、民権家河野廣中の母子を支えるために贈る活動もします。さらに村雨のぶは植木枝盛に頼まれ『東洋之婦女』（一八八九年）の序文に、男女は長所・不長所は違っても人間としては差がないのに、東洋の女子は卑下して自分にはできないなどといい、その言葉通りになるのは情けないと書いています。

「御一新」の風が吹き込む中で、愛知の女性も少数ながら、男女に人間としての差はないと考え、政治にかかわる権利に手をのばし始めていました。村雨のぶは女性の先頭に立って自由民権運動を支える組織をつくり、人間としての平等感覚をもって発言・行動し、同志の家族を慰問して、人間の自立・平等・連帯の芽が育つさきがけとなりました。一八八〇年代に愛知の女性が望む方向が示されていたのです。

大日本帝国憲法のもとで

しかし、政府による政治・法制・経済基盤の整備が進み、一八八九年大日本帝国憲法が発布、皇室典範が制定され、男性限定の天皇がすべての権利をもつ主権者になり、衆議院議員選挙法、翌年集会及政社法が公布され、女性の政治活動は禁止され、教育勅語が発布され天皇中心の道徳の基本が示されました。この年東海道線が全線開通し、名古屋市も発足します。

一八八七年県人口は一四二万三三四〇人（女性七一万九二五三人）、資本主義に舵を切った県の人口は順調に増加して一九一二（大正元）年二〇〇万人を超え、一九三八（昭和一三）年三〇〇万人をこえ、一九四五年敗戦の年の人口は二八五万七八五一人（前年比約一三％減）でした。その後人口は一九五八年四〇〇万人、一九六七年に五〇〇万人を超え、二〇〇二（平成一四）年には七〇〇万人を超えます（愛知県累年統計表）。

2. 女性の仕事と生活

職業の自由化と女性

政府は一八七一（明治四）年田畑勝手作許可、翌年土地永代売買解禁、職業の自由許可、さらに一八七三年地租改正と改革方針を出しました。一八七五年、県の有業人口七八万五六三三人中農業人口は六八万六三二五人（八七・三六％）、商業人口は三万九三四五人（五・〇一％）、工業人口は三万二〇七三人（四・〇八％）、働き方は変更可能になりましたが、まだ圧倒的多数は村で農業をして暮らしています。村の数は一八七七年二〇二二です。農業に携わるのは女性の方がやや多く三五万五〇三九人、工業・商業で働く女性はおよそそれぞれ男性の半分、政治・経済の変化に対応するのはまず男性でした。

のちの安城市あたり、一八七二年に県第九大区第五小区の職業別人口をみると、農業が九二・七％、男性二六八五人に対し女性三一六八人、農業で働くのは女性の方が多数です。綿培が盛んなこの地域では、男性はより多くの現金収入を求めて商業・工業に進出し、ごく少数の医師・官員は男性だけです。一八七四年一宮周辺の村では、農家がもっとも多いことは変わりませんが、兼業の家が多く、一宮村（現一宮市）では、農家六三・六％、内兼業農家は半分以上を占めています。

西春日井郡鹿田村（現北名古屋市）生活の実態を、大口千代次郎は「鹿田の沿革」に記しています。村の大半の家は「土の上にぬか米の皮を五寸位積み、上に藁蓆を敷きたるばかり…其蓆も数十年間敷通しなる故塵埃汚れとまるで牛の皮を見るような色付き」です。風呂の水は手桶三～五杯、肥料として使うので、水をたくさんは入れません。食事は砕麦に、つき大根、芋、茄子、南京（かぼちゃ）など有り合わせの野菜を入れた粉割雑炊が普通だったといいます。地租は金納に変わり、肥料も購入しなければならず、明治期の農家は自給自足、生活にお金を使う余裕はありません。

商品経済・繊維工業の発展

一八七三年頃から数年かけて作成された「郡村誌」には、全体として街場・漁村以外の村は男女ともに農業稼ぎ、加えて女性は合間に紡織という働き方と記録されています。近世以来商品経済は浸透し、地域によって特色ある農業以外の仕事に携わるようにもなっていました。女性は家族の衣服のためだけでなく、現金収入のために糸を繰り、布を織るように変わっていきます。

一八七九年、渥美郡上細谷村（現豊橋市）の庄屋だった朝倉仁右衛門は近代的な製糸技術習得のため、官営模範工場富岡製糸場（群馬県）へ、豊橋地方の彦坂すふら一三人を送ります。

小渕志ちの工場の製糸工女
（豊田清子編『小渕志ちと女工の生活』）

工女は朝六時から夕方五時まで製糸技術を指導されて働きます。男女工が帰郷して工場が建てられ、蒸気機関を動力にした製糸業が発展しました。

群馬出身の小渕志ちは、夫の暴力に耐えかね妻子ある男性と逃げ出し、渥美郡二川（現豊橋市）で製糸業を起こそうとしていた人々に出会い、一八七九年製糸の技術を教え、製糸工場を設立、一八九二年全国で初めて玉繭（二匹の蚕が合体した繭）から糸を取る方法を確立し、工場を玉糸専業に切り替え拡張しました。一九〇二年には玉糸を輸出し、実業功労者として新聞・雑誌でも褒められ、当時女性としては稀な栄誉に輝く人となります。一九〇六年工場に修養団を設け、講話・合唱・書道・神社掃除など、若い男女を指導し励ましました。小淵自身も一生質素・勤勉な暮らしを続けます。二〇一六（平成二八）年には「郷土の偉人」として、小渕志ちの半生を描いた演劇「ひとすじの糸」が豊橋市で上演されています（朝日二〇一五年二月一五日）。

また海部郡佐織村（現愛西市）出身の石原種は、新しい木綿織物の技術を求めて信州（長野県）に行き、足袋の底専用の木綿織底づくりを四年かけて習得、郷里の村民と改良を重ね、村の産業を発展させました。石原種の功績は村の石碑に残されています。

愛知の女性は、外国や他県の技術者から学び、自分でも工夫し技術を高めて、近在の人びとの生活を豊かにする道を開いていったのです。

愛知の生産品

こうした労働の成果を価格でみると、県の主要農産物は一八七八年一位米、二位大麦、三位実綿、その他雑穀・野菜があって一八位までの合計九三八万円、主要工産物は一位清酒、二位織物、三位溜・醤油、その他陶磁器、瓦、団扇・扇子等いろいろで合計三四九万円、農業中心の県でした。それが一八年後の一八九六年には農産物のトップは米ですが、二位は繭、三位大麦、その他雑穀・野菜の主要品目合計一六七一万円、工産物の一位は織物、二位清酒、三位洋製機械綿糸、その他一八年前にはなかった多様な製品があって合計二三八七万円と農産物をはるかに超えています。近代産業が発展して、明治初期から中期にかけて、産業は農業中心から工業主導へ変化しました。明治中期から後期にかけては、綿・絹を主軸にしながらより新しい工業が発展します。

のちの一九二〇（大正九）年、最初の国勢調査によって全国と比較した統計の結果で、愛知県は農産五位、工産四位、職工女性三位（雑役を除く、大阪、長野に次ぐ）、職工男性四位です。愛知近世には家族の中に封じ込められて姿が見えにくかった女性の働きもあって、愛知県は国内でもトップクラスの豊かな県に成長していました。

新しい職業へ進出

農業が圧倒的多数だったとはいえ、女性のために必要な職業がありました。女児教育には女子教員が必要でした。一八七六年、「読物」「算術」「習字」「裁縫」のどれかを指導できれば試験を受けて教師に推薦されることができます。近世に重視された教養は漢学でしたが、次第に実生活・実業重視、天皇制政府の要請による修身（道徳）・唱歌・体育も教える教員が師範学校を整備しつつ育てられます。

女性にとってとくに必要なのは産婆や女医です。一八九一年、県は産婆開業試験規則を定め、一八九四年、愛知医学校は産婆と看護婦養成所を開設します。近代の産婆は間引き規制を重視して流産・死産届、胞衣（後産）の取り扱いなど環境衛生問題などの研修が必要になります。明治中頃、三河の福江町（現田原市）周辺の記録『三州奥郡産育風俗図絵』によれば、それまでは経験と才智・技術が器用なとりあげ婆さんが産婦を手伝っていきませ、赤ちゃんを湯あみさせる程度でしたが、次第に看護婦学校や病院で看護婦を養成、産婆・看護婦免状は嫁入り道具の一つにもなり、万一自分の収入で家族を養わなければならなくなっても安定した収入が得られるので、一九一六年には看護婦免状をもつ人が県内四八四人、産婆も二八七人、年々増加しました（新愛知一九一七年三月一七日）。

医療看護人はもともと男性の仕事でしたが、西南戦争以来女性の仕事ぶりが評価され、一八九四年には日清戦争が始まり、軍事看護婦が募集されます。一八九九年の日本赤十字社名古屋支部の看護婦募集広告は、条件を一八歳以上三〇歳以下、配偶者がいなくて、身長四尺六寸（約一三九センチ）以上、身体強健性質淳良、高等小学校以上の学力を条件にし、質の高い仕事ができる女性を要求していました。

医者は二回の国家試験に合格しなければ開業できず、医学校も実地研修する医院も女性を受け入れていませんでしたが、女性の必死の働きかけで、一八八四年医業開業試験が女性にも許可されます。女医全国第三番目が幡豆郡西尾生まれの高橋瑞子、産婆になったのち一八八七年開業試験に合格、東京で開業します。一八九三年医師資格を得た長野県出身の三浦こうは、結婚した三浦万太郎の郷里宝飯郡形原村（現蒲郡市）で産婦人科を開業しました。名古屋市では一八九四年に江間調（婦人科・小児科）が開業しています。豊橋市では南設楽郡千郷村（現新城市）出身の長谷川まきが一九一三年開業したのが第一号です。それぞれに苦労した女医は次第に各地に誕生、主に産婦人科・小児科を担当しました。

瀬木せきは一九一三年独学で医術開業試験に合格、一九一六年夫と共に市で初の眼科専門病院を開業します。婦人問題研究会の発起人、中京婦人会会長、瑞穂女学校（現愛知みずほ大学瑞穂高校）を夫妻・長男と共に創立するなど、愛知のもっとも優秀な女性とみられていました。

のちのことになりますが、北山郁子は夫婦で渥美半島泉村（現田原市）の内科医として働き始めますが、自分を生かせる仕事がしたいとさらに産婦人科を学び、一九七〇年代から若者への性教育普及に努力します。二〇一三年山上千恵子監督のドキュメンタリー映画「潮風の村から―ある女性医師の軌跡」が完成します。狭い意味の医療だけではなく、女医は男女の命の営みに必須の存在でした。

名古屋市最初の保健婦は秋山正子、一九三〇（昭和五）年市保健部防疫課に採用され、翌年矢場無料診療所で活動、午後は家庭訪問巡回をして、市民の公衆衛生向上の基礎作りをし、戦後は伝染病防止へ、やがて結核、乳幼児指導、性病中心から健康全般の指導をしています。

繊維産業の工女だけでなく、女性は店員、理髪業、写真師、出札係など多様な職業に就くようになり、珍しいから新聞で紹介されます。結婚し、家の跡継ぎを出産し育てて一人前の女性と認められる当時の社会環境では、女性が働き続けるのは困難でしたが、技術や能力が認められる仕事を続ける人や家族から現金収入が期待される既婚者が少しずつ増えていきます。

3. 女子教育の進展

男女が学ぶ学校制度

政府は一八七二（明治五）年、男女・職業にかかわらず、天皇制国家の「富強安康」を目的とする国民教化のための学校制度を定めました。県は、男は外で働き女は家内を治めるのが天分、子どもの強弱賢愚は母の心得次第だから女性も学んでみだりがましいことがあってはならないと心得を諭しています。

それまであった寺子屋、郷学校、私塾を母体とした義校を普及し、六歳以上の男女を入学させ、読書・習字・算術を教え、女子には糸紡ぎや機織り、裁縫も教え、授業料を納めさせます。新しい義務教育四年の尋常小学校就学率は、一八七三年ほぼ男性六四%、女性三〇%、一八八一年にはほぼ男子七〇%、女子四一%となり、次第に増えます。けれども村の少女教育について「女なんか、他家へくれるのだから、そんなに教育しなくてもよい、馬鹿なことだ、教育などしてお転婆にしては困る」という人がいるという投稿もあります。一九〇七年、義務教育年限は六年に延長されますが、県の就学率は一九一四（大正三）年には全国最下位となりました。一八九一年北設楽郡伊那橋村（稲橋村、現豊田市）の女子の「就学猶予願」を見ると、母親が病弱だから子どもの守をさせなければ一家の生活に差し支える、子どもが多いのに女手が少ないから子守をさせる、妻・母が不健康なので雇い入れた女子だから就学させられない、父親が病気で看護させるので就学させられない、奉公に出したから就学できない、学校が遠いので通学困難といった理由が記されています。子どもを含めた家族・雇人総出の働きで農村の生活はようやく回っていて、女の子は家族と共に働かなければなりませんでした。

当時子どもは農家の大切な労働力であり、とくに子守は女の子の仕事です。弟妹の子守だけでなく、雇われて子守として働く子もいます。県は、乳幼児を背負って通学することを認めるべきという「説諭」を一八七五年に出し、一八九一年には碧海郡小垣江（現刈谷市）尋常小学校内に子守科が設けられ、寄付金で筆・墨・硯などを買って入学者に貸し出し、修身、読書、習字、算術、唱歌などを教えています。

きんさん・ぎんさんの教育

一八九二年愛知郡鳴海村（現市緑区）の小作農家に生まれた矢野きん・ぎんの双子（一九九〇年代にきんさん・ぎんさん、一〇〇歳の双子として有名になった）は一九〇〇年、規則よりやや遅れて満八歳で鳴海尋常小学校に入学、同級生は男子一五人、女子六人でした。二人は五、六歳のころから草取りなど畑仕事を手伝い、弟妹が次々に生まれたので世話もします。母親がリウマチで手が不自由だったので家事もやり、学校は二人が交代で一日おきに通い、夜に休んだ方に伝えます。一番きつかったのは、家の使い水を天秤棒で担いだ桶でくみ上げることだったといいます。尋常小学校を卒業した後、二人は稲荷神社の神主に二年間勉強を習いました。親がせめて手紙を書けるようにと頼んでくれたのです。親は子どもが勉強することに理解があっても、働き手であることを優先させざるをえないのです。家庭の事情を村も理解せざるをえず、融通ある通学実態でした。

女子教員・女学校の増加

小学児童の就学率が高まる中で、女教員も増え、勤続年数も延びます。全国小学校連合女教員会創立は一九二四年ですが、名古屋市からその動きを支えたのは吉田じやう、現職中の一九三三（昭和八）年勲八等瑞宝章を授与され、退職後も地域婦人会、愛国婦人会等の活動を続けました。女教員は、良妻賢母主義を基本とした学校教育だけでなく、地域女性の知性向上のリーダーでした。

女子の中等教育は、一八七六年女範学校が創設されますが、入学志望者が少なくて廃校、一八八八年には初の女子ミッションスクール名古屋清流女学校が設立され（のち廃校）、その翌年女学専門冀望館（のち金城女学校）が開校します。

一九〇二年、渥美郡の農家生まれの伊藤卯一は、教師を経験しながら地元の役に立ちたいと豊橋裁縫女学校を開校、のちの藤ノ花女学校の基礎をつくります。一九〇五年裁縫中心の私立女学校として、東京裁縫女学校（現東京家政大学）で学んだ椙山正式・今子夫妻は名古屋裁縫女学校を創設、のちの椙山女学校、椙山女子専門学校、椙山女学園大学の基礎を育てます。同年親の求める結婚より勉強がしたいと上京、女子美術学校を卒業した内木玉枝は、中京裁縫女学校を創立、教員養成に努力し、教員の無試験検定資格を認可されて発展、中京女学校、そこに家事体操専攻科をもうけ、戦後中京女子大学・短大、現至学館大学の基礎をつくりました。渥美郡田原町（現田原市）出身の白井こうは、夫の病死後裁縫の教師になる志を立て、上京して東京裁縫女学校、さらに洋裁を学ぶため東京堀越和洋女学校で学び、一九〇六年岡崎裁縫女学校を開校、卒業と同時に小学校専科教員の資格を得る認可も受け、読み書きだけでなく、万一の時は独り立ちできる実力をもつように教育を進め、岡崎女子高校から人間環境大学岡崎学園の基礎をつくりました。広島出身の市邨芳樹は名古屋私立商業学校の教師を経て、女子の職業教育を重視し、一九〇七年私立名古屋女子商業学校を創立、拡張し、戦後の名古屋経済大学（市邨学園）に育てました。満田オリガ・樹吉夫婦は一九〇九年豊橋市に満田裁縫練習所を設立、一九二六年豊橋実践女学校を開校、桜丘高校の基礎を築きます。吉房千代は一九〇九年大谷裁縫学校を設立、一九一八年半田裁縫女学校に成長させ、東南海地震で閉校しますが、戦後教え子が半田洋裁学校を開校しのち半田家政専門学校としました（のち閉校）。碧海郡桜井村（現安城市）出身の寺部だいは、裁縫教員をめざして東京裁縫女学校で学び、一九一二年私塾から安城裁縫女学校を開校、職業教育を重視し、のちの愛知学泉大学の基礎をつくります。山田久子・新平夫婦は一九三三年市中区に山田和服裁縫所を創設、山田女子青年学校を経て一九四二年青年学校山田家政女学校、戦後一九五〇年山田家政短大、のち名古屋文化短大に発展させます。幡豆郡横須賀村（現西尾市）の寺に生まれた大渓専は、社会奉仕組織として「桜花義会」を設立、一九〇三年産婆や看病婦学校を創設、仏教教育を軸に一九二三年桜花女学校、翌年桜花高等技芸学校を設立して教員養成に努めます。

家族のための裁縫、部分縫いばかりのお針子ではなく、女性が結婚しなくても、夫が死去しても生活できる実力がある女性になることは、二〇世紀初頭には並大抵の苦労ではありませんでしたが、各地の裁縫塾から実科女学校、高等女学校が先覚者の手で切り拓かれ、戦後の進学率が高まる中で短大・大学に成長したのです。

愛知県立第一高等女学校の校門（『愛知県第一高等女学校史』愛知県第一高等女学校史刊行会）

愛知初の公立女学校は全国一二番目に一八九六年設立の愛知県名古屋高等女学校（のち名古屋市立名古屋高女、名古屋市立第一高女・通称市一、現名古屋市立菊里高校）、その後一九〇二年豊橋町立高女（現県立豊橋東高校）、一九〇三年愛知県立高等女学校（のち県立第一高女・通称県一、現県立明和高校）が設立され、やがて大正から昭和にかけて増加しますが、志願者の半分程度しか入学できない時期もありました。学校数で女学校が中学校（旧制、男子のみ）を超えたのは一九一二年度、生徒数では一九二四年度のことです。

女学校がかかえる問題

学校も生徒も増加しましたが、小林清作愛知淑徳高女校長らは男子の中学校と比べて女学校教育には問題が多いと考えていました。男子には中学校の上に進学できる学校があるのに女子には少ないのは、「名古屋地方には早婚の弊習」があり、家庭が教育を十分に支援しない、大学教育は女子には認められていないし、学校の制服の洋風化も運動競技などの教育環境も遅れていると指摘しています。女子の教育の基本は良妻賢母、自己主張せず、従順でよく働き、夫と夫の家族に尽くすべきとされていたからでしょう。愛知教育会も家庭の根本は「夫唱婦和」といいます。

一九〇七年、愛知郡熱田町（現市熱田区）の本遠寺を仮校舎として設立された町立熱田高女は、間もなく熱田町が名古屋市に編入されたので市立熱田高女となり、一九一二年には市立第二高女（現向陽高校）と改称、翌年校舎を南区熱田東町（現市熱田区）に新築移転しました。校訓の第一は、「聖勅（教育勅語）を奉戴し忠孝の臣子たらんことを期すべし」で、天皇に忠義を尽くす良妻賢母の素質を育てることを理想とします。一八九八年公布された民法は、家督・財産相続を直系男子優先とし、妻も家族も原則的に男性戸主に扶養されると決めたので、男性の教育が優先されるのは国の方針であり、女性の教育は男性に従属的だったのです。

女子高等教育への要望

数倍の入学志願者がいた愛知県立高女を一九一三年訪問した名古屋新聞記者は、特別忠実に良妻賢母主義の学校だから、学問するより結婚せよ、嫁入りして子を産むのを誇る学校とみています（名古屋一九一三年九月一九日）。しかし良妻賢母主義の鵜飼校長から小林校長にかわると、進学する上級学校が地元にないので、一九二二年専攻科（国語部、英語部、三年制）を設け、

金城学院の体操風景（金城学院創立百周年みどり野会事業委員会編『みどり野　金城学院創立百周年記念文集』）

女性の向上意欲を励ますようになります。生徒の山本花子は、教育目標が従順な良妻賢母の育成から、自分の力で物事を考え、自分の考えで行動する女性の育成へ移行したと評価しています。

さらに女子高等教育機関設立の要望があって、一九二七年金城女子専門学校（現金城学院大学）、一九二九年椙山女子専門学校（現椙山女学園大学）、一九三〇年に安城女子専門学校（現愛知学泉短大）が設立されました。専門学校は文部省の認定で中等教員検定無試験の資格を取れますが、一九三七年には金城女子専門学校が国語・英語・家事の教員資格を認定されています。この年この学校の国文・英文科は授業料八八円、教科書・参考書二五円、被服費一二円など合計一四八円でかなり高額です。当時の小学校教員の初任給は約五〇円、専門学校へ行くと結婚が遅くなると親は心配したので、進学できる女性は限られていました。ずっとのちに戦争が長引き男性医師は軍医になり、都市部の医師不足が問題になり、市は一九四三年四月五年間修学の名古屋市立女子高等医学専門学校（現名古屋市立大学医学部）を開校します。

明治の学制発布以後、義務教育の普及、中等教育の展開、社会環境の変化の中で、良妻賢母主義を基本としながらも、個人尊重の近代的生き方を模索し、個々の才能を伸ばし、社会に寄与する可能性が育っていきました。

4. 自由廃業に向かう娼妓

廃止されない遊郭

近世に公認されていたのは、名古屋・熱田・岡崎・豊橋の遊郭でしたが、交通の要所の宿屋などに飯盛女と称する、性を売る女も黙認されていました。

しかし世界では奴隷制廃止や苦力貿易への批判が次第に高まり、明治政府は開化政策を取り入れる中で、一八七二（明治五）年、芸娼妓解放令を出し、遊郭から逃れようとする娼妓が出ます。政府は人身売買を禁止しますが性売買は禁止せず再編を進め、愛知県は一八七四年名古屋の日出町（大須・現中区）で遊郭の区画を決めて許可し（旭郭、通称しんち）、元飯盛女の営業も認めます。娼妓は席貸茶屋（性産業経営者）からお金を借り、鑑札を受け、税金を出し、性病検査を受け、客は張見世（娼妓が座る場所、のちに写真に代った）に並ぶ娼妓から相手を選びます。娼妓はカタログで源氏名（娼妓名）、本名、生年、本籍地なども明示され、一時的な売り物扱いでした。取り締まる警察は、娼妓を「淫を売る醜業」と認めています。

しかしキリスト教や自由民権運動の影響があり、全国で県令（知事）や県会が遊郭廃止を問題にします。愛知県会でも一八八二年、娼妓と席貸業根絶の建議案を可決します。席貸業者は遊郭廃止反対運動を開始、その攻防は以後も激しく続きますが、結局うやむやのまま遊郭は場所を変え、疑獄事件が問題になりながら存続しました。一八七七年旭郭の席貸業者一〇五軒、娼妓三二〇人、芸妓一〇人でした。性病予防のため、一八八〇年には駆梅院（性病専門の病院）が設置されます。一八八四年、県内席貸茶屋軒数と娼妓数は、名古屋一五一軒、八一三人、熱田二八軒、一四九人、岡崎六七軒、一七〇人、豊橋四〇軒、一五三人、計二八六軒、一二八五人で増加傾向にありました。翌年、旭郭の席貸茶屋・娼妓の二月分の税金は二一〇五円、警察署に差し出すことが決定されています。こうして税金収入を必要とする行政と、「性奴隷」を否定するべきとする一九世紀の国際情勢のはざまで、日本の遊郭・娼妓は存続します。この後、戦争景気の時期には席貸茶屋・娼妓が増え、遊客も増え、二〇世紀半ばまで続きました。

売る親・売られる娘

日本で娼妓が広く認められる考え方の底流には、親孝行、家族のために女性を犠牲にする道徳があります。尾張徳川家のある元家臣は、維新後暮らせないからと、まず未婚の娘三人を松本の料理屋に一人一五両で売り、娘たちは親のいうことならどんなことでも従うと売られていったと『松平三代の女』には語られています。父親は次に嫁入りして子どももいる娘をだまして連れ出し東京の港に近い遊郭へ五〇両で売ったといいます。戸主は家族を護るべき存在のはずでしたが、自分が娘たちを売った金で生き延びようとすることもあったのです。

一八九一年濃尾地震の際は中島郡の死者がもっとも多く、県内死者は二四五九人にもなりました。災害地には東京から「人買い」が来て、生活困難な家族から三年一〇円、五年二〇円と極端な安値で若い女性を買い上げ、東京の吉原遊郭に「輸送」しようとしていると、『新愛知』（一八九一年一一月一〇日）が伝えています。

愛知の廃娼運動

一八八九年頃から廃娼論が盛んになり、愛知廃娼会が設立され、演説会で廃娼の是非が議論されました。その前後、娼妓が外出許可を取らずに逃げ出す、許可を取って外出しても帰らない「脱楼」の記事が新聞に掲載されるようになります。娼妓自身が嫌なことは嫌なのだと行動で示し、裁判に挑戦して解放されようとする娼妓もいます。廃娼派も存娼派も全国的に連携して主張をたたかわせました。他方、半田・津島・清洲・前ケ須（現弥富市）・一宮・鳴海（現市緑区）・瀬戸・新城・豊川・御油（現豊川市）・知立が新しく遊郭設置の請願を出しています。県内では遊郭を新しく設けて儲けたい業者が少なくなかったのです。

一八九三年、アメリカのメソジスト・プロテスタント教会のユリシーズ・グランド・モルフィ（マーフィ）が名古屋へ来て、名古屋美普教会に所属し、名古屋英和学校（現名古屋中学・高校）で英語を教えます。一八九八年民法が公布され、「公ノ秩序又ハ善良ノ風俗ニ反スル事項ヲ目的トスル法律行為ハ無効」と定め、娼妓契約が法律違反になる可能性が生まれます。松坂楼の娼妓小六（佐野ふで）はモルフィの援助で提訴し、勝訴、敗訴ののち転売され、逃亡し、三か月隠れて自由の身になりました。キリスト教の倫理観に基づいて、遊郭側に暴行を受けても屈せず娼妓の味方になる外国人が名古屋に来て、娼妓も自分の意志を通す可能性が出てきます。クリスチャンの岩崎義憲は、濃尾震災時に愛知・岐阜の娘が娼妓に売られたのを知り、廃娼問題を研究して専門の弁護士になり、モルフィや矯風会幹事と協力して娼妓の自由廃業のため努力しました。娼妓が自由意思で廃業する「自由廃業・自廃」は、警察統計で一九〇〇年二五人、以後六〇人、五二人、八四人と続きます。

藤原さと（娼妓愛之介）は、一九〇〇年自由廃業を願いモルフィを訪ね、岩崎義憲弁護士の協力で「自由の束縛を受ける契約は無効」の判決を名古屋地裁で得ます。楼主は控訴しますが、さとは行方不明になって自由の身になります。大熊きん（娼妓愛染）は一九〇〇年自由廃業しようとしましたが、楼主は前借金について財産差し押さえを提訴、大審院（最高裁）でもきんは敗訴しました。娼妓の保証人（親など）は貧乏だったので、財産を差し押さえられれば家族は暮らせません。それでは娼妓の廃業はほとんど不可能です。

モルフィらによる廃娼運動は、クリスチャンの縁で戦後モルフィと文通・翻訳をした名古屋女性史研究会の小川京子が『石つぶてのなかで』を自費出版して明らかになり、一九八四（昭和五九）年不二出版から再版されました。

モルフィによる運動の影響を受けて、一九〇〇年ごろから豊橋地方でも自由廃業運動は活発化し、日本矯風会による公娼撲滅演説会が開催され盛会で、楼主は防衛のため娼妓と親睦会を開くなどします。廃業に成功する娼妓もいますが、二年ほどで自由廃業活動は停滞してしまいます。

娼妓の現実

一九一四（大正三）年市中区吾妻町旭郭で五年契約・前借金三〇〇円で娼妓になった玉勇の借金計算書を見ると、借金の利息は月一・二五％、税金月五〇銭を稼ぎから天引きし、稼ぎの残りを楼主と娼妓が半分ずつ取る取り決めです。病気入院時以外は食事と部屋代は楼主負担、衣類・髪結代・炭代は娼妓の自己負担なので、金がなければ楼主に借金するしかありません。その結果、玉勇は四か月娼妓として稼いだのですが、借金は一六円二銭四厘増えています。玉勇の場合、借金を全額払ってくれる男性が現れたので（身請け）、玉勇は自由の身になりましたが、こういう運の良い娼妓は多くはなかったでしょう。

一九二三年六月ごろ、名古屋の娼妓の前の職業は、酌婦二四九人、工女一九七人、女中一八九人、農業一三九人、芸妓一一一人、無職七二人、手伝い五一人その他です。一〇三九人のうち小学校卒業者一二六人、小学校以上の学修者は二九人、その他は義務教育さえ終えていず、無学は二三一人でした。読み書きが十分にできず、なにも技術をもっていない貧しい家庭の女性が、とりあえず借金できる娼妓稼ぎにすいこまれていきます。そして遊郭では女紅場（娼妓の学校）や銭湯に行く以外は、散歩も外出も制約があり、心を許せる交流はむずかしいのです。娼妓自身が仲間と共に抵抗するのは困難な環境でした。

「地獄」から逃げる娼妓

他方逃げ出して廃業しようとする娼妓の「脱楼」は続き、一九一〇年代には、警察署・救世軍・廓清会等に駆け込んで助けを求める娼妓が出てきます。社会環境の変化で、娼妓を支援する組織の情報も出ています。一九二六年、『婦人公論』の「娼妓の自由解放」論を読み、名古屋から東京の関東紡績労働組合岩内善作のもとに逃げ込んだ松村喬子は、『女人芸術』に人生記録「地獄の反逆者」「続地獄の反逆者」「脱出」を書き、遊郭での生活実態を暴露します。要するに遊郭では楼主の言うとおりに夜の客に奉仕する以外、何もしてはいけないのです。「金を借りているから仕方がない」とあきらめ、体が壊れても働くべきなのです。自分たちのささやかな希望としては、「借金が減らないから利子をとらないでほしい」「病気の時は休みたい」「稼ぎや天引き金を明記する」「親が死んだときの知らせには快く帰郷させる」など、人間扱いされることを求めています。こういう「地獄」から逃げるため、松村喬子ら娼妓四人は浴衣姿のまま、路地伝いに名古屋駅へ出、切符を買い、二人は東京へ、二人は大阪をめざしました。名古屋笹島署へ出した廃業届は却下されますが、松村は名古屋に帰らないまま、社会運動家になります。娼妓の待遇改善をしなければならなくなった県保安課は、一九二六年遊郭を調査し、遊郭代表と意見を交換し、前借金の利子撤廃、前借金・追借金の制限、市内外出自由などの方針を出します。

キリスト教プロテスタント系の救世軍は、東京に救世軍婦人救済所（通称婦人ホーム）を設立して、モルフィの志を継ぎ、市出身の村松きみが一九一三年主任に就任しています。村松きみは退任まで二六〇〇人以上の自由廃業娼妓の世話をし、終生福祉活動に尽力しました。

遊郭から自由になる道を、どれだけの娼妓が自分で実現できたでしょうか。松村喬子は女学校中退だったので婦人雑誌を読むことができ、知らないけれど助けてくれる人を探すことができました。次第に娼妓を人間以下と見下げず、自分の意志で廃業しようとする娼妓を支援する男女・家族・組織が存在するように時代は動きました。

5. 女性の人権の明暗

政治参加から締め出されて

一八九〇（明治二三）年、直接国税一五円以上を納める二五歳以上の男性による初の総選挙が実施されました。すぐに女性の政治活動を全面禁止した集会及政社法（のち治安警察法）が公布された一方、衆議院は女性の議会傍聴を認めます。その五日後、愛知県会では三人の女性が傍聴しています。一九〇四年、初期社会主義者が愛知を遊説したときも、少数の女性が話を聞いています。額田郡藤川村（現岡崎市）出身の大須賀さと子は、上京・渡米・帰国後平民社へ出入りし、山川均と結婚、赤旗事件で逮捕され、出獄後病死しました。一九一〇年、大逆事件に関連して愛知の初期社会主義者が調べられたとき、矢木てゑ（社会主義者矢木鍵次郎妻）は「社会主義ハ結構ナ事ト考ヘテ」いるが、行動はしていないと供述しています。女性も政治や新しい思想に関心を示す人がいるようになっていたのです。

一八九三年、文部省は学校祝祭日の儀式に「君が代」などを歌うよう決めましたが、ニュージーランドでは世界初の婦人参政権が実現しました。世界の民主主義の風、キリスト教的自由・平等の風、その他多様な風が愛知に吹き込む時代になっていきました。日本では一八九八年（明治）民法を制定し、戸主（家父長）が全財産を相続管理し、家族の結婚等を支配できる制度を固め、天皇を国民の家長とみなす道徳を浸透させようとしていました。

工業の発展と女性

明治期の県産業は、工業と農業両方が成長していました。日本全国でみると、一九世紀末から二〇世紀初めは、大阪が工業地域としてはトップで、東京が急速に工業化を進め、愛知県の工業も急成長します。一九〇九年の県工業生産額は、大阪府・東京府・兵庫県につぐ地位を占めていましたが、県は食品・繊維など軽工業が中心でした。そのなかで機械制大工場を発展させたのは名古屋市を中心とした紡績工場で、尾西・尾北・知多地域では織物業の中小工場が増加します。中小工場の中には義務教育未修了労働者の教育をしたところもありましたが、労働災害、火災、結核やトラホームなど集団生活がもたらす病気がふえるなど、職場環境・生活環境に問題を抱えた工場がより多数でした。けれども女子労働者の争議は極めて少数です。

労働災害と女性

工場の労働災害も新しい社会問題になります。一九〇〇年には葉栗郡光明寺村（現一宮市）小島織工場の火災で、二階の寄宿舎で寝ていた工女ら三一人が焼死するという惨事が起きます。男女の交流禁止を名目に、寄宿舎の二階への入り口には外から錠がかけられ、窓には鉄の柵が

一宮市光明寺　織姫之碑

はめられ、工女を監禁状態に置く宿舎なので、火事になっても逃げられなかったのです。家族も世論も工場を非難し、工女の人権を問題視する世論に、行政は規制を強めます。それでも一九一三（大正二）年には西春日井郡六郷村（現市北区）織布工場火災で二一人が焼死しています。新しい働き方は現金収入をもたらしますが、新しい社会問題も出てきます。どうすれば女性の安心・安定できる生活を築けるのか、誰がそれを実現させるのかは、まだ不確実な時代でした。

6. 軍事強国の道に進む日本

日清戦争で世界の強国へ

一八九四（明治二七）年日清戦争が始まり、勝利した日本は朝鮮に対する清国（中国）の支配をやめさせ、賠償金約三億円と植民地台湾を獲得しました。戦争に勝って世界の強国になる日本を喜んだ多数の国民は、中国・朝鮮を蔑視し、軍備増強と侵略の方針を受け入れ応援します。

一九〇〇年の北清事変をきっかけに、翌年奥村五百子らは愛国婦人会を結成、内務省の主導のもとに兵士・戦死者・廃兵（傷病兵）支援の活動を始めます。県では愛国婦人会愛知支部を設立、日露戦争が一九〇四年開始されると、愛知婦人国恩会などもつくられ、軍人家族支援活動が続きました。愛国婦人会県支部長は知事夫人、以下市町村長夫人が各組織の長、関係者が会員になるような会で、寄付金品を集め、出征部隊の送迎、出征家族の慰問、傷痍軍人の慰問、戦病死者の会葬、戦病死者遺族の慰問、慰問袋を出征軍隊へ送るなど活動します。女性も国の方針にしたがって社会活動に出ていくことが奨励され、名誉ある活動と評価される空気が出てきます。

日露戦争戦病死者の家族

日露戦争は死者が多く、尾張地域だけの戦病死者遺族数は二五七八人、西南戦争と日清戦争合計の三・八倍になりました。戦病死軍人の遺族扶助料を受け取る順番は、第一寡婦（死者の妻）、第二遺児、第三父母または祖父母とされていました。しかし遺族扶助料を嫁である寡婦ではなく、戸主である死者の父母または祖父母が自分の自由にしたいので、多くの嫁が離籍される例が陸軍当局の問題になります。家父長制度の戸主は当事者に無断で離縁を決定できるためです。のちのシベリア出兵の際、東海地区出身者が所属する第三師団の兵士が入籍していなかった妻との婚姻届を続々提出したことも、名古屋連隊司令部を驚かせました。嫁の権利は無視される可能性があったので、若い夫はせめて同一戸籍に入れることで妻子を守ろうとしたのです。

一九〇一年、東京では片山潜・幸徳秋水らが社会民主党を結成（即日禁止）、一九〇三年には平民社が結成され、反戦・民主への模索が姿を見せます。一九〇三年から小学校の教科書は国定とされ、以後国家の方針は学校教育で隅々まで浸透させられていきました。与謝野晶子は日露戦争に出征した弟を想う本音を「君死にたまふこと勿れ」の詩として発表します。一九〇五年には平民社の堺ため子らが女性の政治活動を禁止した治安警察法第五条改正の最初の請願書を衆議院に提出、この年東京では日本基督教女子青年会（ＹＷＣＡ）が設立され、女性も女性自身に必要な活動を模索しながらすすめます。

日露戦争ののち、各国は軍備拡張に努力し、勢力圏を拡大しようとし、国内の矛盾は労働争議など社会運動として現れるようになります。一九一二年中国では辛亥革命によって清朝が倒され、孫文が指導する中華民国が成立しました。一九一四（大正三）年には第一次世界大戦が開始され、経済力・技術力を問う国家総力戦の時代に入ります。

一九一二年明治天皇は死去します。中島郡明地村（現一宮市）生まれの市川房枝は女子師範学校四年生、京都桃山に向かう霊柩車奉送のため駅に行き、在郷軍人や多くの老若男女と並び、「只ソレ涙アルノミ。只ソレ誠アルノミ、只ソレ忠アルノミ」の思いでいっぱいになります。市川の母は読み書きできませんでしたが、市川は子どもに読み書きを教える教師になって自立の道を歩もうとし、「御一新」以後女性にも教育の道を開いた天皇を敬愛する念をしっかり抱いてもいました。市川には大元帥として軍の全権をもっていた天皇への拒否感はありません。市川は岡崎の第二師範学校女子部から新設された県立女子師範へ移った七月、「愚劣な良妻賢母主義」教育方針への不満を同級生と話し合い、校長へ要望書を提出、授業には無言で、試験は白紙で抗議の姿勢を表明する「ストライキ」の先頭に立っています。理屈・理論ではなく、現実生活の中からより良い方向を探り当てようとする市川は、こののちもリベラルで誠実な現実主義者として、女性の社会的地位向上の行動力をつけていきます。

7. 青鞜社と名古屋の歌人

『青鞜』の影響

一九一一（明治四四）年、平塚らいてうたちは女性の才能を発揮できる場が必要と『青鞜』

を創刊し、文学研究会を開催します。新聞の広告を見て名古屋市の歌人青木穠は入会を申し込み、近所同士、名古屋市立女学校の友人などの縁で、原田琴、片野球、岸照、山田澄が青鞜社同人、青井禎子が補助団員になります。青木の日記に残されていた名簿によれば、全国の社員は五六人、東京三三人に次いで多いのが名古屋の五人でした。『名古屋新聞』の「言論欄」では青鞜社を個性ある女性たちと認めていますが、投書欄では「賢いようでもたかが女」「女は凡て高等下女」と蔑視する人と、「醒めたる人には強い自尊と自覚がある」「新しい女」と評価する意見が派手に議論していました。その中で青鞜社に参加し、短歌を投稿するのは、相当に個性的自覚的な人たちといえます。

青木穠と原田琴

青木の歌の師大口鯛二は『青鞜』を批判、青木は青鞜社を退会しますが、のちに上京した際、青鞜社を訪ねています。青木は一九一八（大正七）年宮中の歌会始に「いそやまの松きはやかにあらはれて　なみこそもゆれのぼる朝日に」が入選、有名になります。一九一九年女性短歌会「このはな会」（のち明鏡短歌会）を主宰、名古屋の女性に短歌を指導しました。戦後の一九六四（昭和三九）年短歌会館を建設、女性や文化の拠点として市に寄贈しました。

東海の晶子（与謝野）といわれた原田琴の「よしと見てわれは止まる人は皆　果に急ぎぬ悔

に急ぎぬ／飯台を戸棚の前にとり出で、　硯おきたるわが書斎かな／わが歌もよしと思ひぬ男らに　よからぬひゞきあたふと聞けば」ほかの歌が『青鞜』第一巻第三号に掲載されています。また原田琴は『新愛知』に「婦人の覚醒」の題で、「日本の婦人は、あまりに盲従的である。依頼的である。…実に自主自尊の念に乏しい。…妻は家庭の飾物や、夫の遊戯品でないことは勿論である。…決して妻が夫の附属物でないことに気が付かなくてはならぬ」（一九一一年一〇月一日）と自立心をもたない女性自身への率直な批判を発表しています。

女性自身のための雑誌が誕生するほど女性の文芸・評論への関心が強まった時代、平塚らいてうの「元始、女性は太陽であった」という呼びかけに共感できる知性をもつ女性が存在するようになったことは、東京でも愛知でもさらにさまざまな葛藤を生んでいきます。『青鞜』が創刊された一九一一年は、大逆事件で死刑が執行された年、日本では天皇の絶対性が強調されていく時代でした。

第一章　典拠・参考文献

『愛知県史』通史編6、通史編7、資料編24、資料編32
愛知県編・刊『統計上ヨリ観タル愛知県ノ地位』一九二二年
愛知県企画部統計課編・刊『あいちの人口のあゆみ』一九九九年
愛知県教育委員会編・刊『愛知県教育史』第三巻　一九七三年
愛知県警察史編集委員会編『愛知県警察史』第一巻　愛知県警察本部、一九七一年
愛知県第一高等女学校史刊行会編・刊『思い出の県一高女』一九八八年
浅井穂峰「村落における処女教育」『愛知教育雑誌』二一五号、一九〇五年
『熱田風土記』中巻　久知会、一九八〇年
綾野まさる『きんさんぎんさんの一〇〇歳まで生ききんしゃい』小学館、一九九二年
「市川房枝日記」『市川房枝の言説と活動　年表でたどる婦人参政権運動　1893―1936』市川房枝記念会政治と女性センター、二〇一三年
伊藤康子「男女同権思想のひろがり」名古屋女性史研究会編『母の時代―愛知の女性史』風媒社、一九六九年
植木枝盛『東洋之婦女』佐々城豊寿、一八八九年
小川京子『石つぶてのなかで　モルフィの廃娼運動』私家版、一九六七年
荻野円戒『白井こう先生伝』白井こう先生伝刊行会、一九七六年
斉藤勇「明治期廃娼運動史論」『愛知県史研究』三号、一九九九年
塩澤君夫・斎藤勇・近藤哲生『愛知県の百年』山川出版社、一九九三年

『新編安城市史3　通史編　近代』第三章、二〇〇八年
椙山女学園『私学人椙山正弌』刊行会編『私学人椙山正弌』講談社、一九七五年
豊田清子『小渕志ちと女工の生活』私家版、一九八二年
『豊橋市史』第三巻、一九八三年
内木玉枝『一すじに歩んだ九〇年の思い出』内木学園、一九七四年
中村雪子「御一新と百姓」前掲『母の時代―愛知の女性史』
中山惠子「青鞜社の名古屋社員」前掲『母の時代―愛知の女性史』
編纂委員会編『市邨学園九拾年史』市邨学園、一九九六年
松下石人『三州奥郡産育風俗図絵』正文館書店、一九三七年、一九九七年復刻『日本（子どもの歴史）叢書、久山社
松平すゞ著　桑原恭子構成『松平三代の女』風媒社、一九九四年
三島秀文『佐織村史』東海地方史学協会、一九八二年
山室徳子『遁れの家にて―村松きみの生涯』ドメス出版、一九八五年

第二章　女性が静かに動かす大正デモクラシー

1. 産業の発展と働く女性

農村から都市へ

農業から軽工業、重工業、流通業へ産業が発展した県では、まず名古屋、次いで一九一〇年代半ばには都市の人口が増加し、村の人口が減少していきます。愛知県農会『農村状態調査大正十二年度』は、篤農家に依頼した限定的な村の調査ですが、農村青年男女は一九一八（大正七）年度には男子一〇五人、女子六三人が出郷、行先は両者とも工場がもっとも多数です。一九二三年度には男子二四八人、女子九六人が出郷、行先は男子が店員、次に工場、女子は工場です。高等小学校を卒業していれば店員になる人が多く、尋常小学校卒業・中退は工場へ行くという格差もあります。結婚先の調査もあって、地主の娘は都会へ嫁ぎ、小作の娘は田舎に嫁入るのが多数で、新聞は農村の若者、とくに女性が都会にあこがれると記録しています。『名古屋新聞』は「労農愚痴物語」として、「利口そうな子は進学させ都会に出し、屑のような子が農村に残る」、昔は機織とうどん打ちが嫁入りの資格になっていたのに、今は水車場製の機械うどんや紡績糸を買うと記事にしていました（一九一四年七月二〜七日）。

結婚式の変化

農家の娘の結婚は親が決めます。きんさんもぎんさんもある日突然見合いする日を告げられ、夫になる人が見に来ます。家族以外の男と話したことは一度もないので、二人とも男は「おそがい」（こわい）ものだと思っていました。見合い写真もありません。親同士が決めていることだから嫌とはいえません。結婚式の前に父は「いったんこの家を出たら、二度と戻ってくるでないぞ」、母は「よそさんのご飯をもろうて暮らしを立てるだから、おなごはな、辛抱の上に辛抱だでね」といい、「出戻り（離婚）なんぞしたら生きとれんほどだ」と覚悟します。人力車に乗って婚家へ行き、お膳がずらっと並んだ婚礼の翌日から働き続ける日々を送ることになるのです。一九一〇（明治四三）年きんは満一八歳で結婚、ぎんは満二一歳で結婚しました。

一九二一年二四歳の杉村（のち今井）春は両親が一五歳の時に亡くなり、母方の叔母に引き取られます。女は褒めたらつけあがるからと、役に立たないと叱られながら春は叔母の家で働いていていました。親戚の紹介でのちの夫の母が見に来て、たまたまあった親類の葬式に行った時、夫になる人も参列し、春の知らないうちに縁談が成立、春は「この人にもらってもらうことになったから、この写真抱いて寝ろや」といわれます。しっかり者の姑で大変だろうが、美男子の夫で幸せだというのが大方の意見だったそうです。娘時代に出征兵士と交わした文通も、帰還したとの便りで差し止められてしまいます。恋愛結婚など聞いたこともなかったと振り返ります。嫁には「水車のように働け」（用がなくても身体を動かし続けよ）、「這っても黒豆」（虫が這っているのを目の悪い姑に黒豆が落ちているから拾えといわれれば、嫁は虫と分かっていても拾わなければいけない）ということわざがあり、嫁は口答えせず、姑の言うとおりに働きぬくしかないのです（今井春から一九六八年八月一一日聞き取り）。

大正末期の高齢者調査結果によると、もっとも早い結婚は女性の一三歳（数え年）、もっとも多い結婚年齢は男女とも二〇歳から二五歳、子ども数は三人がもっとも多く、次は四人でした。

一九〇七年旧来の結婚式と異なる深野一三県知事長男の神前結婚式が、初めて大神宮（伊勢神宮）奉斎会で行われます。「御祖の神の大御前にて誓詞あげ奉るは最も国体に副ひたるもの」として、神前結婚式は軍人、教育家、実業家に広がります。「弊害且つ冗費多き旧式結婚法を避け簡易にして神聖なる神前結婚」が日本の国体にあっているので、地域社会に根付いた三日も続く結婚祝いのご馳走をふるまう「無駄遣い」の社会習慣を否定する方針です。一九三二（昭和七）年には神前結婚に対して、仏前結婚も市覚王山日暹寺（現日泰寺）などで行われるようになります（新愛知一九三二年一月二六日）。

農村の家族は旧来の慣行のまま、女性に朝から夜まで働き続ける生活を求めていました。一九一二年三月から一年間の幡豆郡（現西尾市付近）の六人家族の経営実態をみると、全員一年間の労働日数合計は九五一・九日、もっとも多く働いたのは長男の妻（嫁）で二四八・九日、全体の二六・一％、戸主・長男夫妻とも妻の方が夫より多い日数働いています。農家は嫁の労働で支えられていたのです。

繊維工場で働く農村の娘

一九二〇年から国勢調査が始まり、県内就業人口は二〇八万九七六二人、内女性は一〇五万五九〇二人で五一・〇％を占めます。その中で農業・畜産・蚕業人口は四四％（男性四三％）で、男女とも高い比重を示しています。都市についてみると、市の就業人口は女性二〇％（男性二一％）です。主な工業は、繊維工業が一位で労働者の六八％を女性が占め、二位から五位の、木・竹等製造業、窯業、食品製造業、機械器具製造業は、女性が四四％前後、六位の金属工業は女性が三九％を占めており、女性がいなければ県工業はまわっていかないといってもいい過ぎではありません。一九二〇年ごろは農村・農業と関係の深い軽工業と、名古屋に集中される重工業の双方が発展していく時期です。

工場の集団生活

県内繊維工場の女子労働者の労働の実態を見ます。一九一九年、平塚らいてうは『国民新聞』に依頼されて、名古屋、一宮周辺の繊維工場、とくに愛知織物会社（通称丸織、紡績部と織布部があり、市東区）を視察しました。労働時間は午前六時から午後六時まで一二時間、休息は午前中一五分、昼食時三〇分、午後一五分、女子工員の賃金は見習いを除き月払いの請負制で、最高四七円、最低一〇円、平均約二〇円です。食費は一日平均実費二二銭かかりますが、賃金から一〇銭天引き、不足分は会社が補助するという話を会社側から平塚は聞きます。

紡績の現場に行くと、働く人の髪はもちろん、眉毛もまつげも、額も頬も、綿埃で綿帽子をかぶせたようでした。会社の人は「皆慣れて案外平気です」といいますが、働いているのは病人のような干からびた顔、目がただれ、血走っていたり、子どもの形をしたおばあさんのような、一〇代前半の少女でした。「子どもが紡績に適しているのか」と尋ねると、「あの子どもの柔らかい指先が実にいいのです」との答えです。寄宿舎は日当たりも風通しも悪く、一部屋一二畳で、一人一畳半が住む場所になります。食堂では炊き立ての麦飯がおひつに入っており、おかずはカボチャと干ぴょうの煮つけと色の変わったたくあん二切れでした。労働環境は要求が出なければ改善を考えず、他工場と比較してバランスはとっているということでした。

一八七八年創業の尾西（現一宮市）の鈴鎌毛織工場は、濃尾震災後毛織物のセルを織り始め、一九二一年ごろから背広地を生産します。一九二三年当時の献立予定表や買い入れ帳によれば、朝食はご飯、汁物、漬物、昼食はご飯、汁物に副菜一、二品、副菜は野菜と油揚げ、ちくわ、ヒジキ、豆類の煮物、干物、塩魚等、夕食はごはん、汁物、漬物またはふろふき大根、ご飯と漬物は自由に食べることができます。ごはんには白米、台湾米、改良麦が用いられ、野菜は自家栽培なので食事の内容は豊富で、炊事夫が雇われ、当時の工場関係者一五二人について一日一人当たり二五銭の食費がかかったと計算されています。受診簿と健康検診簿によれば、疾病は胃腸病、トラホームなど眼病、気管支系疾病が多数です。この女子労働者たちは、調査に来た研究者にかつての工場生活を懐かしみ、喜んで話してくれたといいます。工場によってかなり違いがあります。

こうして、女性も農村の家族から離れ、一時期ですが工場で集団生活をするように変わりました。

その中で女性の社会的地位の低さを示すのは賃金です。名古屋市教育部社会課「労働統計実地調査―名古屋市結果概要」（一九二四年）によれば、一日平均賃金は男性二円四銭三厘、女性は九七銭六厘、職種の違いはあるとしても、女性は男性の四七・七％、半分以下でした。染織工場で働く場合、女性は男性の六九・一％で三分の二ちょっとですが、機械器具工場では三七・三％で、男性の三分の一の賃金でした。近代的統計がとられるようになって全体として比較ができるようになったのがおそらく最大の変化です。

2. 社会運動の進展と米騒動

社会運動の拡大

一九一四（大正三）年第一次世界大戦が始まり、日本は中国や太平洋にあったドイツ領を占領、中国に「対華二一カ条」の要求を出し、日本の権益を強化しました。ロシアでは革命運動が起き、二月革命・一〇月革命によって世界大戦から撤退し、社会主義体制をめざす政権を築き、朝鮮の三・一独立運動、中国での五・四運動を励ますなど世界の社会運動に影響を与えます。ロシアの反革命勢力を支援する各国のシベリア出兵は結局失敗し、日本では軍事食糧買い占めで米価高騰の一因になりました。

第一次世界大戦開始の年、海軍の汚職問題「シーメンス事件」に対し、海軍郭清演説会が開かれ、次いで名古屋電気鉄道（名鉄）の運賃が他都市に比べて高いことが問題になります。新聞記者たちは世論を背景に会社と交渉しますが、満足できる回答がなかったので、演説会が連続して開催されます。鶴舞公園で開催された電車賃値下げ要求市民大会には三万人が参加、大会終了後市民のデモは電車を襲い、電鉄本社や駅に放火、暴動となります。騒乱罪で裁判になりますが、県知事が仲介した交渉で、市民は要求をほぼ獲得し、八年後には名古屋電鉄市内線は市営になりました。『名古屋新聞』は電鉄本社付近の住民が女子どももいっしょに電車を止めろと押しかけ、その当時「群衆が己の力を恃む傾向が著しく生じ」（一九一四年九月九日）、「致る処の子供が焼打ちの真似をして遊ぶやうになった」（同年一〇月二三日）と書いています。

名古屋の米価高騰

第一次世界大戦中の好況と工業発展で米の消費人口は増えたのに米の生産が追い付かず、米商人・地主の買い占めや売り惜しみによって一九一五年から米価が上がり始め、政府も米価対策を課題にします。第一次世界大戦前の米価は一升一五銭から二〇銭程度でしたが、市では一九一八年八月に入ると三五銭、一一日には四七銭を超えます。富山県中新川郡東水橋町（現富山市）は米の積出港でしたが、この年七月には荷役労働の女性たちが米穀商に米の移出停止の要請を繰り返していました。周辺の漁村に同様の行動が拡大し、新聞が全国に報道します。県でも『新愛知』が「米価暴騰と女一揆」の記事を出し（一九一八年八月七日）、『名古屋新聞』は「米価はどうなる」と米価の暴騰と富山の漁夫の妻たちの米騒動を論じました（一九一八年八月二〇日）。

名古屋では八月九日、鶴舞公園噴水前に五、六〇〇人が集まりますが解散、しかし翌日から飛び入り演説が始まり、どこが指示したということなしに群衆は増え、警官隊とにらみ合い、小石や下駄を投げ、米穀商や警察派出所へ向かって走り込むデモを繰り返します。夕涼みの時間なので男は浴衣の尻はしょりをして走りますが、見ている人のうち女が一割くらいだったといいます。鎮圧のために在郷軍人会、軍隊も動員され、白米小売業者はラングーン米の払い下げを受け、米の廉売をすると決議します。米価高騰で賃上げを要求した愛知時計電機の労働者はストライキに入り、日本陶器はストライキを恐れて特別手当を支給します。一六日には米の廉売が始まり、市内は平静に戻りました。都市化が進展していた豊橋、瀬戸、一宮地域では、一二日頃から米穀商などが打ちこわしを受け、その後も各地で富豪の家が襲われたりしますが、月末には収まります。市では天皇・皇后からの下賜金、富豪からの寄付金等で一〇月まで米の廉売が続きます。

米騒動の最初の飛び入り演説をしたブリキ職人の山崎常吉は、修理に回る共同水道などで女房たちは米高の話ばかりしていたといっています。副食物は少し、主食をおなかいっぱいに食べるのが当時の貧乏人の普通の食事なので、米の値段は家計の大問題でした。

米の買い方

松平すゞの話では、当時の米の買い方は、農村部では俵買い（四斗俵）され、払いは盆暮れでした。市内は需要が多いので、月末払い、米屋がお得意に一円につき○升です、となくなるころを見計らって持ち込む円買い、余裕のある家では斗買いが普通でした。しかし日銭稼ぎの漁師街などでは、米屋が荷車に米・麦・豆を積んで売り歩く一升売りに頼っていました。米が毎日値上がりするようになると、米屋は売ってから仕入れるのでは損になるので、店を閉めてお得意には裏口から届ける、という風でした。升買いする貧乏人や、ふだん支払いが滞りがちな家では、米が買えなくなります。米にじゃがいもをまぜてたべるために、大根つきのような道具が売られていたといいます（一九六八年九月二〇日聞き取り）。

東別院の御旅所に米の廉売所ができ、行列して買います。当時「外米」という言葉はなく、「朝鮮米」「南京米」「ラングーン米」などといいました。ラングーン米はところどころに赤い筋が入ってシラミのようだといわれ、炊き上がりが石油のようなにおいがしてパサパサで価格が安くよく増えました。食べた人は、いわれるほどまずいとは思わなかったそうです（近藤千代子から一九六八年一一月二八日聞き取り）。

インフルエンザ大流行

米騒動直後、スペイン風邪（スペイン・インフルエンザ）が大流行しました。三波にわたる流行で、内務省の推計によれば全国で二三〇〇万人以上が感染し、約三八万人が死に、県内でも約九五〇〇人が亡くなりました。とくに一九一八年からの最初の流行期には、東京府に次いで県内に約一〇三万人の患者、七千人以上の死者が出ます。一二月は軍隊の入営時期なので、他地域から来た新兵に患者が増え、軍で流行が拡大しました。休校した学校もあり、マスクをするよう奨励されました。名古屋では、ラングーン米を食べた人が発病する、ラングーン風邪という噂が流れたそうで、貧しい人がラングーン米を食べ、インフルエンザに罹ったという生活の格差が噂のもとになったのでしょう。

労働運動組織化への模索

米騒動の参加者の浴衣に、警察はペンキやチョークで印をつけ、県内で全国最多の三四〇人を検挙したといわれます。起訴された人には機械工などは少なく、陶器職工や各種職人など様々な労働者でした。当局は米騒動に同情的だった新聞報道を規制し、新聞各社は規制反対の記事を掲載、「東海新聞記者大会」を開催して対抗しました。

大多数の県民は普通の内地米を安定した価格で買いたいと思っていたとしても、米騒動は自然発生的でその不満を組織して行われたとはいえないので、愛知では検挙者を多く出しましたが、米廉売が行われ、市は一九一八年東区・中区、西区・南区（当時は四区制）に公設市場を設置し、翌年市営住宅も創設されて、市民の不満に対応しました。その後、運動の組織化が模索され、「労働問題講演会」が重ねて開催され、名古屋労働者協会、中部労働組合連合会等が組織されましたが、活動家の意見の違い、警察の争議介入、検挙・弾圧で挫折し、伸び悩みます。

女子労働者も動き始める

女子労働者数は多いのですが、会社に反抗する意識は弱く、一〇年前の紡績工女について『名古屋新聞』は豚か囚人のように取り扱われていたと書いています（一九二二年一二月一三日）。大正末期になっても、大原社会問題研究所は男子に比べると全国の女子労働者争議はほとんど問題にならないとしています。愛知織物会社では、一九一一（明治四四）年、一九二〇年、一九二一年に争議がありますが、結局一九二五年男女組合員三〇余人が解雇され、潰されてしまいました。

一九二四年、名古屋紡績は経営が悪化し、労働が過重になり、待遇改善を要求しようとした労働組合の計画は洩れ、解雇が通告され、会社が雇った暴力団と組合員の乱闘になり、騒擾罪で起訴され、有罪判決を受け、争議は惨敗し、労働組合運動は停滞します。労働組合の主要メンバーは、共にたたかった女子労働者の勇気と友情をのちに語っているのですが。

一九二六年の第四回メーデーには、亜細亜製靴争議中の女子労働者五〇人余が、白エプロン姿で参加しています。メーデー全参加者は六〇〇〇人、取りまく警官は三〇〇〇人、その中の女子労働者は目立つ存在でした。亜細亜製靴争議は中部地方評議会の指導で組合組織を進めた争議で、退職手当、女子専用便所設置、幼年労働者の最低賃金五五銭を要求し、内部で学習会、市地域住民に訴える演説会、ビラをまき、男性は行商、女性は鳴海絞の内職で資金を稼ぎ、九九日間のストライキを実行し、便所増設や退職手当を約束させ、解雇者二〇人を出して終わります。

名古屋市鶴舞公園を出発するメーデーデモ
（『新愛知』1926年5月2日夕刊）

一九三三（昭和八）年の全国染織工場争議で参加人数がもっとも多かったのは愛知県昭和毛糸紡績弥富工場争議で、一二九一人が参加しています。工場長は高津忠、工場の生産能率をたかめ、優秀な製品を製造するため、教育と寮を重視、寄宿舎を家庭のようにして、安息の場、自治の場にする方針を立てます。工場の機械購入に際しても、会社系列の機械を無視し、従業員の待遇改善に努力した工場長は結局退職に追い込まれます。従業員は工場長解職理由明示を要求しますが説明されず、従業員は不満を抱き、作業能率も下がります。会社の方針が変わり、命令がすべてになり、工場内に昭和神社が建立され、クリスチャンの舎母を辞職に追い込みます。従業員は怠業に入り、工場調停官に内情を話し、調停官は会社に伝達しますが、会社は暴力団を雇い、過重労働をさせて警察が県に報告する状況になり、ごたごたは続きました。日本労働総同盟（総同盟）愛知県連合会長が応援しようとしますが、女子工員は労働組合運動ではないからと断ります。県工場課や協調会は調停しようとしますが、女工側は女工を奴隷か豚のように扱う会社に復帰を希望せず、会社は争議団弾圧に進み、女工代表は黒髪を切って工場長への餞別として、社会へ批判を伝え、多数が退職、高津前工場長が就職した東洋毛糸四日市工場に移った女工も多数いたといいます。女工は良心に恥じない行動をし、その人格的高さで人権争議の実情を社会に訴え、新聞記事で見る限り世論は女工に同情的でした。しかし女工たちは労働運動という立場で現実を考えなかったので、必死に社会に訴えるには黒髪を切るという行動しか考えられなかったのでしょう。世論を味方にするたたかい方の経験を得たことは、一九三三年当時としてぎりぎりの成果なのでしょう。

この間、異色の輸出用絹織物の工場が建てられました。かつて川上貞奴といって川上音二郎と欧米を巡演した女優が、夫の死後電力事業の福沢桃介をパートナーとして、一九一八年川上絹布株式会社を設立、四、五〇人の一〇代後半の女性が、女学生のようにそろいの紺のセーラー服に靴を履き、午前九時から午後五時ごろまで、四五分作業して一五分休む全寮制の工場です。しかし絹織物は一九二〇年の大暴落で一九二四年ごろには経営難に陥ります。宇田川五郎作詞作曲の工場歌は誇り高く次のように歌っています。「過ぎし昔の夢なれや／工女工女と一口に／とかく世間のさげすみを／受けて口惜しき身なりしが／文化すすめる大御代の／恵みの風に大道を／なみせる古き習しや／思想を漸く吹き払い…」。

3. 婦人団体の誕生と成長

女性が集まり集められる時代へ

一八九〇（明治二三）年七月、名古屋市東別院で仏教婦人会が県知事以下警察・軍人・医療関係者や各宗派の人びと一万人以上を集めて結成されます。一八九七年には、名古屋市在住の官吏、医師、豪商夫人二、三〇人が集まって金城婦人会（のち名古屋婦人会）と称し、月一回、整家、経済、育児、交際、貞女・義婦・節女の伝記等の講演を聞き、女性としての教養を深めました。

一九〇一年二月、奥村五百子らが東京で設立した愛国婦人会（愛婦）は、内務省の支援で全国的組織を進め、一二月、愛知県支部が日本赤十字社名古屋支部内につくられ（会員八人）、県行政機構を頼って組織拡大を図ります。一九〇七年第一回県支部総会の年、会員三万七七五七人、以後行政の半強制的な会員募集で急増、軍事後援活動を行います。

一八九三年四月東京で日本基督教婦人矯風会（矯風会）が設立され、名古屋支部も同年五月に三五人の会員で設立と記録されていますが、社会的活動の記録が残っているのは、一九〇二年矯風会名古屋支部が足尾銅山鉱毒救済演説会を開き、聴衆は千人以上、寄付金を二十余円集めた記事です。直後に慈善音楽会を開催、足尾鉱毒被害者と凍死軍人遺族支援金に充てました。一九二六（昭和元）年には一一八会員がいます。女性が社会に働きかけ、女性の活力が求められる時代に入っていくのです。

新聞報道にみる婦人団体

とはいっても、『扶桑新聞』の一九〇九年「名古屋の婦人団体」についての連載記事は次のようです。婦人団体には愛国婦人会、日本赤十字社篤志看護婦会、日本基督教婦人矯風会、陸海軍将校婦人会等の名古屋支部と仏教婦人会、名古屋婦人会、各女学校同窓会があるけれども、

「多くは名のみにて実なし」が結論としてのサブタイトル、女性の社会的発言・活動が始まってはいますが、実態は弱いと率直に記しています。全国組織が愛知に新しい風を吹き込み始めた時期の現実です。

一九一八（大正七）年には『名古屋新聞』が「婦人団体とその首脳」と題して一七団体、行政・軍と関係の深い四団体（愛国婦人会愛知支部、将校婦人会名古屋支部、篤志看護婦会愛知支部、教師の裁縫研究会）、仏教とキリスト教関係の三団体（覚王山婦人会、中央教会婦人会、同王女会）、同窓会六団体（松操会＝名古屋市一高女、和楽会＝県一高女、温旧会＝県女子師範、淑徳同窓会＝淑徳女学校、桜楓会＝日本女子大学校、森蔭会＝市二高女）、その他（中京婦人会、名古屋婦人会、森村組婦人会、短歌の婦人国風社）を記事にしました。どのような活動をしているかというより、どういう系列の誰が関係しているかが詳細に記録されていて、名古屋女性の人脈に関心があるようです（名古屋一九一八年三月二一日～四月一六日）。一九二六年には、県社会事業協会が関係女性団体をまとめていますが、市内には愛国婦人会、仏教団体 三（婦人法話会、高田派女人講、愛知仏教婦人会）、地域婦人会 二（大成婦人会、向上婦人会）、職能団体 一（女教員研究会）、同窓会 二（桜蔭会＝東京女子高等師範、桜楓会）、社交団体 二（中京婦人会、名古屋婦人会）二と多様なのに対して、市以外は地域婦人会一五、仏教団体一八、農会五、消防団体二と、農村地域の伝統的暮らし方に必要な婦人組織のようです。

婦人団体が外からどうみられているかといえば、橋本越南（婦人問題研究会発起人）は、「名古屋における婦人団体は割合に保守的で封建的な範囲より一歩も脱却することができないので相変わらず良妻賢母主義を守りぬいている」けれども、日本女子大学校同窓会桜楓会名古屋支部は目新しい活動をしている唯一なものといいます。日本女子大学同窓生は、創立者成瀬仁蔵から学んだ「信念徹底」「共同奉仕」「自発創生」の教えを実行しようと、組織的継続的に児童問題、婦人講座、文化講座、料理や体操の講習会を開催していました。保守的名古屋の婦人団体の第一人者とみられていた瀬木せきは、女性に学問が足りないのは長い間束縛されていたからなので、男性は女性を温かく学問に導くべきなのに、今の男性は暴君然としている、女性を侮辱せず確実に一夫一妻を守ってほしい、男は女より遅れているのではないか、と断言しています。女性自身も実態を検討し、変わってほしい方向を発言するようになり、人間として男性の方が女性より遅れているとの意見まで出されています。

一九一〇年代後半には、男女が自由に討論できる清話（和）会、女性文化向上のため名古屋家庭新聞社が取りまとめた婦人問題研究会、女性のために文化講座を開催する婦人教養会、新聞社の講演会等が開催され、「名古屋市民大学」創立へつながっていき、女性団体の活性化を促しました。

異色の会としては、名古屋在住の朝鮮人女性が一九三四年三月「槿花婦人会」を設立してい

ます。一九一〇年に日本に併合された朝鮮人が名古屋にも住んでいました（名古屋一九三四年三月六日）

働く女性の組織

職業婦人が増加すると、職能団体も誕生します。愛知産婆学校職員・卒業生たちは、一九〇六年大日本興国婦人衛生会を設立します。一九〇八年には名古屋市連合看護婦会も組織されます。一九一九年には女医の会も開かれています。一九二七年には、享栄商業タイピストリーグが発会します（名古屋一九二七年一〇月一七日）。横断的な職業婦人の昭和婦人文化会は一九三一年組織されました（名古屋一九三一年三月三〇日）。

一九一七年、帝国教育会主催の第一回全国小学校女教員大会が開催された翌年には県女教員大会が開かれ、「女教員研究会」が創立され、一九二〇年の市主催の女教員大会では、男女同等の師範学校を卒業しているのに俸給が安いのは女教師を馬鹿にしている、待遇を平等にとの主張が出ます。一九二七年には、名古屋市、渥美郡、碧海郡、豊橋市に女教員の組織ができていました（『かゞやき』一九二七年四月号）。男性に従うことで波風立てないできた女性が、格差是正の発言をするようになりつつあったのです。

4. 職業婦人の増加

女性の職業への関心

一九一七（大正六）年、熱田の市立第二高女（現市立向陽高校）は名古屋市内女性の職業を調査します。市女性人口二〇万〇七九一人に対し、有職女性は一二・五％で二万五〇三〇人、その六五・七％は一万六四三六人の工場労働者、次いで傭人（女中など）三六〇一人（一四・四％）でした。女性がつく職業は多様になり、以前からある女髪結、遊芸稼人、遊芸師匠に加えて、以前からあるけれども新制度に規制される産婆、新旧双方の俳優と、近代的職業である小・中校教師、保母、交換手、看護婦・准看護婦、薬剤師、事務員、店員、理髪師、世話係、女看守、ごく少数の女医や新聞記者、宣教師の職業がていねいに数え上げられています。県内で女性市吏員が誕生したのは一九二〇年、豊橋市役所の会計課です（名古屋一〇月八日）。

このほか一九二四年市社会課「職業婦人生活状態調査」（公的機関と大手民間企業の現業労働者を除く一一九〇人の調査、新しくタイピストが入っている）、一九三三（昭和八）年一月名古屋YWCAによる調査、同年九月YWCA系の「友の家」による調査、一九三五年一一月市社会部による「名古屋市内職業婦人調査」がありますが、範囲など統一されていないので、単純に比較はできません。一九二四年調査は、月給者の平均賃金、未婚者の割合が出ていて、平均収入の最高は産婆の九〇円、次いで小学教師五一・七七円、最低は店員一九・九〇円で相当な開きがあります。すべて未婚者は店員、次いで事務員も未婚者が多く九六・六%、未婚者が少ないのは三三・三%の車掌、小学教師の五八・一%などで、職種によっては、既婚者も相当数を占めるようになっていました。一九三三年九月の調査のみ、酌婦、芸妓、娼妓、私娼、女給が入っており、何を女性の職業と認めるか、決まっていないようです。一九三五年の調査だけに存在するのは、最新の職業である歯科医、エレベーターガール、給仕、美粧員、撞球（玉突き）事務員、外交員で、女性が多方面の職業に進出していることがわかります。

一九二五年に本放送を開始した日本放送協会（ＮＨＫ）名古屋中央放送局にアナウンサーとして採用された林千代子（のち稲蔭）や加藤綾子はまだ調査対象にあがっていません。調査自体、まだ手探りの中で広がる女性の職業を追いかけていました。

増加傾向にあるとはいっても、近代的な仕事に携わる女性は、一九一七年には微々たる存在でした。それでも「女子が只家庭内にあつて掃除や料理育児等にのみ没頭して居た時代はとつくに逝つて、経済組織の変動から、或は女子教育の進歩から社会に乗り出して、色々な職業に従事する様になりました」と、女性新聞記者の一人、市川房枝が解説しています。

敬遠されていく職業は女中でした。市の女中口入（職業紹介）の老舗美濃嘉では、一九〇〇年代には半年に四〇〇人の女中の世話をしていましたが、一九一〇年代になると応募者は半減し、逆に女中を求める雇い手は倍増して、賃金を上げても需要に応じきれない状態になります。その後の名古屋市立職業紹介所では、求職者の七割は事務員希望、残りが女中・女工・雑役希望でした。女性の働き方は、教育の普及を基礎に、読み書き計算を駆使する方向に向かっていました。

第一次世界大戦後の愛知県は、商品生産的農業が発展、小作・小自作農の割合も増加し、織維工業を中心として技術革新も進み、労働者も急増する中で、職業婦人は多様な仕事に就き、数も増加したのです。

5. 女性新聞記者と愛知

女性記者誕生

県の地元紙としては一八八八（明治二一）年創刊の『新愛知』（一九一四年六月以降桐生悠々主筆）と、一九〇六年『中京新報』を改題創刊した『名古屋新聞』（一九一四年四月以降小林橘川主筆）が競い合っていました。創業当時の名古屋新聞社の従業員は『中京新報』残留者と新人併せて一三人、内二人の女性が校正部員として働いていました。そのうちの一人、岩佐豊子は、創業三日後に、名古屋新聞社が旧時代の思想を脱して新聞事業を女性に開放し、自分が女性記者になった、一生懸命仕事をすると「入社の辞」を述べています。当日、「芸妓の売春」と題して、名古屋の警察がこれまで検挙しなかった「上筋」の芸妓の売春を検挙したことを評価し、その上で、芸妓の名前は公表して相手の男性の名を秘匿するのは不公平、罪は同じだから芸妓と客に差別があるのはおかしいと指摘しています。けれどもその後の岩佐豊子の動向はわかりません。

一九一三(大正二)年五月には、『扶桑新聞』に立花美枝子の「入社の辞」が写真入りで掲載されました。無学不識を省みない無謀さを批判されるかもしれないが、努力勉励して働くと誓っています。しかし幼稚園に取材に行って保母から侮辱され、親戚の年配者は「死んでしまえ」と非難し、三八度五分の発熱で病床に就きます。新聞記者仲間は、「女記者美枝子病む」の記事を書き、いずれ読者の期待に応えるから許してほしいと願っています。新聞社内には女性記者への理解があっても、世間では働く女性からも親戚からも非難される職業でした。

一九一三年七月、『名古屋新聞』「読者相談」欄に、裁縫女学校卒一八歳(奥町、現一宮市)の女性が自立したい、女性記者になりたいが、記者と教員とどちらが良いかと相談を寄せます。担当記者は「新聞雑誌記者になろうとはとんでもない、教員は女子にふさわしい職業だが、土地柄相当の家の奥様になるのが一番よい」と答え、旧態依然の生活が良い分別と答えています。『新愛知』には一九一六年、蒲原竹代が入社し、新聞内容が貧弱なので、自分の希望と思想の実現をしたいと意気盛んな「入社の辞」を記しています。

市川房枝の足跡

市川房枝は、一九一三年女子師範学校卒業後母校朝日尋常高等小学校（現一宮市）訓導になりました。月給一六円、男性と学歴・資格は同じですが、月給は二円低いのです（男女それぞれに格差もあります）。女教師は食事会の支度をさせられ、下女同様の扱いだと市川は腹を立てます。校長はもともと女教師が嫌い、自宅に近い職場だから都合が良いだろうと思って着任させたのに、市川はすぐ都会に転任したいと希望し、親切を「あだ」で返されたと、市川の心情を理解できません。市川は、のちに新任の先生になるときは希望に満ちていたのに、憤慨に堪えないことが次々に起こったと回想しています。それでも名古屋市第二高等小学校へ転任でき、市内の講演会等で学べる環境を得た上に、日曜学校で教えるなど忙しく、自炊する時間もなく栄養失調になり、肺尖カタルで五か月静養し、四年間の教師生活ののち退職します。

一九一七年七月、文化人グループで知り合った『名古屋新聞』主筆小林橘川の紹介で、二四歳で新聞記者になり社会部に所属、教育や婦人問題等を担当しました。新聞社が女性記者を必要としたのは、新聞社経営のため女性読者を重視しなければならず、女性や女学校のインタビュー記事は女性でないと取りにくいからです。市川は精力的に仕事をしますが、力を入れたのは職業や内職など経済力をつける問題、女性の向上心を支える社会的潮流の紹介記事でした。教員は社会的に信頼されている職業ですが、新聞記者は男女にかかわらず「ゆすり・たかり」同様に思われていたので、女子師範の先生たちは心配し、市川は忠告されますが、教員時代と同じように広く啓蒙活動をする気持と答えます。一二月には「記者となりて」の文章を新聞に掲載、「新聞記者！それは嘗て私の恐ろしい者嫌な者の一つであった」、自分がもっていたと同様の記者への侮蔑と嫌悪が自分にむけられ、教員から記者になったのは非常な堕落と思われている、と書いています。草創期の女性記者が直面した社会からの拒否感覚に挑戦する時期に、市川は記者になったのです。

戦時中の統制で『新愛知』と『名古屋新聞』は合併させられ、『中部日本新聞』のち『中日新聞』になりましたが、『中日新聞創業百年史』は、市川の仕事を「新設の「婦人の欄」を担当、物柔らかな筆致とキメ細かい観察で紙面に新鮮な印象を与えた。彼女は物価や家庭生活の話題をはじめ名流夫人のインタビュー、女学生寮の訪問記、選挙戦が始まると候補者夫人の活躍ぶりなど順次にテーマを広げていった」と記しています。

女性を励ます記事

市川は当時の著名な女性や家族を訪問し、出身校、子どもの数、趣味などインタビューしていますが、その中で理由を明かさず夜遅く帰宅する夫への不満、上京して修学するために良縁を断り続けた行動や、結婚に際して相手方に付けた条件を記事にし、電話をかけてから帰宅する仲の良い夫婦、夫妻の表札を並んでかけている家庭についても書きます。妻・娘は夫・親の意向に従い、自分の意志を主張しないのが婦徳とされていた時代に、女性も向上心を捨てず、夫婦対等の考え方を示したことは、若い女性・少女にやりたいことをやってみるよう励ます、人生のモデルを示すことでした。また医学博士森田資孝が、夫の花柳病（性病）や不品行は妻の身体に悪影響を及ぼすので、「放蕩乱行をもって当然の事としてゐる名古屋」で妻は良識をもつよう語ったのも市川の担当でした。森田資孝はのちに新婦人協会の維持員になり、婦人運動に協力した医者です。また市会議員の選挙戦最中に、種野弘道候補者夫人信子から「議員の選挙といふことは一体は有権者の方から団体を作って何卒なつて呉れといつて頼む様にならなければと思ひます」という言葉を引き出し、理想選挙のあり方を学んでいます。婦人団体のありかたについては、森村組（のちノリタケ・チャイナ）の女性たちが「上下わけへだてなく付き合う」とみていて、上下関係意識の強い当時に近代的人間関係を示しています。時代が変化する中で富裕層の家庭をのぞき見するような記事は「婦人界消息」「婦人の噂」と縮小され、女性の体験談や生活情報を発展させました。

家庭実用記事は、当初、流行の傾向、生鮮食品の物価動向、季節行事、買い物情報など企業情報でしたが、のちには生活の知恵、健康情報、外米調理法など、市民が必要とする生活情報に変わります。地域情報は世間の裏話的エピソードのほか、女性の稼ぎに注目しています。女性の向上心を励ます婦人教養会や家庭倶楽部の報告が記事になっています。

市川は『名古屋新聞』の社説欄「反射鏡」に、「愛知県女教員大会を観て」を書きました。まじめな女教員大会が現代女教員の修養の問題点をとらえていることを評価し、さらに実行具体案を期待しています。「食物問題」として、女性を台所から解放するため、食堂や食物配達会社が必要、当事者である女性は知識と経済的実権をもてと問題提起もしました。

市川が新聞記者だった約一年間の記事内容は、市民の関心の変化を反映して、未来志向に動いています。その中で市川以前の女性記者が経験した「侮蔑」も弱まり、生活の中のデモクラシー傾向を強めたといえましょう。その時になって改めて市川が直面した愛知の壁は、もっと勉強したい、向上したいのにそういう場が愛知にはないことでした。そのため米騒動を名古屋で見た直後、大正デモクラシーの花がほころび始めていた東京に市川は居を移し、株屋の事務員など仕事を転々としながら英語を学び、人脈を広げていきました。

新聞社は多様な思想・活動の拠点

一九二〇年の第一回国勢調査では、愛知の新聞雑誌発行に携わる人は経営者・職員を合計して六〇六人、そのうち業主の四三人と職員の二二〇人が女性でした（合計二六三人、四三％）。記者はほとんど男性でしたが、家族で地域情報を発信し支える新聞支局、小さな新聞雑誌が存在し、女性も文化の大衆化を支えていたのでしょう。新聞社にかかわった女性をみてみましょう。

鷹野つぎ（旧姓名岸次）は静岡県浜松町（現浜松市）出身、浜松高女在学中、河井酔茗が編集する『女子文壇』を購読、投稿し、一九〇七年浜松町の文学愛好青年による文学同好会に入会、その中心になっていた遠江新聞静岡公報嘱託鷹野弥三郎と知り合います。当時地方の新聞記者は「やくざ者」と思われており、戸籍問題もあって、つぎの父は結婚を認めませんでしたが、二人は自分たちの意志を貫きます。一九一〇年弥三郎は名古屋新聞社豊橋支局長となり、二人は四年間豊橋に住み、同人雑誌『一隅』を創刊、つぎは一〇集まで毎号必ず小説を掲載しました。弥三郎はのち東京報知新聞社、時事新報社に転職、出版業を始めますがうまくいかず、つぎも子どもたちも結核にかかるのですが、夫妻の支えあいは終生変わりませんでした。新聞記者時代、弥三郎はつぎを島崎藤村にひきあわせ、つぎは『処女地』誌友になり、作品を発表し続けます。地方ジャーナリズムには、女性の知的能力を励ます土壌がありました。

田所八重子（旧姓諏訪）は岐阜の地主の娘でしたが、教育熱心な父が名古屋市に転居、愛知淑徳高女に学び、友人の影響でクリスチャンになります。卒業後も教会の縁で婦人教養講座に参加、長野浪山、金子白夢、小林橘川の話を聞き、広いものの観方を学びます。しかし父が死去、親族会議で財産は父の弟が継ぐことになり、無権利な母子はすぐ生活費を稼がなければならなくなります。八重子は小学校の代用教員になり間もなく退職、たぶん新聞広告を見て、潮通信社（共同通信社のような会社）に就職します。小さな職場でしたが、社長は進歩的で、名古屋労働者協会を後援し、社員に葉山嘉樹がいて、八重子は労働運動活動家たちの研究会に入ります。田所輝明がロシア革命の話をしに来て、八重子もロシア飢饉救済運動に参加しました。潮通信社が不振になり、社長の紹介で名古屋新聞社に勤務しますが、数か月後、一九二三年東京での普選断行要求集会に参加することを口実に、田所と結婚するため上京します。八重子が社会主義者になったので、姉は離婚問題が起き、田所も間もなく逮捕され、八重子は全国婦人同盟の役員になりましたが病弱だったのでそれほど活動できませんでした（一九六八年四月三日聞き取り）。

当時の愛知の新聞社が、多様な不満・思想・活動の結節点だったことがうかがえます。

6. 新婦人協会設立と愛知

女性の社会活動の展開

女子教育の進展、職業婦人の増加、婦人団体の内容の多様化は、「水車のように働く」女性から、自分が何をしたいのかできるのか、自分の仲間がどこにいるのか模索する女性への転換の途上を示しています。文学や宗教、社会的活動を通しての交流、進学や結婚による出会い等が新しい人脈をつくります。東京の新しい動きに敏感な新聞社は、先端的な女性がかかわる問題とも関係をもとうとします。そういう時期に名古屋新聞社を退職して上京した市川房枝は、働きながら山田嘉吉塾で英語や社会問題を学び、山田夫人わか、平塚らいてう、神近市子らを紹介され、ユニテリアン統一教会へも通い、東京の文化人と知りあいます。

一九一九（大正八）年、名古屋新聞社の小林橘川は、中京婦人会と夏季婦人講習会を共催したいので、平塚らいてう、山田わかに講演をしてもらうよう、市川に仲介を頼んできました。地元の中京婦人会瀬木せきは、何事につけても引っ込み思案、消極的な名古屋婦人では六大都市のひとつなのに恥ずかしい、社会の向上進歩のために聴講者を増やそうと講演会に協力します（名古屋一九一九年七月一八日）。八月、市川は案内役で平塚らに同行し、盛会だった講習会後、『国民新聞』に原稿を依頼された平塚を、愛知の繊維工場に案内し、その実務能力・行動力を信頼されます。九月、市川は大日本労働総同盟友愛会（友愛会）婦人部書記になるよう紹介され、労働婦人問題に関心をもっていたので承諾し、就職が決まりました。けれども市川が国際労働局（ＩＬＯ）会議の前に婦人労働者大会を企画し、ＩＬＯの会議に出席する日本代表に女工の実態を聞かせたことにかかわって友愛会本部でもめ、女工に理解のない男性聴衆のヤジもひどく、友愛会に自分の働きが受け入れられそうにないと、市川は辞任します。山内みなは、市川が日本の労働組合、男性労働者が女性に理解がないことを痛感し、その後インテリ層を基礎にして婦人解放運動を進めたいと語ったと記しています。

政治的権利への第一歩

一方平塚らいてうは、『青鞜』のころから男性に「婦人運動をやるなら、まず参政権を取らなくてどうしますか」といわれましたが、女性がとらわれている封建的な思想や感情を改造するのが最優先と考えていたので、参政権獲得の気持はありませんでした。しかし自分の家庭問題、第一次世界大戦後の社会運動、母性保護論争、愛知の繊維女工の実態に触れて、婦人参政権獲得の必要に突き当たります。こうして平塚は女性の団結を図り、女性擁護・進歩向上・利益増進・権利獲得のため、団体を結成して活動すべきと考えるようになります。山田嘉吉・わか夫妻に協力を求めますが断られ、市川に頼みます。山田嘉吉は、平塚は婦人運動に不向きな人だからやめた方が良いと市川に忠告しますが、市川は女性の地位向上運動を起こしたいと考えていたので、平塚に協力することにします。こうして平塚の構想と「新婦人協会」の名のもとに、初めて女性の政治的自由獲得を目指す壮大な運動が開始され、一九一九年一一月二四日「第一回関西婦人団体連合大会」で平塚が新婦人協会創立計画を発表、一二月一九日東京で新聞発表、一九二〇年三月二八日東京で発会式を行い、一〇月機関誌『女性同盟』を創刊しました。

平塚の新婦人協会構想は、女性のための常設講習会、働く女性のための夜学校、婦人労働新聞発行、講演会、研究会、研究会の決定で実際運動を起こす、各地婦人会と連携した日本全国婦人同盟による運動を進める、機関誌発行、集会場・寄宿舎・食堂・図書館等の設置、職業紹介その他の壮大な内容でした。当時の社会運動・社会事業を網羅した内容で、反響は大きかったのですが、実現には『婦女新聞』さえ疑問をもっていました。多彩な活動をするには資金も人手も足りないので、新婦人協会は帝国議会に治安警察法（治警法）第五条改正の請願と、花柳病男子の結婚制限の請願から始めることにします。とはいっても請願の方法を知らないので教えてもらって、署名用紙はつくりますが、団体・個人に送るにも多くの人手や資金が必要です。仮名で女工生活を体験し発表した和田（のち奥）むめおに仲間に入ってもらい、三三歳の平塚の考えに従って、二六歳の市川、二四歳の奥が「手足」になって走り回る役割で活動が始まります。議会への請願活動と、新婦人協会の会員を増やす活動がすすめられ、平塚と市川は東京の文化人や都市の婦人会幹部にお願いに回りました。

新婦人協会名古屋支部

新婦人協会発会式当時名古屋の賛助会員は、小林橘川、後藤花子、瀬木せき、磯部貞子、戸田静子、陸田たま、佐藤綾子、本間文子、市川たま、角田重です。婦人団体の幹部や、ジャーナリズムで名前の出ている人たちでした。平塚は一九二〇年北陸から関西をまわり、一一月名古屋着、日本女子大学校関係の知人や新聞社を訪ね、午後七時商業会議所で会員集会、出席者は高田ひさ子（椙山高女教員、桜楓会）、山田とう（新愛知記者）、角田重（桜楓会）、稲垣千代子（淑徳高女教員）ら一〇人、内教員七人（女学校教員三人、小学校教員四人）でした。賛助会員だった婦人会幹部の参加は少なく、平塚は失望しながら焦らず、気永に辛抱しようと自分をおさえ、名古屋支部を発会し、高田ひさ子と北村鈴重が幹事になります。けれども教員が中心なので、学校や校長に気兼ねし、協会支部として表立って運動することはもちろん、会員として名前が新聞に出ることさえビクビクする人もいます。尾行刑事がついて活動の邪魔をされたりするので、幹事は新聞記者の山田とう（新愛知新聞社）、渡辺とし子（名古屋新聞社）に交替します。会員は約三〇人、周りの人から署名を集める程度の活動でしたが、衆議院第四四議会への請願署名数は、選挙法改正について二〇三、治警法第五条改正について二四二、花柳病者結婚制限と離婚請求について二一九になり、東京、兵庫に次いで三番目の多数でした。

さらに新婦人協会名古屋支部は、一九二二年一月二八日椙山高女講堂で文芸大講演会を開催、講師は菊池寛、芥川龍之介、小島政二郎、女性聴衆者で満員でした。文芸講演会を開くだけなのに警察官が何回も高田ひさ子を訪問、自主的な活動を制約しようとします。当時の社会環境と会員の苦労はのちに新婦人協会会員が語っています。

女性の政治的権利を認めまいとする大日本帝国の反民主主義的方針、男性の無理解、新婦人協会活動家の考え方の違い、資金難、人手不足等困難の壁は厚かったのですが、粘り強い活動家の働きかけによって、一九二二年三月二五日、治安警察法第五条第二項改正が決定され、四月二〇日改正公布、五月一〇日改正施行となりました。五月一一日名古屋支部主催の婦人政談演説会が末広座で開催され、奥沢登起子「人間としての自覚」、林清子「米国婦人並に婦人に対する男子の態度」、山田わか、奥むめをが講演しました。この前後、名古屋新聞社主催の女性のための政談演説会も開催されます。豊橋市では一九二六年六月東雲座で奥むめを、塩原静らを講師に参陽新報社主催の婦人政談演説会が開催されました。

新婦人協会は、女性の政治的権利獲得を目的とする最初の組織で、その運動の結果、戦前の日本で唯一女性のための法律の一部改正に成功し、女性も政談演説会を企画し参加することが可能になりました。全国の女性は、宗教・出身学校・行政が組織する女性団体などに仲介されることなく、自分自身の意志で参加できる組織をもち、動くことができるようになったのです。まだ力は弱く、問題をかかえていましたが、女性自身の要求を女性自身で実現する可能性がひらける時代の曙でした。

7. 男子普選に学ぶ女性の大同団結

愛知の男子普通選挙権獲得運動

一九一七（大正六）年、海東郡井和村（現あま市）出身の鈴木楯夫は、納税の有無で選挙権を制約する制度に反対する「普通選挙期成会」を結成、議会活動を通じて漸進的に労働者の権利を獲得し、階級問題を解決する社会民主主義の立場で機関誌や演説会で主張を広めようとします。『中央公論』に「憲政の本義を説いて其の有終の美を済すの途を論ず」を書いた吉野作造は、一九一七年から六回名古屋で講演し、『名古屋新聞』『新愛知』も結局普選実現に賛同します。その内容は婦人参政を含むようになり、一九一九年二月には「婦人参政権問題研究会」も開催され、男性の道徳心向上や女性の政談演説会参加容認を結論にしました。労働者、障がい者や農民、在郷軍人の選挙権問題も議論されます。一九二二年は全国水平社創立大会が開かれ、非合法に日本共産党が結成され、イタリアではムッソリーニが首相となり、ソビエト社会主義共和国が成立した年です。一九二一年愛知は小作争議件数が全国一位でしたが、一九二三年には鳴海小作争議がようやく解決し、名古屋で初のメーデー集会がありました。反差別・民主主義への風、戦争へ向かう風がそれぞれの主張を形にしていく時代です。

男性文化人、ジャーナリスト、市民、学生らの一致した普通選挙権獲得運動の拡大で、一九二五年、衆議院議員選挙法改正が実現し、納税の有無に関係なく満二五歳以上男性の選挙権、満三〇歳以上男性の被選挙権を認め、県の総選挙時の有権者数は、一九二四年総人口の六・四%から、一九二八年一九・二%、約三・四倍になりました。女性は政治にかかわる権利から締め出されたままでしたが、自分たちの権利獲得の未来を考え、男性が実現した道筋を学んでいこうとします。

婦人参政権獲得への道

翌年、東京では新婦人協会後の婦人運動継続のために、松本君平らの提唱で「大同団結」の名のもと「婦人参政同盟」が結成されました。大阪の飛田遊郭廃止が実現できなかった矯風会は、廃娼実現のために婦人参政権獲得運動も積極的に行おうとしていました。関東大震災の地震・火事の被害は世界に報道され、救援活動で働いた女性は、職業部・社会事業部・研究部・教育部の組織をもつ「東京連合婦人会」を組織し、廃娼運動も積極的に行うことを決めます。矯風会の久布白落実らは「婦人参政権並びに対議会運動懇談会」を呼びかけ、婦人団体・個人の力を集めて女性に必要な問題解決のための大同団結をめざします。一九二四年、第二次護憲運動が始まり、愛知出身の加藤高明を首相とする護憲三派内閣が成立しました。この年一二月、思想・宗教・感情等、あらゆる小異を捨て、女性の公民権・参政権・結社権を要求して大同団結する個人加盟の「婦人参政権獲得期成同盟会」（翌年「婦選獲得同盟」と改称、以下獲得同盟）が結成されます。一九二五年には治安維持法が公布され、衆議院へ婦人の選挙権等要求の議会活動はすすめられますが、衆議院議員選挙法改正は女性を締め出したまま男子の普通選挙権（普選）を実現させました。この頃、モダン・ガール（モガ）が流行ります。外見の近代化に対して、女性の近代的権利実現はまだ見えませんでしたが、獲得同盟は「婦選なくして普選なし」と活動を進めます。

8. 進む女性の組織化

愛知の無産者女性等の自主的活動

一九二六（昭和元）年は労働争議、小作争議が激化し、普選実現に応じて無産政党も誕生します。政党に入れない女性は、各政党系列の婦人同盟に参加し、活動は活性化しました。無産政党系婦人同盟支部としては、一九三〇年五月社会民衆婦人同盟（一時期名古屋市出身の山田やす子が執行委員長、娼妓を自由廃業した松村喬子が組織部長）名古屋支部（支部長水野裕子）が組織されます。機関誌『民衆婦人』や『新愛知』『名古屋新聞』によれば、母子扶助法の宣伝、栄などで母子扶助法制定のための街頭署名運動も行い、市長に電灯・水道・ガス値下げを交渉、翌年の支部大会で「徹底婦人参政権獲得運動」を決議するなど、一時期活発に活動します。そのほか、清流高女卒の田島ひでが関東婦人同盟の書記長、愛知淑徳高女卒の田所八重子（旧姓諏訪）が全国婦人同盟の役員に就いています。

自主的に団結し、力が弱くても結集し、講演等で訴えて影響力を強める女性の活動を行政は放置するわけにはいきません。名古屋の一九二八年メーデーには参加者五〇〇人中に女性が三人、一九二九年メーデーには参加者二五〇人中、女工三人、朝鮮人一人がいたといいます。

一九二八年矯風会名古屋支部は名古屋市栄の街頭でビラを配って署名を集め、二〇〇〇人の廃娼請願書を県会議長に届けました。市民女性が組織的に要求したのは一貫して婦選と廃娼（遊郭・娼妓廃止）、一九三三年には「愛知県廃娼期成同盟会」が結成されます。

愛知の処女会の動向

一九一五（大正四）年「愛知県通俗教育に関する調査」では、青年会の記述は多いのですが、町村の戸主会に対する主婦会・母会に付属する処女会は、全県的には存在していません。一九二四年、県の処女会（のち女子青年団）が調査されますが、市部にはほとんど存在せず、郡部では二五五町村に二二七団体、正会員は二万七〇九三人、その会長は町村長・教員がほとんどで、行政が組織した団体であることを表現しています。

市の場合、一九二六年度には二八処女会がありますが、一四団体だけ記録されている名簿では、連区（学区）組織六、地域組織一、寺が事務所の組織二と共に、信産館製糸愛知支店、東洋紡績大曽根工場、日清紡績名古屋工場、東洋紡績愛知工場の処女会が名を連ねています。内務省・文部省は若い女性の婦徳を育てる場として全国市町村処女会組織育成を促し、若い女性が多い紡織工場でも工場寄宿舎で処女会を組織、東洋紡では良妻賢母の素地をつくるために設立します（『東紡時報』一九二四年一月一五日）。紡織工場は労働者が労働運動へ共感しないよう処女会教育に期待していたのでしょう。学校教育を離れた女性を国策である良妻賢母の枠にとどめようと、行政は大小の婦人団体育成を模索していました。

一九二七年は金融恐慌、第一次山東出兵の年、国は全国の処女会を統一して大日本連合女子青年団を創立したので、愛知県連合女子青年団が結成され、学校卒業後の女性への影響力を強めようとします。婦人参政権運動が各地に波及すると、県では女子青年が政治的知見を高めるのは必要だけれども、修養団体だから政治に関する実際運動には慎重にと注意しています。

一九二八年には全国で共産党関係者の一斉検挙（三・一五事件）があり、県でも二三人が検挙されています。一九三〇年の県学務部社会教育課「愛知県下男女子青年団体調」によれば、青年団未設置町村は二町村だけです。のちの一九四一年には男女別だった青年団は大日本青少年団に統合され、愛知県青少年団も発足、各自治体も従いました。行政が組織すれば、隅々まで団体をつくらせることができるのです。

行政が教化するための地域婦人会

第一次世界大戦後、女性の教育・職業等の変化に伴い、家父長的家族制度が動揺の兆しを見せ、行政は地域女性層を団体として直接掌握しようとします。一九二九年文部省は「中央教化団体連合会」を設立、五月には名古屋新聞社提案の「名古屋連合母の会」が発会、各連区（学区）母の会・婦人会、宗教系婦人団体、職能団体、女学校同窓会合わせて五〇余団体と特別賛助員・賛助員五五〇人をあわせ所属会員数万になると称し、結婚相談所を常設するとしました。さらに一九三六年には女学校卒業の女性が理想的な家庭をつくる準備として修養と社交のための「名古屋女性文化倶楽部」も設立します。

新愛知新聞社は一九三五年一二月、二府一二県の婦人団体代表をまとめた「中部日本婦人連盟」を設立、その発会式には浜口雄幸首相が来名、「奉仕報国の誠を宣言、教化節約を決議」します。文部大臣・県知事・名古屋市長から祝辞を受け、市長を顧問とする団体です。新聞読者を囲い込む狙いと思われますが、結局は行政の方針を女性に浸透させていきます（新愛知一九三五年一二月三日）。

一九二九年ニューヨーク株式市場は大暴落、世界恐慌が始まり、昭和塾堂で中部女子青年団代表を集めて女子青年教化総動員大会が開催されます。一九三〇年文部大臣は「家庭教育振興ニ関スル件訓令」を出し、一九三一年満州事変直前に文部省系の地域婦人会・母の会・主婦会を統合した「大日本連合婦人会」が設立され、その傘下に一九三三年一五二団体を集めた県連合婦人会が発会、会長は知事夫人、事務局は県社会教育課があたり、代表者が男性名である団体は約四分の三、団体住所は町村役場・学校が多く、行政が先頭に立って組織したことを物語っています。翌年市連合婦人会も発会します。報国に向かう教化団体としての結集を行政が強力に進めたのです。

軍部が掌握した国防婦人会

一九三二年三月には大阪の主婦たちが出征兵士の見送りや接待をする中で国防婦人会を設立、

一〇月には東京で「大日本国防婦人会」が陸海軍の指導・支援のもとに発会します。国防婦人会名古屋支部が結成されたのは一九三六年五月、六月には第三師団管下の国防婦人会本部が結成され、一九三八年には国防婦人会名古屋地方本部の結成後二年で二六四分会、会員三一万人を組織しました。

国防婦人会第3師管本部総会（1936年）の絵葉書

愛知で急速に国防婦人会会員が組織された具体例をたまたま帰郷した市川房枝が記録しています。一九三七年八月中旬、朝日村（現一宮市）の役場から各家に吏員が来て村民から金を出させ、国防婦人会のたすき等を渡し、翌朝八時半までに学校に集まれとの触れをだします。千戸の農村から七、八百人集まったといいますから、集まれる女性はほとんど全員集まったと思われ、在郷軍人会が司会をして、連隊区司令官、村長らが型通りの式をすすめ、国防婦人会の分会を組織したのです。村民の意見を聞いたわけではなく、いやおうなしに女性村民を集め、軍と行政が全住民を一網打尽に組織したのです。

このほか一九三七年一〇月には、県内女学校校長会で、国民精神総動員運動実行のため各女学校に愛国子女団を結成、女子教練を実施しようと決めるなど、報国のための組織で県内を覆う企画も提案されています（新愛知一九三七年一〇月二一日）。

9．婦選獲得同盟と愛知

婦人参政権獲得の構想

獲得同盟の発起者は久布白落実でしたが、久布白の仕事の中心は矯風会で、市川房枝は久布白があまり獲得同盟の仕事はしなかったといっています。獲得同盟の構想を示したのは、新婦人協会での挫折を味わい、渡米してアメリカと日本の運動を深くみつめた市川房枝でした。市川は、男性は生まれながらに女性の上にあり、女性を支配するという思想になじんでいて、法律・宗教・伝統・習慣その他全面的に女性を蔑視しているので、婦人運動はこれらすべてを覆さなければならない、婦人参政権を獲得すればすべて解決できるわけではないけれども、女性が立法・行政にかかわれば目的を達成できる、その活動は全女性に支持され、全女性の解放に役立つので、世界中で婦人参政権運動は婦人運動の中心になっていると認識していました。世界にはすでに婦人参政権を獲得した国があるので日本でも可能性があり、日本の男性は知識人・ジャーナリスト・学生・労働者たちが一致して普選を要求し実現したので、その歴史を学んで婦人参政権（婦選）を要求する活動を継続すれば、日本女性も婦選を実現できると運動の構想と展望を示します。

アメリカから帰国した市川はＩＬＯ東京支局で働きながら、夜は獲得同盟の会務理事として準備段階から婦人参政権獲得ひとすじに全力で活動します。一九二五（大正一四）年第一回総会で支部設置を決め、新潟、金沢、広島、新潟県刈羽、熊本、秋田、京都、東京市小石川、東京市城南、兵庫、群馬、松山、秋田県横手、最後に一九三五（昭和一〇）年八月愛知支部が誕生しました。法律改正を決める衆議院の議員選挙は都道府県別に行われるので、全国の女性が婦人参政権を要求していることを示す必要があり、議員の婦人参政権への理解を深めるには支部設立が重要でした。

愛知の婦人参政権獲得活動

東京の獲得同盟創立総会には、奥沢登起子嬌風会名古屋支部長が祝電を寄せ、一九二五年から約一年間、愛知出身の田島ひでが市川に頼まれ有給職員として勤務しました。獲得同盟の地方での婦人参政演説会の二番目は名古屋市京枡座で、獲得同盟主催・新愛知新聞社後援で開催され、翌年には豊橋市で講演会を開きます。一九二七年市立豊橋高女を卒業した今井志づかは、その夏豊橋市の劇場で南海呑洲らの政談演説会に出かけると、演壇の横に警官がいて「弁士中止」などといい、怖くもあり面白くもあったそうです。女学生時代は昼食後に教壇で五分間演説をやり「婦人に参政権を与えよ！」とテーブルをたたくと一斉に拍手が起こるのがうれしかったと回想しています（朝日一九八三年四月八日）。

また一九二八年末以降、河崎なつが全国高等女学校八〇〇余校に婦選実現への賛否を調査した結果は、愛知県内女学校は、即時付与一五、尚早一〇、否一で、二六校の賛成率五七・七％、全国二位（賛成率の全国平均四〇・七％）でした。一九二九年には婦人公民権実現が浮上し、『新愛知』『名古屋新聞』が多様な女性の声を掲載しています。新聞は世論啓発をしながらも、東海の「多数の婦人はまだ選挙権を要求していないし、その必要を感じてもゐないのではないか、婦人自身のうちからそれを要求する叫びが力づよくあげられてゐないのは何よりの証拠」と認識していました（名古屋一九二九年二月七日）。

男子普選の実現後無産政党が誕生し、無産政党は婦人参政権を政策として掲げたので、獲得同盟は無産政党系列の婦人団体に共同運動を提案します。当時の新聞社は無産婦人団体がこの提案を受け入れるとは考えていませんでしたが、集まった労働婦人連盟、日本婦人参政権協会、関東婦人同盟、婦人参政同盟、獲得同盟、社会婦人同盟、全国婦人同盟は満場一致で、一九二八年「婦選獲得共同委員会」を設立します。無産婦人団体最左翼の関東婦人同盟の山内みなは、仲間にはブルジョア婦人運動なんかという声もあったけれども、市川を信頼して参加したそうです。のちに全関西婦人連合会が参加し、関東婦人同盟は消え、労働婦人連盟も脱退しますが、政党中立のインテリの多い団体と、無産者の誇り高く市民に溶け込みにくい無産政党系の団体は、生活感情が違うのでやじったり反発したりしながら、交流し、共同で活動します。

一九二七年に初めて県会議員選挙が男子普選で実施され、一九二八年二月に初の男子普選の総選挙が行われたので、それに伴って婦人参政権要求の演説会・座談会・講演会等も重ねられました。一九二九年二月、新女性社主催・名古屋新聞社後援の時局婦人政談演説大会には東京から竹内茂代・金子しげり・奥むめを・市川房枝が来て、地元の弁士とともに女性と政治について演説、村井みつえ「如何にして無産婦人は解放されるか」は警官に弁士中止にされ、獲得同盟は警官の監視下にありましたが、婦人参政権問題の演説会は盛会でした。獲得同盟の役員たちと、愛知の有識者の交流はその後も重ねられますが、支部はなかなかできません。獲得同盟は婦選実現に可能な活動に手を尽くし、考えられる限り明るい可能性を描き、とくに市川は愛知に支部ができたように思いこんで『自伝』にも書いています。しかし国内外の政治状況を見れば、一九二八年には張作霖爆殺事件を日本軍部が起こし、治安維持法が改正されて死刑・無期刑を追加し、一九二九年には世界恐慌が始まり、やがて昭和恐慌になります。報国教化に対する自主的な婦選・廃娼の道はいっそう困難に向かうことになります。一九三〇年二月、新女性社主催新愛知新聞社後援の総選挙批判大演説会で、東京から望月百合子、奥むめを、市川房枝、山田やす子らが、金のかかりすぎる選挙、民政党・政友会の批判を訴えています（新愛知一九三〇年二月一四日）。

「陣痛微弱」の愛知支部組織

一九三〇年四月、議会・議員へ全国の婦選の意志を示そうと、初の「全日本婦選大会」が開催されます。大会出席者は四八二人、東京四三三人、神奈川一〇人、三番目が愛知で七人、出席者中小尾ふさ、前田たま、堀場雪子（市川房枝の親戚、タイピスト）は「婦選大会の名古屋代表」として、『名古屋新聞』に大きな写真が出ます（一九三〇年四月二九日）。翌年の第二回全日本婦選大会後の地方支部総会協議会には、名古屋支部準備会の所久恵、堀場雪子、前田たまが出席しています。その後も何度も支部発足の動きが報道されますが、幹部病気や名古屋人の引っ込み思案、諸事情で結成には至りませんでした。金子しげりはそれを「陣痛微弱」と表現しています。一九三四年第五回全日本婦選大会には名古屋から大熊芳子、中村露子、堀場雪子が参加、地方代表中三人はもっとも多数でした。

第1回全日本婦選大会に出席した右から小尾ふさ、前田たま、堀場雪子（『名古屋新聞』1930年4月29日）

一九三五年、選挙粛正運動（選挙違反・金で当選をはかる選挙を取り締まってやめさせる運動）のための婦人の大同団結が提唱され、市川は婦人参政権運動につながる選挙粛正運動だからと全国に働きかけ、女性の選挙粛正運動が展開されます。獲得同盟が国の方針の推進役になった時、愛知支部は、「同盟」という政治的においのする言葉を避け、「婦選獲得愛知県支部」と称して設立されました。幹事は小尾ふさ、所久恵、奥平詔子、大熊芳子、堀場雪子、中村露子、飯田しやうの七人です。所久恵は看護婦、一九三五年には名古屋市小針連区選挙粛正委員として街頭でビラまきをし、棄権防止運動で報国したいと獲得同盟に報告、県方面委員、社会教育委員、連合婦人会幹事なども務めた人です。選挙粛正運動に参加したのち、愛知支部の活動はほとんど記録されていません。けれども同盟中央委員に一九三八年堀場雪子、一九三九、一九四〇年小尾ふさがなり、組織を最後まで守る役割を果たしました。幹事になった人は、全員個人としては婦人参政権獲得を熱望した人たちですが、戦争という時代の空気、行政との関係には個人差があり、難しい社会関係・人間関係の中での獲得同盟支部組織でした。

第二章　典拠・参考文献

『愛知県史』通史編7、通史編8、資料編26、資料編32、資料編33
綾野まさる編『きんさんぎんさんの百歳まで生きんしゃい』小学館、一九九二年
『市川房枝自伝　戦前編』新宿書房　一九七四年
伊藤康子「大正期の恋愛・結婚観」「米騒動と女性」名古屋女性史研究会編『母の時代―愛知の女性史』風媒社、一九六九年
伊藤康子「愛知県山村にみる愛国婦人会」『愛知県史』創刊号、一九九七年
伊藤康子「争議にみる近代女子労働者の願いと社会的位置」「女主義者と呼ばれた諏訪八重子」愛知女性史研究会編・刊『人権確立を求めつづけて』二〇〇三年
伊藤康子「敗戦前後地域婦人会の育成過程」『草の根の女性解放運動史』吉川弘文館、二〇〇五年
伊藤康子「〈研究ノート〉愛知の草創期女性新聞記者―市川房枝を中心に」『愛知県史研究』二一号、二〇一七年
伊藤康子『市川房枝―女性の一票で政治を変える』ドメス出版、二〇一九年
折井美耶子・女性の歴史研究会編『新婦人協会の研究』ドメス出版、二〇〇六年
折井美耶子・女性の歴史研究会編『新婦人協会の人びと』ドメス出版、二〇〇九年
清水奈美子「婦人啓蒙に果した新聞の役割」前掲『母の時代―愛知の女性史』
全国小学校女教員会「同盟会の内容」『かがやき』三巻四号、一九二七年
千野陽一監修『愛国・国防婦人運動資料集　別冊　解題・資料』日本図書センター、一九九六年
中日新聞社社史編さん室『中日新聞創業百年史』中日新聞社、一九八七年

豊田市郷土資料館編・刊『1937―1945　人々の暮らし』一九九五年
中山惠子「新婦人協会名古屋支部」前掲『母の時代―愛知の女性史』
名古屋連合母の会編・刊『尾三婦人名鑑　附婦人関係各方面名鑑』一九三六年
『西尾市史　4　近代』一九七八年
日本キリスト教婦人矯風会編『日本キリスト教婦人矯風会百年史』ドメス出版、一九八六年
馬場景子・中野典子「栄養学からみた女工の食事」『ジェンダー研究』2号、一九九九年
橋本越南『わが人物遍歴』旬刊評論社、一九六三年
東栄蔵編『鷹野つぎ―人と文学』銀河書房、一九八三年
平塚らいてう「名古屋地方の女工生活」「北陸より関西へ」『平塚らいてう著作集　3』大月書店、一九八三年
松平すゞ著　桑原恭子構成『松平三代の女』風媒社、一九九四年
山口玲子『女優貞奴』新潮社、一九八二年

第三章　戦争は生活を崩す

1. 生活の変貌

恐慌と戦争の時代へ

一九二六（昭和元）年一二月、天皇（大正）が死去し昭和と改元されます。すぐに金融恐慌、さらにニューヨークの株式市場の大暴落から世界恐慌に至り、日本では昭和恐慌と続きます。世界各地で自国の権益を守るため、恐慌対策は戦争に進む動きとなりました。一九二七年は男子普通選挙による初の県会選挙が行われた年でしたが、この年から翌年にかけて三回の山東出兵、共産党弾圧の三・一五事件、満州の張作霖爆殺事件、治安維持法に死刑・無期刑が追加さ

れ、時代の潮流は大正デモクラシーから軍国主義へ転換していきます。

女性は農村の主力

一九三〇年第三回国勢調査が行われ、県人口は二五六万七四一三人、うち女性は一二八万九六九三人（五〇・二％）、その中で職業に就いていたのは四二万四九〇四人（三二・九％）でした。どういう産業で女性が働いていたかをみると、農業がもっとも多く四五％（男性三二％）を占め、次いで製造業二九％（男性二六％）、卸売業・小売業一四％（男性一九％）で、この三者で八八％（男性七七％）になります。明治維新から六〇年以上たった一九三〇年になっても、男女とも最大多数を占めるのは農業です。ただし一九二〇年、一九四〇年の国勢調査結果と比べると、女性農業者の減少幅は少ないけれども男性農業者は大きく減少し、男性は卸売業・小売業も減らしながら製造業に移り、女性は戦時経済へ変動する中で、男性の代わりを埋めていきます。

この間農民の離村は続き、県社会課は一九二七年海部郡永和村（現津島・愛西・弥富市・蟹江町あたり）の社会状況調査を行っていますが、農民の不満は勤労のわりに収入が少ない、働き手が少なくて困るという点に集中し、都市生活をうらやましく思っていますが、社会に対して無自覚で、社会を批判するまでにはいっていない、とまとめられています。この後、一九三三年には小作争議は激減しており、労働団体同様小作団体も満州事変以後「国家主義の影響を大きく受けて穏健な方針に変わった」と『名古屋新聞』一九三四年一月二四日は伝えています。

農業分野については一九三二年「農山漁村経済厚生計画」「教育振興計画」の重要性が改めて強調され、女性も一人前の農業者として働くことが要請されます。牛馬を扱い、女性自身の作業服も自分たちで考えてつくるような活動も進められます。新聞社が企画した座談会では、衣食住が保証されている農村が良いか、文化的な都会が良いか率直な意見をきかれます。母親世代は、昔と違い米は電気でついてくれる、ゴム足袋をはくから夜なべに草鞋をつくらなくて済む、自転車もあり、生活がよくなったといっていますが、娘世代は井戸が家の外にあるので一日三〇回も水運びをしなければならない過重な家事労働を問題にしています（名古屋一九三三年二月二二日、一九三六年一一月二八日、新愛知同一一月二五日）。

県は経済厚生活動の中心になっている三一人の資料を農林省に提出していますが、唯一の女性は西加茂郡小原村（現豊田市）の藤島ぎんです。ぎんは部落の女性の先頭に立って、共同作業や学校給食の手伝い、貯金や記帳の励行、講話会開催を働きかけ、村婦人会の活動を活性化させ、農村女性の自発性を引き出したといいます。

農村の男性は、女性は村や男性のたてる作業計画に従って仕事をするだけと思い込んでいましたが、豊橋市神野新田で男性が田植え直前に足を痛め、牛耕ができなくなった時、その妹が牛を使い、三町歩の田を耕し肥料を入れ植えつけも終わらせます。女が牛耕をしたと近郷近在の話題になったのですが、それ以後男性が病気になっても兵役で不在になっても女性が代わりを果していきます。女性は男性並みの仕事をやればできるのでした。女性は男性より劣った存在という意識はなかなか克服されませんが、親世代の意識の踏襲ではなく、新しい評価が必要になったのです。

男性の後を追う女性の進出

一九三〇年、製造業で働く女性の九二・六％は紡織工業、二番目は窯業三・二％で、その他はごく少数です。男性も一九三〇年には紡織工業が三一・三％で最多でしたが、機械器具工業二一・六％、金属工業四・一％で働くようになっていました。一九四〇年には戦争拡大による重化学工業発展のため、男性職工の三五・九％が機械器具工業で働くようになり、女性も男性の空席を埋めながら多様な産業部門に進出し、職種も男性に準じて多様化します。

一九三七年日中戦争開始以後軍需関連産業が拡大し、他方紡織工業は原料の輸入が制限され、生産量も減少、国民の衣料品はスフ（ステープル・ファイバー）が多くなり、繊維工場は軍需工場に転換されていきます。

職業婦人の変化

一九三一年二月、新愛知新聞社は職業婦人の座談会を企画します。独学で医者になった瀬木せきは、自分は女学校卒業後すぐに親に結婚させられてしまい、結婚は運命と同じと語ります。堀栄一享栄タイピスト学校長は、今後は女性が自分で仕事も結婚も判断するようになるだろうと発言し、瀬木は賛同しています。この座談会は女性の実業界進出時代は来るかを最終のテーマにしますが、そのような時代は来るだろうと結論付けています。職業の変化は生活や意識を促しているのです。

一九三五年市社会部が実施した「職業婦人ニ関スル調査」は、限定された職業人の調査ですが、雇用される働き方だけではなく、独立営業者が医者、産婆、薬剤師、遊芸師匠、美粧員に相当数いて、既婚者も四分の一近くいます。職業婦人は収入のためだけでなく、自分の希望で働き、女性の自立した生活実現の可能性を含んでいました。このような社会環境の変化は、女性の自主性を育てる土壌となり、衣食住生活も親世代の踏襲とは限らず、近代的に変貌させる可能性をはらんでいました。

庶民が求めた洋風文化

大正期の中頃には女学校の制服が元禄袖・筒袖に袴から洋服に変わり、一九二三（大正一二）年の『知多新聞』は半田・常滑あたりでは男女児童とも大部分が洋装になり、経済上・体育上・美的意味でも値打ちがある、あるいは馬車が減り、自転車・自動車が増えたと報道しています。さらに一九二五年には小学校教員も詰襟・学生帽と決まっていた洋装を、背広・ソフト帽でもよいとみとめられます（知多九月三日）。一九三〇年代には大人の洋装も、官員・軍人からサラリーマンへ広がり、夏には女性も木綿の簡単服（アッパッパ）を着ました。家庭の食事にもカレーライスやコロッケ、ケチャップやソースが加わり、パンも食べられるようになり、伝統的な衣生活・食生活は庶民的な西洋色を加え、「文化住宅」と称して住生活も西洋風を加味します。洋風の飲食店として人気を集めたカフェーが名古屋に誕生したのは一九一三年年末といわれますが、昭和に入り急増して取り締まりの対象になり、女給の服装は振袖にエプロン姿になります。大衆娯楽の中心は音声が出る活動写真（映画）になり、多様な演芸が行われる劇場と競い合っていました。

2. 雑誌で広がる女性の文化

婦人雑誌の人気

女性の教育程度の向上、家業を離れた就職の拡大に伴って、新聞や単行本を読む余裕のない女性は雑誌を好み、女性雑誌が増えます。警保局（のち警察局）調査によれば、一九二七（昭和二）年一二月現在、発行部数の多い女性雑誌は、『主婦之友』『婦女界』『婦人倶楽部』『婦人世界』『婦人之友』でしたが、女性雑誌は返品率が低く、世論を誘導しやすい場でした。

羽仁もと子が創刊した『婦人の友』は「思想しつつ　生活しつつ　祈りつつ」をモットーに、生活を簡素に、合理的にしようと、不用品交換会などの活動もします。名古屋の「友の会」ができたのは一九二九年、一九三二年には家庭生活合理化展も開き、このころ会員は一〇〇人だったといいます（朝日一九七八年一〇月一九日）。

県内では、碧海郡教員協会社会教育調査委員会の一九三三年九月現在の購読紙誌調査があります。女性雑誌以外も含みますが、安城町（現安城市）の購入部数の多い順でみると、『家の光』『キング』『主婦之友』『婦人倶楽部』その他子ども向け雑誌と『富士』『日ノ出』『講談倶楽部』『婦女界』などが買われています。こういう大手の雑誌に対抗できない女性雑誌は、読者会を設け、部数の維持・拡大を図ろうとします。

『女人芸術』支部の活動

長谷川時雨主宰、女性のための思想文芸誌『女人芸術』は一九二八年七月に創刊されます（一九三二年六月終刊）。愛読者を組織し、「女人連盟名古屋支部」は一九二九年九月設立され、支部員一三人、初代幹事は詩人萩岡ちさ子、二代目幹事は藤原静子、多くの作品を発表したのは矢田津世子でした。萩岡や一九二七年東京から転居し、名古屋に四年ほど暮らした矢田は、名古屋には文芸を理解しない人が多くて活動しにくいけれども、確実に質の高い支部をつくりたいと語っています。短歌俳諧の世界は以前から女性にも開かれていますが、近代文芸に生きようとする女性が誕生していく時代の誇り高さが感じられます。

一九三〇年一月、名古屋毎日新聞社主催で、『女人芸術』執筆者を中心に女人芸術名古屋講演会が開催されます。講演は小池みどり、矢田津世子、松村喬子、上田（円地）文子、中島幸子、林芙美子、織本（帯刀）貞代、長谷川時雨、それに松坂屋オーケストラの演奏と合唱（全女性進出行進曲）があり、司会は名古屋女子タイピストリーグの堀場雪子（獲得同盟）でした。場内には制服私服の多数の警官がいて、松村は「警官注意」、織本は「警官中止」を受けます。翌年三月には『女人芸術』の表紙、社会主義ソ連の写真が多いグラフをまとめた女人芸術名古屋展覧会が、市東新町（現、東区・中区）陸田ビルで三日間開催されます。入場者は一二八一人、女性は八九人でしたが盛況でした。女人連盟支部は警察の監視下にあり、女性進出の未来を漠然と感じさせる存在でしたが、短命に終わります。

『婦人公論』読者の動向

『婦人公論』は一九一六（大正五）年一月創刊されますが、経営難から一九二八年嶋中雄作が譲り受け、「大衆化」に編集方針を転換させ、一九三一年には若い八重樫昊が編集主任（翌年編集長）になり、「大衆の生活に密着する」編集方針を定着させます。一九三一年一〇月号で嶋中社長は三〇万の読者を預かる大衆指導雑誌と称しました。八重樫は読者拡大のため、読者グループ組織化を一九三一年六月から全国読者に呼びかけます。いち早く設立されたのは名古屋（白洋会）、一九三一年八月頃のことですが、八重樫は全国でもっとも活発な会と評価しています。

『婦人公論』『名古屋新聞』と三代目幹事磯部しづ子の手帳の記録を総合してみると、一九三一年一二月から一九三八年八月まで、九七回の例会・行事があり、内容としては講演会（謝礼を出す講師による）二五回、座談（会員、中央公論社・名古屋新聞社社員）一五回が中心で、社会見学、美術展鑑賞が各一二回、忘年会等一一回、その他映画等鑑賞、ハイキング、講習、ボランティア、スポーツ観戦等で会員の知識欲が多彩旺盛だったことがわかります。聞いたり学習したりして知識を増やし、話し合って理解を深める内容は、裁判、株取引、美容、性教育、思想、天文学、スポーツと幅が広く、美術展では画家の解説を聞き話し合い、いちご狩りハイキングでは養鶏場見学もして地場産業に接しながら、積極的な話し合いをしています。多種多様な企画を支えたのは名古屋新聞社という、当時最高の情報センターでした。名古屋新聞社側からすれば、中央公論社という中央のジャーナリズムと接触でき、交流しにくい若い女性のナマの声を聴くことができるプラス面があったからと思われます。若い女性は、一人では行くことも考えつかないような、裁判所、野球場、兵営など時代の先端を見ることができました。

その名古屋新聞社編集局と婦人公論読者を結んだのは、初代幹事森島節子です。森島は時事問題・思想問題その他多方面の読書家、人をそらさない社交家、才筆も弁舌もあり、会員の協力を誘いまとめるリーダーでした。氏名のわかる会員は、七年間で九四人、足掛け八年に六人の幹事（森島節子、田中花子、磯部しづ子、大野みよ子、松山鈴枝、丹羽桃江）が交代しています。

後に会員から聞いた話によると、会員の印象は、幾分か文学少女という感じの人、半分くらいは働いていて、会合は日曜か平日の午後六時以降、若い娘や妻には参加しにくい時間帯になります。入会は女学校卒業前後、結婚のための退会が多く、結婚問題について何回も話し合いをしています。その結論は、見合いでもよいけれど交際し理解しあって、愛のある結婚をしたい、向上心・指導性のあるサラリーマンの夫と、家政の切り回しを上手にして読書の時間をもち修養を積む妻の充実した共同生活を築くのが目標、良い夫を選ぼうとしていました。『婦人公論』の自由主義的女権拡張を中産階級の現実生活に描く結婚生活像です。

特高の監視下で

戦後になって、『婦人公論』読者会元幹事たちが語った会運営の困難は、第一に特高の監視・介入、第二に女性の経済的貧しさ、講師の謝礼に困っていました。第三に読者の多数が結婚適齢期にある女性で、親の許可がなければ集会に参加できず、自分の時間を自由に使えない制約があり、第四に人間関係を維持できる力量のある幹事になる人が少ないという女性の社会関係未習熟の状況が問題でした。満州事変から日中戦争本格化に進んだ時代だったので、警察は自主的活動が自由主義的活動へ、国策からはずれることを警戒し、その可能性があれば未然に潰そうとしたと思われます。早婚を奨励、「産めよ殖やせよ」と子どもを人的資源とみる政策、読書・修養ではなく戦争のための労働に駆り立てる総動員政策に突進する時期だったのです。白洋会も「支那（中国）の情勢」「増税についてきく会」「支那事変陸軍従軍画展覧会鑑賞」という国策に沿ったテーマで例会をもち、やがて消えてしまいました。

三代目幹事磯部しづ子は、会社の帰途に名古屋新聞社により、企画、講師の人選など相談し、自分の意見も通して例会を進めました。しかしもともと作家志望だったので『婦人文芸』に関心を移し、その読者支部設立の中心になったため、退会はしていないのですが、記憶がなくなります。

『婦人文芸』支部の挫折

神近市子主宰の文芸総合雑誌『婦人文芸』は、一九三四年六月創刊、一九三七年八月第四巻八号三七冊で終刊します（新知社、この間一冊休刊）。『婦人文芸』は無名でも婦人文芸愛好者に集まること、投稿を呼びかけます。支部主催で女流作家講演会を開催、或は作家講演会を契機に支部を結成する働きかけが始まります。作家・評論家志望の女性がいるのは都市なので、まず大阪支部が誕生しました。当初名古屋の『婦人文芸』購読者は県立第一高等女学校（県一）出身の、村瀬松枝、磯部しづ子、大久保利子の三人、要請にこたえて一九三五年一〇月、南大津町千代田講堂を満員にして、婦人文芸講演会が開催され、松田解子、平林たい子、神近市子、生田花世が講演、職業婦人が中心で五〇〇人が参加します。会の間に講演の感想を話し合いたいと誘うメモを回し、二〇人くらいの座談会をもちました。磯部しづ子は、自分が中心になってやり遂げることができた講演会の成功に満足し、この会が婦人文芸名古屋支部の発会式になります。男性も数人参加してリーダーシップを取り、ニュース係には山本信枝が自らやりますと発言、月一回合評中心の会を開くことを決め、一九三六年から実行されます。『婦人文芸』の内容を、世界情報が的確、評論がきれいごとに過ぎる、「貧乏」の現実性が弱いなど、率直な意見を通信し、「元気な名古屋支部」と解説がつけられていました。

しかし、一九三七年春、例会のために磯部が会場に行ったとき、誰も来なくて流会になります。その後、会合を続けることは危険と忠告する人がいて、名古屋支部は消えます。例会前日左翼の一斉検挙があり、会員中三人の男性が検挙されていました。数日後、会員の磯部や山本信枝、佐藤春子も警察署へ呼び出され、「国体を一挙に覆そうとするのか」、「宗教や神様」をどう思うか、丸一日尋問されます。要領よく立ち回ることのできない磯部は、「熱田神宮にお参りします」などと事実を答えました。当時磯部は三井物産の英文タイピスト、生活も安定していて、意識的な社会への不満をもっていません。当時県一卒といえば、まじめで賢い女性のエリートですが、自身として努力したのは知的向上、女性の自立でした。しかし警察の目からすれば、社会主義まで突き抜ける可能性があるヒューマニズムと捉えられる可能性が大きいのです。一九三九年磯部は婦人文芸名古屋支部活動のほか、会社内の読書会、新協劇団後援会、エスペラント研究会、資本論研究会の組織・参加等が国法に反するとして検挙・起訴され、懲役二年・執行猶予五年の判決を受けます。

　こうしてグループをたよりに友人と共に文化的な力を伸ばそうとしていた愛知の女性は、それぞれの芽を開花させる前に沈黙しなければなりませんでした。

3. 個性を伸ばした女性たち

女流画家の成長

女流画家が育っていくのは、一九二〇年代後半ごろから愛知の美術団体が公募の展覧会を開いて女性の発表機会を拡大して以後です。愛知淑徳高女から上京して女子美術専門学校（現女子美術大）へ進んだ中島郡起（現一宮市）出身の三岸節子は首席で卒業、翌年春陽会展に女性として初入選し、全国規模の展覧会に進出します。画家になること、とくに洋画を描くことは反対される時代でした。三岸は女性画家の先駆者として、戦後一九四六（昭和二一）年女流画家協会設立にかかわり、一九六〇年代以降フランスへ往来し、「女流ゴッホ」とたたえられながら描き続けました。一九八八年尾西市（現一宮市）名誉市民、一九九四（平成六）年文化功労者に選ばれ、一九九八年尾西市立三岸節子記念美術館が開館しました。

市出身の丹羽和子は医専を受験するふりをして上京、親をだまして女子美術専門学校（現女子美術大）に入学・卒業しますが、美術では職がなく、名大医学部病理学研究所補助員として病理解剖図を描く仕事に就きます。日展に入選したこともありますが、新制作協会展に一九四九年初入選、一九六七年会員となりました。二〇〇七年開館した「平和のための戦争メモリアルセンター　ピースあいち」の正面壁画は丹羽の制作です。

女流文学の土壌

加藤籌子（小栗風葉の妻）は知多半島師崎村（現南知多町）での出来事を「漁夫の母」として『女子文壇』に発表、漁村の生活情景を後世に残し、『青鞜』にも作品を寄せました。矢田津世子は『女人芸術』『名古屋新聞』『新愛知』やプロレタリア文学系の雑誌に作品を発表し、兄の転勤に伴われて上京し、一九三六年『人民文庫』創刊号に発表した「神楽坂」で女性初の芥川賞候補となります。

永瀬清子は、県一の校友会誌『か、み』に「感傷についての一考察」を掲載、専攻科英語部卒業後、高木斐瑳雄らの詩誌『新生』を出発点とし、一九三〇年第一詩集『グレンデルの母親』を出版、戦後出身地の岡山へ帰りますが生涯詩作し、「現代詩の母」と呼ばれています。茨木のり子（宮崎のち三浦）は「野良犬」を西尾高女校友会誌『校友』に掲載、その後詩作を続け「現代詩の長女」といわれました。女学校の文化活動が土壌となり、女性文化が育つ時代にすすんだのです。

女子のスポーツ熱

女子教育の進展に伴って、学校スポーツだけでなく各種競技団体の組織化が進み、スポーツ熱を高めました。学校も女子スポーツ選手を出すことで存在感を世間に示し、とくにオリンピックで世界的評価が認められます。一九三二年ロサンゼルスオリンピックで和歌山県出身椙山第二高女（現椙山女学園高校）の前畑秀子（のち兵藤）は、二〇〇メートル平泳ぎで二位、続くベルリンオリンピックの同種目で日本人女性初の金メダルを獲得しました。のち国民皆泳をめざし、晩年まで水泳指導を続け、一九九〇（平成二）年文化功労者に選ばれました。

これらのオリンピックでは女子陸上選手も活躍、名古屋高女（現名古屋女子大学高校）の渡辺すみ子、県一（現県立明和高校）の村岡美枝が、ロサンゼルス大会の四〇〇メートルリレーで五位入賞、中京高女（現至学館高校）の山本定子がベルリン大会槍投げで五位入賞を果たしています。戦後、伊藤みどりが一九八八年カルガリーオリンピックで五位になり、女子で初めて三回転半ジャンプを成功させ、戦後の愛知スケート王国の先駆けとなったのは、一九三〇年代以後の女子スポーツ界の努力を花開かせたといえましょう。

女性は親に逆らっても親をだましても自分のやりたいことをやろうとするようになりつつありました。才能ある女性を教育者は応援しました。それぞれの努力で個性を発揮し、オリンピックでの女性の活躍は男女国民の関心を集めるニュースとなり、スポーツ好きな女性を支えました。しかし、オリンピックで金メダルを取った前畑は、すぐに後援者から結婚相手を探されるなど、結婚・出産が女性の第一義的存在意義という女性観の時代は続いていました。

4. 女性のための社会事業

困窮家族の救助

明治維新以来の政治・経済の激変は、県民生活を豊かにした反面、困窮する県民も出ます。救助しなければならない県民は増えましたが、県は家族親戚や近隣の慈善家で救えないなら、町村の有力者がやるべきとし、現実には宗教家・宗教団体が慈善事業をする程度でした。日露戦争は戦死・戦病死者・廃兵（障がい者）が多数にのぼりましたが社会事業費は微増しただけです。一九一五（大正四）年、市で授業料免除を申請した児童は二三五六人、在籍児童の五・五％になります。その親の職業は、屑買、灰買、羅宇仕替、下駄歯入、鼻緒心綯、皮職、麻糸結、洋傘直し、陶器職工、飴売、糞汲取、燐寸貼り、残飯売り等で、雑多な仕事に就く都市細民が五・五％前後はいたと推測されます。

第三師団がシベリアに動員された一九一八年には、名古屋新聞社が出征軍人留守家族の慰問義金（一〇銭以上）を呼びかけ、緊急慰問して家族の実情を新聞で伝えます。農村であれば食料の近隣扶助が当座はできるかもしれませんが、都会ではすぐに飢餓が迫り、町内で救助を協議しても金がありません。

一九二四年、愛知県の出生児数は全国四番目、乳児死亡は全国五番目でした。市社会課は一九二二年度一年間に死亡した乳児について、県社会課も一九二五年七月から一年間に出生した乳児の死亡調査を実施します。県乳児死亡率は、一九二一年から五か年平均で一六・九二、全国平均一五・九〇を上回り、県内で死亡率が高いのは、岡崎市、額田郡、一宮市で、市部と郡部はあまり変わりません。一宮市の調査結果によれば、死亡率は私生児が公生児より高く、義務教育を受けていない、または小学校中退の母の子に多く、機業に従事する母の子に多く、人工栄養の子に多く、納税しない無産者に多いのです。結論は乳児死亡の主要原因は貧困です。

保育園の設立

米騒動後、行政が貧困対策を進める社会事業の時代に入ったのは一九二〇年前後といわれます。託児所の最初は一九一五年市の下奥保育園、一九一八年には市に二葉保育園が設立されました。一九二三年関東大震災直後、名古屋駅に来た被災者の手助けのため走り回った重賀よしをは、金城女学校・同専攻科で学び、キリスト教の聖者・殉教者の説話を聞いていたので、校長に緊急事態を報告すると、市村与市校長は即座に金城女学校ＹＷＣＡを結成し、奉仕活動を進めます。重賀は将来自分も「一粒の麦」になりたいと考え、県社会事業協会が新設した隣保館共存園（市西区貧民街の保育園）の保母となり、社会福祉のため働きとおします。民間で初の工場内託児所を設立したのは、一九一六年日本陶器株式会社（現ノリタケカンパニーリミテド）

起保育園の子どもたちと林曜三園長

の二代目社長夫人森村うめ子です。女子労働者が働き続けられるよう、田村光子を主任保母として乳児からの保育を、戦時中の建物疎開まで続けました。

起町（現一宮市）の織物工場経営者林曜三は方面委員（現民生委員）を委嘱され、働いている母の子どもが放任されている現実に心を痛め、一九二六（昭和元）年寺を借り寄付を募って保育園を設立します。いろいろな補助金や寄付をもらっても赤字経営で、林園長は自分の財産をつぎ込みながら子ども中心主義の保育園を運営、戦後行き詰って行政に保育園を移管します。

一九二五年度の県社会事業施設を全国県レベルで比較すると、職業紹介所数三位、経済保護施設七位、一般救護施設七位、児童保護事業一〇位でした。その他隣保事業、婦人保護事業、授産事業、人事相談事業、施療救護事業については、他府県と比べて大変遅れていると県自身が認めています。経済力では首都圏、阪神圏に追いつこうとしていた愛知県は、社会事業については労働力提供支援や経済保護事業には手を付けていましたが、県民に寄り添う施策では不十分でした。

婦人保護施設への動き

県は方面委員制度を実施し、婦人保護施設実現を模索していました。婦人保護施設は「感化又は保護を要する女子、娼妓を廃業せる者等を保護し、適当なる指導を為し、人事相談、授産、職業紹介、無料宿泊等を行ふ」とされています。一九三一年市新栄警察署で扱った家出人捜査願六四八件中八割が女性、あてもなく都会に出てくる女性を名古屋駅で保護する必要があり、方面委員からは保護すべき女性を紹介する施設がないと問題にされていました。女性の実情に精通した方面委員が必要と、熱心な仏教信仰者の野溝辰枝が一九三〇年市初の女性方面委員に任命されます。出征軍人家族・遺家族・寡婦のもとに男性が出入りするととやかくいわれる時代なので、女性の必要から女性が公職に就く可能性が開けたのです。

この年の内閣府調査では、子女を養育する寡婦は県内に八九三三人、全国一位です。一九二七年には、坂文種報徳会婦人ホーム、一九二九年婦人の家和光寮が設立されますが、建物はできても適切な人と方針がなければ積極的な保護ができません。坂たねは一九〇七年夫の死去後、仏教に帰依して財産で窮民救済を行おうと、一九二四年坂文種報徳会を設立、生活援護・診療所・病院・育英資金の貸与・社会事業団体への助成に加えて婦人ホームを設立し、思想善導のための活動を進めようとします。けれども変動する社会に即した積極的方針を自主的に立てるのは簡単ではありません。

日本基督教女子青年会「友の家」

当時日本基督教女子青年会（ＹＷＣＡ）は、東京、大阪、京都、横浜、神戸に各市ＹＷＣＡを設立しており、名古屋ＹＷＣＡも計画されながら実現していませんでした。封建的で排他的、仏教の盛んな名古屋では、適切な指導者がいなくて設立できなかったのです。ＹＷＣＡの基礎づくりとして、日本ＹＷＣＡ労働調査部委員会は、労働調査部名古屋センターを置くために、一九三〇年、長野県出身の工場労働経験者で日本女子大学校卒業生の加藤ちょう（調、のち辻川）を派遣します。名古屋に来た加藤は、県内寺院三六三〇にたいし、キリスト教教会は四四しかない、仏教の本場でキリスト教理解者が少ない土地柄と驚きます。一方名古屋基督教青年会（名古屋ＹＭＣＡ）は一九〇二（明治三五）年設立され、市民に英語、スポーツを普及する活動、知識層の職業紹介、青年宿舎や食堂経営、講演や災害救援活動を実行していました。名古屋ＹＷＣＡも地域に根を張る活動をしなければ地域に必要とされません。

加藤ちょうは、名古屋には数万の女子労働者がいても労働婦人の問題に注意する人はいないし、働く婦人を導く施設もない、働く女性自身が向上心をもっていない、社会の進歩の影響は少ないとみていました。加藤は東区（現千種区）元古井町の家を借り、小工場で働く女性のセンターをつくろうと考え、クリスチャンの経営する毛織工場の女工や教会に出入りする女工たちで小集会を開きますが成果は上がらず、工場参観などを重ねて労働事情を調査し続けました。

一九三一年三月、東京からＹＷＣＡの労働調査部員が名古屋へ来て、県・市・警察関係者、地域の名士と懇談し、求職のため名古屋へ来る女性への職業紹介、人事相談、裁縫・ミシン等の講習をすることになり、行政が期待する社会事業の場として、「友の家」の看板が掛けられます。「友の家」を預かる加藤ちょうは、当初自分の仕事を「工場伝道（キリスト教の普及指導）」の異なる形での女工教育と考えていました。実際には一九三二、三年の「友の家」事業は、社会事業活動としては、無料宿泊、人事相談、授産、農繁期託児所、バザーの場を設け、宗教活動は修養会、教育活動は国語・英語・手芸・料理・いけばな・洋裁・子どものための復習会・読書会・見学会、その他体育活動、社交活動、図書室設置、文集発行と多様に展開されます。

社会問題への関心

一九三三年、福島県生まれ、クリスチャンの長瀬タキヱは名古屋ＹＷＣＡに就職、県一の専攻科英語部を卒業した佐藤富美（のち藤本）らと非公然の読書会を作り、ベーベルの『婦人論』や雑誌『働く婦人』『女人芸術』を読んでいました。福井県生まれ、北海道育ちの山本信枝は不景気の中滋賀県で暮らし、母の死をきっかけにあてもなく職を求めて一九三一年名古屋へ出ます。駅近くの口入屋（就職紹介業）では変な所へ紹介されそうで恐ろしく、日置橋（市中川区）の公立の職業紹介所を訪ねます。不景気だから田舎者には適当な仕事がないといわれますが、どんな仕事でも辛抱すると、住み込みの仕事を探してもらうことにし、その夜は「友の家」に行くよう紹介されます。朝食八銭、夕食一〇銭、一か月の宿泊代は当初一〇円くらいでした。紹介された仕事は企業の合宿所の賄の女中、掃除・洗濯・買い出しなど、一五円の給料で約一年働き、体調を崩し、友の家を手伝いながら寄宿し、簿記学校へ通い、長瀬らの影響を受けます。

若い女性が名古屋へ来た時、「友の家」は安心できる施設として信頼されていました。みんなでつくる文集には働く生活が記録され、「友の家」は、まじめに生きようとする女性のたまり場としても認められ、新聞記者が社会問題の感想を聞きに来たりします。

他方東京から派遣された木村雪子は、名古屋ＹＷＣＡ創立準備委員会を一九三一年発足させ、二年後の一九三三年二月、名古屋キリスト教女子青年会を設立します。

一九三一年三月の名古屋新聞社の学校関係者座談会で、椙山女子専門学校堀主事は、名古屋の女子専門学校で急進思想をもつ学生がいるか文部省から調査が依頼されるけれども、女性の思想は極めて穏健着実と断言します。金城女子専門学校でもマルキシズムの影響を受けている人はいないといいます。名古屋には国家社会の将来を憂うるような女性はいないと学校関係者は信じていました（名古屋一九三一年三月一三日）。けれども自分たちの生活と社会の現実に揺さぶられて、行政や学校のいうことをうのみにできない人も出てきます。

生活課題解決の模索

一九三〇年三月、世界同胞主義を目標に中道の道をとりたいと発足した「第三女性連盟」（獲得同盟の堀場雪子、小尾ふさ、女人連盟の藤原静子、伊藤君子ら）は、四月に新愛知新聞社の後援を得て、中部地方で初めての「産児制限大演説会」を、愛知医専卒でアメリカの産児調節を習得した馬島僴らを講師に西別院で開催しました。さらに生活に密着した課題に取り組もうと、九月には水道料値下げを陳情します（新愛知一九三〇年三月八日、四月二一日、九月二一日）。一九三一年三月、産業組合名古屋支部会は家庭経済の合理化のため消費組合を普及しようと婦人団体に働きかけ、婦人消費組合研究会を発足させます（新愛知一九三一年一〇月一七日）。桜楓会名古屋支部は婦人講座を開催し、一九三二年六月から週二回小児保健所を開設し、医師・看護婦・保健婦が相談にあたり、相談日には約三〇人の乳児を連れた母親が集まります。

一九三三年には無産者診療所が市南区波寄町（現熱田区・中区）に設立され、医者は名大の青木文次と米沢進、看護婦は松平マツをスタッフにしていましたが、警察の監視下にありました。准看護婦の資格をもつ前田黎生はボランティアで健康相談を担当しますが、突然治安維持法で一九三六年検挙され、「何も悪いことはやっとらん」のに起訴され、四年間拘束されました。その後保健婦の資格を取り、名古屋市の保健婦として母子の栄養・健康指導をします。ずっとのちの二〇一四（平成二六）年、ドキュメンタリー映画「日本の保健婦―前田黎生・九五歳の旅路」に活動が残されています（朝日二〇一六年七月八日）。

一九三〇年代には東北地方の冷害で娘を娼妓に売る農家が続出して「娘地獄」といわれ、愛国婦人会は娘の借金を一時肩代わりして救済しようとしました。市中村遊郭に売られてきた青森県の一四歳の娘二人について、県保安課・警察を通して交渉が進められ、働いて返済する約束で二人は遊郭から解放されます。公娼制度廃止への道はまだみえませんでしたが、貧困から遊郭に売られるのは社会問題視されるようになっていました（新愛知、名古屋一九三五年一月二九日）。

一九二三年東京で奥むめを・村上秀子らが結成した職業婦人社は、婦人消費組合協会、婦人セツルメント、働く婦人の会を組織し、全国に影響を広げようとしました。『婦人運動』の読者六〇余人が一九二八年「婦人消費組合協会」の豊橋支部を設立したと、『婦人運動』で報告されています。奥は一九四〇年四月に、名古屋職業紹介所の企画した職業婦人座談会に出席、「働く婦人の会」支部をつくり、働く婦人講座は生け花、茶の湯、手芸と和裁、書道、料理、洋裁、俳句と豊富な内容で、結婚相談所も開設されます。奥は、働く女性の家庭や職場生活を合理的にして働き続ける方向を示したかったようですが、勤労報国・結婚報国という国の要請が強く、その後の活動はよくわかりません。

5. 満州事変前後の社会の空気

愛国・国防思想普及、軍事支援へ

一九三一（昭和六）年九月、満州（中国東北部）奉天（現瀋陽）北方の柳条湖付近で、関東軍（在満日本軍）が南満州鉄道の線路を爆破し、中国側がやったとして軍事行動に入ります。満州事変（柳条湖事件）です。政府は「不拡大方針」を取るとしますが、関東軍は軍事行動を拡大し、政府も後に追随します。在郷軍人会は国防思想の普及・軍事支援強化に努め、『新愛知』『名古屋新聞』も満州事変慰問金を募集し、幼稚園・小学校の子どもたちが慰問金を続々出したと報道し、次第に対中強硬論を強めます。県民も慰問品・献金を集め、神社等で武運長久を祈りました。市小学校校長会は国運隆昌と武運長久を祈るため、一一月一七日全市九六校、一二万の小学児童を各連区（学区）氏神に参拝させ、授業後に全市教員二三五〇余人を熱田神宮に参拝させます（新愛知一九三一年一一月一八日）。名古屋将校婦人会は慰問袋五〇〇個、大谷派婦人法話会名古屋支部は一〇〇〇個を満洲へ送りだし、名古屋母の会は満州への寄付金を集めます。兵士への慰問袋だけでなく、金銭を集めて鉄兜その他軍需品を献納する国防献品に力が入れられます。県は各市町村に割り当てて募金し、各市町村は町内会を通じて各家に割り当て、一九三三年県民一三六万〇七一三人から二六万四三〇〇円余の献金を集め、愛知県民の名で九二式偵察機・愛国第四九号を陸軍省に献納します。

一九三三年、豊橋市立高女（現県立豊橋東高校）四年生二〇〇人は、豊橋陸軍教導学校へ体験入学、校内を見学し機関銃の実射訓練を行います。市東区の黎光婦人会員は、歩兵第六連隊の見学に行き、実弾射撃を試みました。市内小学校四・五・六年生から選ばれた四〇〇人余は、中部第一三部隊で防毒面装着、木銃教練などを実施し、軍人精神を学びます。時代の先端を行く体験ができると思っているうちに、戦争の空気に吸い込まれていくのです。

一九三二年には満洲建国宣言が出され、ドイツの総選挙でナチスが第一党になりました。愛国・国防の思想は広がり、軍事支援は日常のことになっていきます。

女子労働者の抵抗

戦争へ傾斜する時代であっても、一九三二年四月大日本紡績一宮工場では賃金引下げ等待遇の悪化に対し女子労働者がストライキを決行します。会社側が食堂で食事を用意しても「用心棒」に拉致されるのではないかとハンストで対抗し、男子労働者も応援、総同盟県連合会に支援を求め、警察も立ちあって、他工場に争議を拡大させたくない会社と、「時節柄争議を好まない」県総同盟双方の譲歩で決着、争議団全員が総同盟に加盟します（名古屋一九三二年四月二八日〜五月二日）。九月、市の内外紡績では、総同盟県連合会の組織が浸透し、不公平な懲戒処分をきっかけに全女工が職場放棄し、深夜業廃止、飲料水を水道の水で、月二回の休日その他の要求を貫徹します。東洋紡一宮工場では女工二百余人が待遇改善を要求、解雇問題でストライキに入り、会社は暴力と買収で切り崩そうとし、警察が説得に入り、解雇者を出して終わりました（新愛知一九三二年九月二一日、二二日）。

一九三三年昭和毛糸紡績弥富工場争議は、一二九一人が参加し、全国染織工場争議で最も参加人数が多い争議でした。工場長高津忠は生産能率をたかめ、優秀な製品をつくるため、教育と寮を重視し、労働の疲労を回復できるよう寄宿舎を家庭化し、自治の場にさせます。工場長とクリスチャンの舎母は女子労働者を人間として差別せず公正な日常を築こうとしたのですが、会社側は会社のいいなりにならない従業員を一掃しようとし、女工の心情を理解する役職者・舎母を解職し、暴力団を雇い、過重労働をさせ、警察が県に報告するほどになります。その間総同盟県連合会長、県工場課、協調会が調停しようとしましたが、女工たちは朗らかな工場生活は期待できない、封建時代的弾圧的な資本家が労働者の精神生活を蹂躙するのに耐えられないと抵抗します。会社はその後もクリスチャンは国賊だから信仰を転換しなければと馘首してしまいます。国の法律も世界では当然の自由主義も認めないのが経営者の方針、対する女子労働者は自分で判断し良心に恥じない行動をする、正義のために全力を尽くすとし、身分や学歴より良心が肝心と主張しました。世間も同情し、県の調停官も会社の反省を促しますが、会社側は態度を変えませんでした。

争議について地元新聞は連日報道していましたが、多数の退職者が出た後の女工募集への影響は結果的にはそれほどありませんでした。争議工場であっても、宗教の自由を認めない企業であっても女工は集まり、一、二年は生産量が落ち、品質低下もしますがその後は持ち直し、配当金も維持し、企業の操業は順調でした。当時女子労働者が主力の争議は少なく、女子労働者は労働組合運動としてたたかおうと考えられず、周りの労働者の支援も弱い状況でした。けれども良心をかけた人間の権利獲得のたたかいは世論を味方につけて、その底流は戦後の近江絹糸の人権闘争で生き返ったと思われます。

一九三四年には豊橋市が誘致しようとした日本人造羊毛工場に対して、漁民を中心とする反対運動が約一年間たたかわれ、阻止に成功した環境保護運動がありましたが、漁民の妻から市民の妻へ、会社に工場敷地を渡さないようお願いする手紙も残されていました。女性も独自の活動もしていたのです。

一九三一年のメーデー直前には、労農党名古屋支部婦人部の松永絹子が、メーデーは資本制度に対する定期的警告と解放要求の宣言だと意気たからかな文章を寄せ（新愛知四月二九日）、翌年には国際婦人デーの意義と歴史について寄稿しています（同一九三二年三月八日）。けれども日本・ドイツが国際連盟を脱退した一九三三年には全国で左翼活動家の一斉検挙があり、県でも竹内春子（起訴）、氏家瑞枝を含む一九七人が検挙され、一九三四年二月の左翼一斉検挙にはＹＷＣＡ関係の長瀬タキヱや佐藤富美、岡崎高女出身の加藤綾子（起訴）や無産者診療所の松平マツら一五七人が検挙されました。名古屋ＹＷＣＡはスタッフを入れ替え、行政監督下の事業変更など再編を余儀なくされます。

婦人参政建議の否決

一九三四年、名古屋で開催された第一四回全国小学校女教員大会で、鷲塚尋常小学校（現碧南市）教員で獲得同盟会員の内田あぐりは「婦人参政実施建議」の緊急動議を出します。提案理由は、第一に母性の使命遂行の制度が必要、第二に女性が参与しないから政治が退廃するので、女性が参加して政治の浄化と向上を図り、非常時打開の教育力を強化しよう、補足として五年生修身「公民の務」などを男女児童に教えるのだから婦人参政権は当然という主張です。女教員大会ではそれまで何度も婦人参政権実現を決議していたのですが、この時は八割の反対で否決されます。女教員会幹部も大きなショックを受け、一般の世相が戦争拡大に順応した結果とみています。女教員も戦争協力を時代の空気として受け入れているのです。この集会では小学校児童に対して性教育を行う必要があるか、ある場合はその内容はという議案も出されています。当時市の小学校教員はほぼ二八〇〇人、内女教員は七〇〇〇人、東京と岡山に女性校長はいましたが、名古屋には女性校長、女性視学はいませんでした。女教員の意見を聞いて対策を検討する時代ではあったのですが、戦争協力はその前提です（名古屋一九三四年五月八～一〇日）。内田あぐりはこの年一〇月、子どものための教育をしようとしても、内容も方法も上から縛られ、思うような教育ができなくなったと、親や同僚が止めるのを振り切って退職、京都へ移住しました。

6. 選挙粛正運動と国民統合

婦選獲得同盟と選挙粛正

政府・官僚の選挙干渉、選挙・政治を金で動かす腐敗した議員・政党に対して、国民は不満をもっていました。内務省は選挙粛正運動を全都道府県に指示、「君国に忠誠を捧げる愛国運動」として、すべての選挙を公明正大なものにするように官民一致して当らなければならないと強調します。女性は選挙人にも政党員にもなれないから関係ないはずですが、買収・情実選挙や票を取りまとめて売る選挙ブローカーは警察で取り締まるけれども、地方の隅々まで目に見える運動になるように、女性の動員が計画されました。

他方、婦人参政権獲得を唯一の目的として活動してきた獲得同盟は、一九二八（昭和三）年男子普通総選挙実施の際、選挙革正を訴え、一九三〇年には地方遊説を実行、棄権防止・買収根絶で女性の政治意識を高め、婦選実現の機運を高めようとします。男性は女性が政治演説するのを見に行こうという時代だったので、選挙革正は時の話題であり、演説会場は盛況で、婦選運動はピークの時期を迎えていました。しかし一九三一年には満州事変が起こされ、東京では婦人団体はガス料金値下げ運動、魚市場独占反対運動、母性保護法制定運動と共同で活動していましたが、一九三五年前後には『婦女新聞』が「非常時」の名で各種婦人運動は行き詰ったと指摘するような状況になります。

一九三五年獲得同盟は、政府が進める選挙粛正運動に対し「女を使わないのは損」と売り込む姿勢をとります。選挙粛正中央連盟は婦人団体・女性評論家に協力を要請、市川たちが設立した選挙粛正婦人連合会は婦人参政権要求をしないよう釘を刺されつつ、参加が承認されます。市川房枝は「政府自身が政治への婦人の協力を承認した」と考え、全国で婦人の参加のもと、選挙粛正活動が推進されます。

一般大衆の興味に焦点を当てた選挙粛正中央連盟の運動計画は、『名古屋新聞』の報道によれば、週刊新聞発行、実話・川柳・漫画・小唄・俳句・ポスター・標語の懸賞募集、商店のショーウィンドウ、郵便消印、アドバルーン、レコード、ラジオ、映画等での宣伝、全国での選挙粛正デー実施と多彩でした。国民への徹底方法は、部落懇談会を開き、「まるくすわる」「君が代合唱」「宣誓」そして違反者の村八分まで指示していました。それは汚職政治家や金権選挙者を粛正するというより、政府方針に反対する「非国民」をなくそうとする方法のようにみえます。本来汚職選挙・政治をただす獲得同盟が求めた選挙革正（あらため正す）は、政府・官僚の責任を棚に上げ、政党・議員を警察の取り締まり強化で粛正（取り締まって正す）し、天皇翼賛に導く上意下達の教化運動に姿を変えてしまいました。

女性の社会的地位向上を夢見て

県は全国のトップを切って粛正運動を始めます。知事は全県民が国家へのご奉公として選挙粛正の実を挙げよと述べ、標語懸賞募集の一等は「政治の明暗一票の力」、すぐにポスターになります。公民権をもたない者は市町村選挙粛正委員にはなれないとの規定にもかかわらず、市長は三〇人の委員中三人を女性にします。名古屋市・区・連区（学区）の選挙粛正婦人委員は三一人、市川房枝によれば東京に次ぐ女性登用でした。市は女性を行政の公職に付けつつ、女性に天皇と法律と政府の枠からはずれないことを求めます。運動の内容・日程は行政によって決められ、その計画に「熱誠」を盛り込むことを女性は期待されます。こうして名古屋連合母の会主催の選挙粛正婦人大会が一九三五年七月開催されます。神宮・宮城遥拝、君が代合唱、憲法発布勅語奉読、講演の内容です。その後も講演と映画の会、座談会、街頭で二万枚のビラを手渡す活動が進みます。県は市町村単位の部落懇談会を二か月間に一九七六回開かせますが、参加者は少なく自ら低調と評価せざるをえません。その後も棄権防止のたすきをかけ、選挙粛正マークを作って手渡す、選挙粛正の立て看板を立てるなど、女性の意見も入れた戦術で活動は続きました。

選挙粛正デーには獲得同盟の会員も積極的に活動しました。一九三五年ようやく設立された愛知の支部は、その後一九四〇年まで存続し、中央委員も出していますが、婦選獲得を進める独自の活動は記録に残っていません。

一九三五年九月、県会議員選挙が行われ、棄権と無効投票が増え、警察の取り締まり徹底で違反検挙者が激増しました。反面、立候補者・選挙運動費用・選挙ブローカーの活動は減ったといわれました。内務省は山梨県と愛知県の活動を評価しますが、『新愛知』は「笛吹けど民衆踊らず」と酷評しています。二度目の選挙粛正運動は総選挙に対して行われ、知事は「婦人の力が絶大な効果を齎した」と強調しましたが、女性の政治的権利については何も触れずに終わりました。この翌年も総選挙があり、選挙粛正運動も行われます。県連合婦人会と愛国婦人会愛知支部は県内五〇〇の婦人団体に選挙粛正のため国旗掲揚と神仏祈願を呼びかけます。なにかにつけて神頼み仏頼み、それによって国家に忠誠心を示す活動が強まっていきます。

日中戦争開始に浮き立つ

一九三七年盧溝橋事件をきっかけに日中戦争は開始されます。豊橋市職員の父をもつ白井昭は、世の中がガラッと変わり、軍需景気で工場が増え仕事が増え、軍が上海・南京と勝ち進むと、昼は旗行列、夜はちょうちん行列、料亭もにぎわい、子どもは乾パンをもらえて、町は浮き立つようだったと回想しています（朝日二〇二〇年六月八日）。

選挙粛正運動で進められた部落懇談会は、国民精神総動員運動へ、やがて大政翼賛会や市町村の行政当局のもと、部落会・町内会・隣保班（隣組）として国策を遂行させる下請け機関になり、金属回収・貯蓄・国債・防空訓練・配給などの活動に追われることになります。とくに配給の米・味噌・醤油・砂糖、衣料切符など生活必需品の統制が徹底され、隣組を通して配給品が渡されるなど隣組の交流は日常的になり、不満や愚痴は封じ込められます。

一九四〇年「名古屋市町内会等ニ関スル規程」（名古屋市告示第三百号）によれば、連区常会は「国策に忠実な実行の会」「全町の会」「永久的の会」です。西加茂郡三好村（現みよし市）の婦人常会は、二〇歳以上五〇歳までの女性が会員、女子青年団員も参加し、地域婦人会、国防婦人会、防火婦人会、愛国婦人会でもあり、会長は村長、会場は寺で、月一回集まり、時局認識を徹底させる集会でした。

7. 母性保護法制定運動と「出産報国」「結婚報国」

「母子保護法」の要求

一九三四（昭和九）年前後、全国的に生活難から母子心中が増え、中国での戦争拡大は遺族を増やしていきます。獲得同盟は他の婦人団体と懇談し、以前実行した母子扶助法制定運動を学習し、運動再開を申し合わせます。名古屋でも一九三〇年社会民衆婦人同盟名古屋支部が母子扶助法獲得を宣伝、街頭署名をしたことがありますが立ち消えになっていました。一九二八年以降、獲得同盟は多くの婦人団体と共同行動を組みましたが、一九三四年設立された「母性保護法制定促進婦人連盟」は翌年「母性保護連盟」と改称、五月現在二四団体が参加、「母子扶助法」だけでなく、戦死者の遺族扶助料をめぐる家族内の争いを解決するための「家事調停法」制定も要望し、母子ホームや家事調停裁判所設置も議会に働きかけます。行政も必要と考える「母子保護法」は一九三七年三月成立、「人事調停法」は一九三九年三月成立、まもなく実施と順調な経過をたどります。県社会課の調査では母子保護法で守るべき母は九八二人、一三歳以下の子二六七九人、合計三六六一人、内もっとも多いのは夫を喪った母六三五人とその子一七七四人、そのほか夫が精神病・障がい者、行方不明者等の家族です。大陸の戦争拡大にともなって母子の貧窮生活は深刻になり、政府としても放置できなかったのですが、それまでの活動の経験で行政を動かす方法を学んでいた女性は、参政権がなくても戦争で生活困難になる遺族等と、家父長制度のもとで泣く嫁の権利を積極的に守ろうとしたのです。軍人留守家族・遺家族の増加に対応して、県初の女性方面委員が誕生したのは一九三〇年、女性人事調停委員一一人が誕生したのは一九三九年、そのほか軍人援護会、軍事扶助愛知地方委員会や県軍事援護課に軍人遺家族指導員が任命されます。女性が公職に就くのは、時代の要請でした。戦後一九四七年厚生省の調査では、全国の戦死者・戦災者・外地引揚げ者の未亡人総数は、五六万六四〇五人（内縁関係は含まない）といわれています。

「産めよ殖やせよ」で報国

母子保護法が制定される一方で、女性に期待されたのは「結婚報国」「出産報国」、「産めよ殖やせよ」と国が命令している標語に代表される、「人的資源」増加です。県統計課は一九三〇年、一九三五年の国勢調査を比較し、男女ともに晩婚化が進んでいる、それに伴って出生率は一九三〇年から五年後には一〇〇〇人に対して三二・六三人から三一・二九人に減ったと指摘します（新愛知一九三七年七月一六日）。市厚生局は一九四〇年以降の中小商工業者調査で、男

乳幼児の健康診断（『愛知県史』資料編33）

性は三〇歳、女性は二五歳までに結婚すると子どもに恵まれやすく、小学校卒業程度の学歴の家庭に子どもが多いとしています。一九三八年五月国民精神総動員健康週間の記念事業として、市衛生組合総連合会は、子ども八人以上の母子ともに健在な家庭を調査し、全市に六九五家庭ありましたが、市東区の杉田家七男六女一三人が一番子どもが多いとわかり、表彰されました（新愛知一九三八年六月一四日）。

「結婚報国」のため相談所設立

成人男性が出征していく一九三〇年代、結婚相談所を設立して結婚を推進する政策もとられます。満州事変二年後の一九三三年には、名古屋連合母の会が十一屋（のち丸栄百貨店）で結婚相談所を開所します。一九四一年には葵会働く婦人の家が中村呉服店（のち三越）で、市民生活相談所が大政翼賛会名古屋市支部・松坂屋で、国民生活相談所が大政翼賛会愛知県支部で、傷痍軍人結婚相談所が三星百貨店（一九四三年十一屋と合併して丸栄）でそれぞれ相談を進めていました。

しかし一九四三年になっても大政翼賛会名古屋支部の結婚相談では、女性の希望はサラリーマン六八%、軍人・医師八%と「旧弊思想」のままで、適齢男子が少ないのに理想が高すぎる、親も男性の係累や資産に執着する自由主義的観念で結婚に至らないとみています。市連合女子青年団でも、国策に添って大陸に進出した男性と結婚しようとする女性がいても、親の反対で実現しないと問題にしています。愛国婦人会は結婚相手が来ないなら満州移民になることをためらう青年もいるだろうと「大陸の花嫁」を勧めてまわり、追進農場（現県立農業大学校、岡崎市）で講習・訓練を受けた女性が満州へ向かいます。

ソ連に対峙する満蒙開拓地は、戦争末期に男性が根こそぎ召集され、女性と子どもたちは徒歩で避難しなければならず、飢えと疲労で亡くなった人も多く、県報国農場隊員死亡者は男女合計五一人、内女性は一九人でした。一九七五年、県立農業大学校の敷地内に、在満報国農場から帰れなかった五六人を忘れない仲間によって、全員の名前を刻んだ「平和の碑」が建てられます。

軍の指揮下に統合されて

その後、近隣アジア諸国へ戦争が拡大されるにつれ、内務省系の愛国婦人会（愛婦）、文部省系の大日本連合婦人会（連婦）、陸海軍系の大日本国防婦人会（国婦）は指導機関が異なっても結局軍事支援活動を期待され、実行を要請され、活動する女性は三団体に勧誘され、所属もしたので、表と裏に別の団体の名をつけたたすきが残っています。三団体は各系列行政官の対抗・功名争いもあって会合・活動は競合・錯綜したので、より効率的に全女性を把握するため一九四二年三婦人団体を解散、大日本婦人会（日婦）に統合されます。その愛知支部組織には八〇〇〇班八〇万人余が参加し、初代支部長は渋沢孝子名大総長夫人でした。市の初代支部長は佐藤ハルヨ市長夫人、三五万会員の年会費一人六〇銭、必勝貯蓄組合を結成し、軍事訓練をするなどの方針を出しています。

その具体的指導権をどこがもつかの検討で、軍部の圧力のもと地方行政（県市町村）と地方軍部の二本立てとし、具体的には軍が献金や軍病院への勤労奉仕、国防訓練を徹底させようとしました。県支部としては結婚報国の思想と実践として結婚促進の通牒を出しています（「婦愛支第一四七〇号」）。

事実上組織は部落会婦人部と共通しており、一九四五年六月男女一緒の国民義勇隊に解消します。掛け声は勇ましく大きくなる一方で、愛知では「盛り上がる民意を原動力として国民義勇隊を編成する」と「組織要綱案」には記されましたが、竹槍か手榴弾が支給されるにすぎず、県庁女子義勇隊が敵の焼夷弾筒集めの活動をして農作業の鎌に変え、軍の地下壕建設に地域の国民義勇隊が動員された活動が記録されています。

8.「女性皆働」の時代へ

「国民精神総動員」で働くべし

一九三七（昭和一二）年七月、盧溝橋事件から日中戦争は本格化し、一〇月国民精神総動員実施要項が閣議決定され、一一月日独伊防共協定が調印され、戦争は激化します。一二月中国戦線では日本軍が南京を占領し、食料の補給が不十分な日本軍は中国で食糧を調達しなければならず、中国の軍人・民間人を「処理」する南京事件を起こし、南京にいた欧米人が世界に報告する結果となります。一九三九年には四月米穀配給統制法、七月国民徴用令が公布され、九月ドイツ軍はポーランドに侵攻、第二次世界大戦が始まります。厚生省は女性労働力の活用促進を図り、女性の服装としてモンペを奨励します。県連合婦人会は、非常時の生活費を三割切り下げるよう要請、県職業課は有閑夫人に職場を世話する「働くべし」運動を起こします。一九四〇年、事変三周年には七・七禁令として贅沢品を規制、電髪（パーマネント）・口紅・濃い化粧、派手な服装をやめようと促し、さらに警察が監視隊を出し、街頭で注意するようになります（名古屋一九四〇年七月六日、二〇日、八月四日）。市職業紹介所は来春卒業の家事従事予定女学生に「働け」運動を進め、市門前署は管内の二九七人の「妾」に正業に就くよう説得しました。内務省は市町村常会整備要綱を通達し（部落会・町内会・隣保班）、東京では大政翼賛会が発足し、神話に基づく紀元二六〇〇年が祝われます。

アジア太平洋戦争へ

一九四一年七月、日本軍は南部仏領インドシナへ進駐します。一〇月には近衛文麿首相から東条英機首相に変わり、九月、天皇出席の会議で対米英蘭開戦準備が決定され、一二月八日日本軍はマレー半島に上陸、ハワイを空襲し、アジア太平洋戦争が始まりました。

接客業の女性や芸妓も職場入りを求められます。小規模事業者を含め男性の軍隊・軍需産業への動員は徹底的に行われ、未婚女性も重工業や運輸事業に動員されます。名古屋国民職業指導所調査によれば、重工業部門の女性労働者数は一九三六年を一〇〇とすると、翌年以降二五九、五〇〇、七三五、九三五と激増し、就職動機は「時局を痛感して」という人がおよそ半数に上ります（名古屋市内版一九四一年五月二九日）。豊田自動織機では、工具・作業工程・収入基準などを合理的にすれば、男子より体力は劣っても勤務成績は悪くないと評価しています（中部日本一九四四年八月一一日）。

軍は女性を兵力にすることに関心が弱く、また日本の工業技術水準や労働環境は女性を受け入れにくい状況でした。県は女子の動員を進めるため、、授産場の部品工場化、既婚女子の短時間勤務、自宅の作業場化など提案し、実現もしますが、部品・製品の運搬は困難です。一九四四年名古屋市内には五〇の勤労作業所があり、合計約四千人に近い家庭婦人が働いていますが、大日本婦人会会員三〇万に比べわずかで、富裕な家庭の女性は少ないとみられていました。東条首相は、もともと主婦の役割は家事・育児中心と考えていて、大日本婦人会名古屋支部佐藤ハルヨ支部長も、主婦は家庭の総指揮官だから勤労に耐えられる人だけ作業に参加すればよい、勤労報国隊への参加を抽選で決めたり、参加困難を申し出ると配給を中止したり、非国民だから隣組から除外するのは問題と新聞記者に語っていますが、強制しなければ参加しない人がいたからこういう発言になったのでしょう。

知多郡半田町（現半田市）で長年助産婦をしていた服部知己は、七六歳になった一九三四年、一万二千円の信託預金証書を国防献金し、「兵隊婆さん」として大きく新聞に載ります（名古屋二月七日）。一九三〇年代後半以降、軍隊・軍病院に慰問に行く女性や、扶助金を辞退し、夫の仕事を引き継ぎ、就職して自立する出征軍人の家族は「軍国女性の鑑」として賞賛されます。女性は戦争のための献金や労力奉仕に総動員され、重工業部門でも働き労働能力を高め、評価され、社会の役に立つと認められ、いっそう戦争協力にのめりこむ人も出てきます。

中学・女学校生徒の動員

中等学校生徒の労働力を活用することは、一九三七年国民精神総動員運動の一環として、軍人遺家族・出征留守家族支援の勤労奉仕から次第に拡大され、一九四三年には学徒勤労動員開始、翌年には中等学校三年生以上の男女全生徒の授業を中止して通年動員し、さらに工業学校五校、女学校六校が学校工場化され、国民学校（現小学校）以外の全授業が停止されます。モデル県とされた愛知県一二万人の学徒は原則として航空機関連企業で働き、女学生にも全寮制で働くことが認められます。学校教育の最初から天皇に命を捧げても奉公すると純粋培養的に教えられた軍国少女は、軍国少年と共に疑うことを知らず努力します。一九四三年四月、県一に入学した谷潤子は、四月六日の日記に「国家の新教育方針に即応して、死ぬための勉強に励もう」と書いていました。

勤労報国の女学生
（太田三郎『戦ふ名古屋』名古屋市銃後報公会）

　女学校四年生だった奥田庸子は、農繁期には三日に一度くらい農家の手伝いに行き、合間に授業をうけますが、テストの時期になっても習った範囲がなく「テストはなし」になりました。一九四四年になって一月に繰り上げ卒業、挺身隊として軍需工場に動員されます。機関銃の部品つくり、数かぞえ、組み立て、帰るときにはもち帰る人がいないか、空の弁当箱まで検査され、朝七時から夕七時までの一二時間労働になります。奥田は製品の数を帳簿に付け、統計を取ってグラフにする係で、三六時間徹夜させられたこともあります。極度に疲れ病気になると「気持ちがたるんどるから病気になる」といわれ、欠勤など許されません。奥田は健康を害しても退職は難しく、疎開のため退職します。三月二六日に久しぶりに名古屋へ帰ったら、駅から池下まで空襲で焼けて満足な建物はなく、市電も動かず、真っ赤に燃えた電線が垂れ下がる道を歩いて帰ります。近所の人が亡くなっても、「気の毒にねェ」というくらいで、人間の死に対して不感性になってしまいました。

朝鮮女子勤労挺身隊

その間労働力不足対策として日本の植民地だった朝鮮の女性も動員することになり、政府が一九四四年女子挺身勤労令を決定し、未婚・無職・非在学の一四歳以上二五歳未満の女子は一年間の勤労動員が義務になります。朝鮮女子勤労挺身隊も三菱重工業名古屋航空機製作所の工場などで働くことになりました。朝鮮で、日本に行けば女学校で勉強できる、金も稼げると勧誘され、親は反対しますが、日本の軍国主義教育を受けていた娘は親に隠れて集合場所に行き、あるいは親も表向き反対できず娘は挺身隊に参加します。結局働き詰めで女学校には行けません。東南海地震で死去した金淳禮、月給を払われないまま帰国した金恵玉らがいて、戦後未払い賃金の支払いや人間の尊厳に対する謝罪を求め、「生きているうちに償いを」と一九九九（平成一一）年名古屋三菱・朝鮮女子挺身隊損害賠償請求訴訟を起こし、最高裁まで争いますが、二〇〇八年敗訴します。

熱田高校の教員だった高橋信らは、平和教育の題材を地元に求めて少女たちの遺族を探し、名古屋三菱・朝鮮女子勤労挺身隊訴訟を支援する会を組織、抗議行動を続け、名古屋市南区に挺身隊員を含む東南海地震犠牲者の殉難碑「悲しみを繰り返さぬようここに真実を刻む」を建立しています（朝日一九九九年三月二日）。

9．戦時生活の記録

長く続いた戦争

日中戦争が始まった時、愛知郡天白村（現市天白区）に住み、小学校高等科一年生だった少女の兄や叔父が出征する時には、氏神に婦人会・青年団・子ども会・警防団の人が集まり、武運長久を祈りました。隣組の二軒ずつで熱田神宮へお参りする「日参」があり、部落全員のお参りが終わると「総参り」、戦死者が出ると小学校で村葬が行われます。アジア太平洋戦争が始まると授業が少なくなり、馬の飼料の草刈りや、荒地の開墾、援農に行きます。一九四二（昭和一七）年名古屋初空襲の飛行機を敵機だと思わず、日本軍の高射砲の弾は不発で、平針（現市天白区）に落ちたそうです。農村部では一九三八年ごろ以降、軍需物資の供出として、軍馬の飼料の干し草、兵士の食糧の梅干、燃料用アルコールの原料や食料として干したサツマイモ、防寒具としてウサギの皮、衣料原料として桑の皮、苧麻の皮、軍需用油として松ヤニその他の供出が要請されました。長引く戦争の中で慰問袋を出し続けることも負担になり、生活や農業の必需品は統制され、穀類だけでなく、イモ類・かぼちゃ・大豆・野草まで供出の対象になったと、『鳳来町誌』は伝えています。

一九四三年、橋村ひさは市祖父江小学校の教師になりますが、学校の運動場は芋畑麦畑になっていました。このころには軍は海軍飛行予科練習生（予科練）への志願者を、各中学校に割り当てるようになりました。予科練への応募者が少ないとその中学の教育が政府方針に添っているか問題にされるので、志願は生徒集会で奨励・激励されます。市中川中学の四年生長谷川幸生は親に相談しないで、友人と予科練志願の届を提出しました。それを聞いた母親は、自分の一存で西区役所へ駆けつけ、息子は商船学校へ行って国のために働くことが夢だからと取り消しを頼み、予科練へ行くことを免れます。

深刻な食糧問題

一九四三年、食糧協会名古屋支部主催「戦時決戦食糧問題座談会」が開催されます。あらゆる手段で増産し、無駄をなくして食糧が足りるようにするためでしたが、よく噛む、玄米食、雑炊、ドングリなど木の実や、代用食になる野菜の増産、仙人食（生の草などを食べる）というような話に終始し、東条首相の「不可能を可能にせよ」の言葉など出されて、「時局柄公表をはばかる点もあるから」研究資料として印刷された記事はマル秘扱いとされます。

一九四四年にはとくにサツマイモ収穫期を前に、もう少し太らせてから収穫すべき芋を、盗まれるより前に収穫するために減収になる、勤労奉仕に行った畑でサツマイモ・里芋を盗み、罰として炭鉱で石炭掘りに行かされるなど、野荒し窃盗なども絶えません。名古屋市が空襲で焼け野原になった後、県一の生徒は尾西（現一宮市）付近の工場に一クラスずつ分散して動員されます。栄養不良と空襲による睡眠不足で下痢が続きます。朝はアラメが三片の薄い汁と漬物、昼や夜はなんだかわからない物が混ざったご飯です。教師と生徒は、アカザ・アオビユ・イヌビユなどの野草を摘んで汁の実にしてもらいました。

一九九三（平成五）年『朝日新聞』の「戦争と人々」の連載記事では、食糧不足に対し政府が国民に求めたのは精神主義、つまり我慢や工夫、「決戦食」「保健食」として、米・麦や小麦粉にイモ、大豆、大豆かす、大根、大根やニンジンの葉、毛を焼いた毛虫、羽を取ったコオロギなど、炒めて混ぜて薄い塩味でなどの「工夫集」が新聞雑誌に掲載されたといいます（朝日一九九三年一一月二五日）。

東南海地震・三河地震

一九四四年一二月七日、マグニチュード七・八の東南海地震・津波が伊豆半島から紀伊半島を襲い、県内死者行方不明者は四三八人でした。半田市の一八八人がもっとも多く、うち一五三人が操業中の中島飛行機半田製作所の動員学徒らの犠牲者です。直後の一九四五年一月一三日にマグニチュード六・八の三河地震が発生、深夜だったため被害は大きく死者・行方不明者二三〇六人、幡豆郡一一七〇人がほぼ半数を占めています。犠牲者の中には名古屋市から集団疎開していた学童が、寺の本堂の倒壊で死亡したという痛ましい事実もありました。自然災害が起きた時、戦争は戦場の外でも犠牲者を増やしたのです。

西尾で二度の地震にあった太田菊子は、実家の兄に寝るためのわら小屋を建ててもらい、レンガでかまどを築き、寒風が吹きこむ隙間だらけのわら小屋に子どもたちと積み重なるようにして寝ます。アメリカの艦載機が低空から機銃掃射をするので、目標になるのを恐れて、圧死者をダビに付する煙さえ目立たぬようにせよとお達しがありました。「勝つために」の合言葉に不安を感じながらも、行政からの命令は忠実に守ります。日清戦争にも勝った、日露戦争にも勝った、日本が負けるような馬鹿なことがあるものかと老人たちはいい合い、きっと神風が吹いて戦争のケリが付くだろうと信じているようでしたが、太田はいっそ負けてしまってもいい、早く戦争が終わってくれればいいと、心の中で願い続けます。生命への不安が募ってくるのが恐ろしかったのです。

疎開学童・動員学徒の食事

一九四四年八月に開始された市の集団学童疎開は愛知・岐阜・三重三県に割り当てられます。疎開先では教師や地域が努力しても食糧難に悩まされ、市西区の石川セツは疎開先に訪ねた際、栄養失調で骨と皮のようになった長男を教師といい争って連れ帰り、次男は夜中の三時に脱走して無賃乗車などして帰宅しました。

市中川区広見国民学校は、一九四四年八月碧海郡富士松村（現刈谷市）の寺に集団疎開、しかし地震被害の影響で翌年四月額田郡山中村、藤川村、竜ヶ谷村（現岡崎市）に再疎開、付添教師田村はつ子は食事の献立表を記録しています。当初四月は朝味噌汁、昼・夜は野菜の煮つけや胡麻和えでしたが、七月には朝味噌汁か雑炊、昼・夜は代用食として馬鈴薯が多く、八月は野菜・豆を入れた雑炊がほとんどでした。解説した木下信三の経験では、「天井の映るようなシャビンシャビンの」水分の多い雑炊だったといいます（『いずみ』一一五号、二〇一五年八月、名古屋・学童疎開を記録する会）。

一九四四年八月、松下元子は学童集団疎開に遠足に出かけるような気分で名古屋市近郊の町に行きますが、次第に食糧事情は都市同様窮迫し、朝から晩まで甘藷の葉や豆かすその他雑穀入りのおかゆ一杯ずつ、子どもたちは「いやじゃありませんかこの疎開、仏様でもあるまいに、かねの茶碗にかねの皿、一ぜんめしとは情けなや、本当に本当に情けなや」とうたいます。やがて疎開学童がイモ泥棒をした、畑荒らしをしたという町の人の声が聞かれるようになります。三月、空襲で途絶えていた父母との連絡がやっとついて、卒業するため帰った家は焼けていました。

一九四四年、豊橋松操女学校の一七二人は中島飛行機半田製作所熱田工場・半田工場・緒川分工場に動員され、勝利を信じて働きます。その一人鶴田寿美枝は四一八日間の日記にジャガイモ・味噌汁だけが多い食事を休みなく書き、救急袋に入れてもち歩き、「玉音放送」を聞いた後は「私たちが学業を捨て、御国のためにと一生懸命働いて来たのが、何にもならなかったのだろうか」と振り返ります。一九四五年高知から半田へ学徒動員された有沢須賀子も日記に工場給食を記録、ジャガイモか昆布・藻の味噌汁、雑炊の文字が並んでいます。

浅井弘子は、戦争は一〇年ごとに起こる行事くらいに考え、戦争というものは勝つものだ、負けることは絶対ない、戦争をすればまた日本は繁栄する、その過程の少しくらいの困難は、自分一人ではないんだからやむをえないと考えていました。軍国主義教育のおかげで、何の矛盾も考えず、満足していました。それが一九四五年三月の空襲で家を焼かれ、生きていた人が焼かれて死ぬのを見て逆転、戦後、平和主義の運動に全力を注ぐように変わります。

一九四五年三月、男女を統合した「国民義勇隊」設置が閣議決定され、六月義勇兵役法が公布され、一七歳から四〇歳の女性も、婦人団体を解散して義勇隊に編成されます。本土決戦の備えとして、女子学生は看護要員として訓練されました。

女性が近代の風を世界から受け止めるようになっておよそ四分の三世紀を経ての現実が、自由民権時代以来の女性の目標だった自立・平等・連帯に「平和」の二字を加えるようになったのは、こういう体験の結果でした。

10．還らぬいのちを数える

工場地域の空襲

名古屋市街地が本格的な空襲を受け続けたのは、一九四五（昭和二〇）年三月以降といわれます。県警察警防課が八月一五日現在でまとめた空襲被害状況によれば、県内死者合計一万一五五五人、内名古屋市部八二四〇人、最も多いのは熱田区二一七二人です。米軍資料によれば、県内中小都市空襲は、豊橋市は一九四五年六月二〇日、一宮市は七月一三日、岡崎市は七月二〇日以降、百数十機が来襲し、B29機の損害はゼロと記録されています。県内で千人を超える死者が出たのは熱田区と東区、豊川市でした。県内空襲死者は安定本部調査では二万二二九二人、建設省調査によれば二万四五四四人、『東京新聞』調査によれば二万四七五八人で確定できていません。軍人・軍属戦没者はほぼ氏名の記録がありますが、空襲死者については調査されず、軍と民間の扱いは格差がありました。

豊川市には一九三九年海軍工廠が建設されました。当時もっとも近代化された工場で、世界最新の機械が導入され、素人でも仕事ができる設備になっていて、東三河のほとんどの女学校から約四千人の生徒が動員されていました。一九四五年八月七日、B29爆撃機一二四機に二六分間爆撃され、爆死者は周辺住民を含め約二六〇〇人になりました。女学校の生徒二三九人、名古屋や静岡県の女学生七人も亡くなりました。その一人豊橋市立高女二年生大林淑子は「特攻精神に徹せよ」のポスターに励まされ、毎日がんばり抜いて働き、「ゼット旗のかゝげられたる今朝の道　いさみいさみて職場に急げり」と記した日記を血に染めて死去しています。

当時一三歳だった内藤孝之助は、海軍工廠で「国のために役に立つんだ」と弾丸を大きな旋盤機械で丸く削って働いていました。ラジオが好きだったので、一九四四年の夏休みに一人で短波ラジオを作ります。短波で流れる米軍放送の受信は禁止され、見つかると逮捕されるのですが、栄養失調で一九四五年七月末から激しい下痢に襲われ、静養中の五日頃にこっそり聞いていたラジオは「ヒロシマ・トヨカワ・ナガサキ」の爆撃を予告しました。友達が誘いに来ましたが「今日は休めよ。嫌な予感がする」としかいえません。その約三時間後、地を揺るがす空襲の音、駆け付けたけれど、警官に止められ、翌日、工廠に行き、生き埋めになった人を掘り出しました。同級生も亡くなっていました。自分が生きていることがいたたまれなかったといいます（朝日二〇〇四年八月一五日）。

『椙山女学園七十五年史』は、「純真な乙女たちが、一生懸命働いたのは、結局、人を殺すための武器を作る仕事であった。やがて、アメリカ人が作り投下した爆弾で自分たちが殺されることになる。それが戦争というものである。（中略）戦争ほど人間性に反するものはない。しかし、当時はそんなことを考えることさえ罪悪とされ、みんな真剣にただひたすら国のために、苦しみ耐えて働いた」と平和が憲法に明記された時代に書いています。「木を見て森を見ない」ことを強制する教育だけが戦時中には行われていたのです。

米軍資料と名古屋空襲を記録する会はじめ各地の記録する会によって調査された資料を突き合せた詳細な県内空襲の資料は、あいち・平和のための戦争展実行委員会『戦時下・愛知の諸記録　２０１５』にあります。その簡潔なまとめと、愛知県警察その他による調査結果は、いと思われていた愛知の事実をみえるようにしています。『愛知県史　資料編33　社会・社会運動2』にあり、絶対やってはいけない戦争の、戦場でな

日中戦争以来の死者

県から軍へ入営した兵員は、一九三七年度から一九四五年度までの合計が三八万九三八〇人です。日清戦争以後の軍人戦没者は、約八万九五〇〇人、内日清戦争約三〇〇人（第三師団のみ）、日露戦争約四〇〇〇人、第一次世界大戦・シベリア出兵約三五〇人、満州事変後の約三〇〇人（第三師団全体）を差し引くと、日中戦争以後アジア・太平洋戦争までの戦没者はおよそ八万四五五〇人となります。これに日清戦争以後の軍属戦没者四六〇〇人、徴用工・動員学徒戦没者五七〇〇人を加えると九万四八五〇人になり、さらに戦災死没者（三河地震・東南海地震死没者を含む）一万八二〇〇人、外地死没者八〇〇〇人を加えると、一二万一〇五〇人です。愛知県護国神社は大東亜戦争関係の合祀者を約八万八〇〇〇人としています。『戦時下・愛知の諸記録２０１５』によれば、県の軍関係死者は合計九万三五九五人です。

戦争による犠牲に対し、家族は戦時中抗議どころか泣くことさえ自由になりませんでした。県外疎開者の数はわかりませんが、国勢調査によれば、一九四〇年県民三一六万六五九二人が一九四七年三一二万二九〇二人に減っており、名古屋市民は一三二万八〇八四人が八五万三〇

八五人に激減しています。

第二次世界大戦で日本は軍人・民間人合わせて三一〇万人の生命が喪われたといわれます。中国は一一三二万四千人、ソ連は二一三二万人、ドイツは六一九万三千人、アメリカは軍人だけで二九万二千人、交戦国総計五四七三万四千人、第一次世界大戦の一四六六万人の三・七倍が亡くなっています。

反戦の想い

厳しい取り締まりの中を、獲得同盟の小尾ふさ・菊雄夫妻は、一九四二年一二月長男小尾正が中国で戦病死した公報を受け、死亡通知を親戚知己友人に一〇数通「所謂名誉の戦死否犬死を致し申候」と書き送ったのを発見されます。さらにふさは「軍国主義を呪ふ」と題し、「母よはふ　ひまなく遠く逝きにけり　なぜにいそくや　誰かまつらむ」「母をさへ　よぶことさへも　ゆるされで　旅たゝすとは　何とがありや」ほかの反戦反軍短歌を便箋に書き留めていたのも発見され、検挙されています（反省したとして釈放）。

このほか反戦の信念を貫こうとした女性も皆無ではありません。日本労働組合全国協議会（全協）や左翼の活動をしていた県一高等科国語部中退の氏家（杉本）瑞枝、県一卒の熊沢光子、その妹で愛知淑徳高女卒の熊沢勝子がいます。岡崎市立高女卒業生加藤綾子らは良妻賢母主義の考え方に反抗し、既成観念の破壊者であろうとした雑誌『侏儒』を発行しました。東山女子専門学校（現京都女子大学）英文科中退の小栗きよは夫婦で喫茶店を経営して仲間を支援しました。一九四二年特高がつくりあげた虚構の「横浜事件」で日本共産党再建を計画したと検挙されましたが否認し続け、アメリカでの活動だけを治安維持法違反として執行猶予の判決を得た岡崎出身の川田定子（朝日一九八九年二月八日）らもいます。

氏家瑞枝によれば、当時反戦の考えをもった人も連携した運動はできず、女性はお金が自由にならないので寄付も集められず、活動らしいことはあまりできなかったといいます。それでも、自主的な女性の自立・平等・連帯・平和への芽は、伸びる前に潰されたのです。

第三章　典拠・参考文献

『愛知県史』通史編7　通史編8　資料編33
『愛知県警察史』第二巻、愛知県警察本部、一九七三年
愛知県教化事業協会編・刊『愛知県の部落常会』一九三九年
愛知県社会課「農民離村現象に就」上・下『愛知県農会報』一九二八年八月・九月
愛知県編・刊『統計上ヨリ観タル愛知県の地位』一九二七年
浅井弘子「悔恨」いずみの会編『主婦の戦争体験記』風媒社、一九六五年

磯部しづ子『生きることを生きがいとして』私家版、一九八九年
伊藤康子「近代愛知の社会事業施策―起保育園を中心に」『愛知県史研究』五号、二〇〇一年
伊藤康子「争議にみる近代女子労働者の願いと社会的位置」愛知女性史研究会編・刊『人権確立を求め続けて』二〇〇三年
伊藤康子「一九三〇年代市民女性の生活姿勢」「一九三〇年前後の婦人文芸運動」「婦人保護施設が支えた女性の生活―名古屋ＹＷＣＡ「友の家」の軌跡」同『草の根の女性解放運動史』吉川弘文館、二〇〇五年
伊藤康子「地域の婦人参政権確立活動」『草の根の婦人参政権運動史』吉川弘文館、二〇〇八年
今川仁視編著『戦禍の記憶　娘たちが書いた母の「歴史」』大学教育出版、一九九五年
内田あぐり「『婦人参政建議案』の否決に遇ひて」『婦選』一九三四年六月
太田菊子「地震と空襲との日々」前掲『主婦の戦争体験記』
奥田庸子「暗い女学校生活」前掲『主婦の戦争体験記』
加藤恵美「愛知県における『職業婦人社』運動の展開」『歴史の理論と教育』一〇〇・一〇一合併号、一九九八年七月
金子力・清水啓介・小出裕・佐藤明夫・西秀成・南守夫・横地徹・矢野創編『戦時下・愛知の諸記録２０１５』愛知・平和のための戦争展実行委員会、二〇一五年
川口ちあき聞き書き「石川セツさん　戦争が憎くて、がんばり通す」『母親運動を育てた人びと　愛知女性のあゆみ　第二集』、愛知女性史研究会、一九八九年
近藤八千代「空爆下を生徒と共に」81本のえんぴつ刊行委員会編『八十一本のえんぴつ』いずみの会、一

九八五年
佐藤明夫『戦争動員と抵抗』同時代社、二〇〇〇年
佐藤明夫『哀惜一〇〇〇人の青春—勤労学徒・死者の記録』風媒社、二〇〇四年
重賀よしを『志らみ・かいせん・なんきん虫』水野榮三郎、一九八八年
食糧協会名古屋支部編・刊『戦時決戦食糧問題座談会記事』一九四三年
鶴田寿美枝『ばれいしょの青春』名古屋市公報研究所、一九九一年
豊田市郷土資料館編・刊『1937—1945：人々の暮らし』一九九五年
名古屋市社会課「乳児死亡の社会的原因」、愛知県社会課「乳児死亡調査」近現代資料刊行会編・刊『名古屋市社会調査報告書』第五巻、第一六巻、二〇〇四年
名古屋市職員労働組合計画局支部婦人部編・刊『婦人のあゆみ』一九八一年
日本婦人有権者同盟名古屋支部編・刊『創立四〇周年記念　文集とあゆみ』一九八七年
農林省経済厚生部編・刊『農村経済厚生特別助成村における中心人物』一九三五年
早川廸子「日本陶器哺育所」名古屋女性史研究会編『母の時代—愛知の女性史』風媒社、一九六九年
「変転の六年」編集委員会編・刊『変転の六年』一九七五年
『鳳来町誌』一九九四年
松下元子「集団疎開」前掲『主婦の戦争体験記』
宮地正人監修　大日方純夫・山田朗・山田敬男・吉田裕著『増補改訂版　日本近現代史を読む』新日本出版社、二〇一九年
山下智恵子『幻の塔　ハウスキーパー熊沢光子の場合』ＢＯＣ出版部、一九八五年

山本信枝『道―ある反骨の女の一生』ドメス出版、一九八八年
吉田裕「日本陸軍と女性兵士」早川紀代編『軍国の女たち』吉川弘文館、二〇〇五年

第四章　敗戦、女性はどう生きていくのか

1. 不安と混乱の八月一五日

女学生の不安

天皇の重要放送があるからと登校した県一の生徒は、学校の隣、消防署でラジオを聴きました。はっきりしないラジオの声、重苦しい沈黙の中、校舎焼跡の号令台の周りに集まります。南谷先生が立ち上がり、「戦争に負けたのだ。君達に済まない」といい、眼鏡を地面にたたきつけ、「君たち、最後の一線だけは守ってくれ」と泣いて叫んだといいます。谷潤子は日記に「今はもう大詔の示すがままになすことを第一の忠義としなければならない。戦争が終わった

＝それは日本の負けだとどうしても思いたくない。…ほっとしたことは、空襲の度に夜中に飛び起きることも、灯火管制も…、機銃掃射もない、…B29のあの爆音が消えるのだということ。」と書きました。

県一の一九四三（昭和一八）年入学生同期会あゆち会は、戦後になって会員にアンケート調査を実施、「あなたは日本の無条件降伏を予想していましたか」の回答者は一四五人、答の内訳は予想していた二八人、漠然と負けるだろうと思っていた四一人、予想しなかった八〇人（必ず勝つと信じていた三一人、本土決戦のうえ玉砕を覚悟三六人）、玉音放送以前にポツダム宣言受諾を知っていた一一人、その他一三人でした。「終戦を知った時どう感じましたか」への回答の第一位は「これからどうなるか不安だった」九一人、「口惜しかった」三九人、「悲しかった」二八人、「ほっとした」二〇人、その他一一人（複数回答可）。あゆち会編『変転の六年』の主内容である当時の日記を提供した谷潤子は、のちに尋ねられて工場には資材がなくなり、B29の爆撃は増え、勝てるわけがないと思っていました。必勝の信念だけを教え込まれていた世代でも、現実から判断する力を持つ可能性があったのです。

高知から半田に学徒動員されていた有沢須賀子は、八月一五日の午後は、悔し泣きに泣いて泣いて泣きからかしますが、何の効もないので謹慎の意を表して静座して過ごします。

半田高女一年だった大村和子は、「玉音放送」を聞き、悔しくてたまらず、「負けても必勝の信念は絶対に手ばなしてはならない」「この仇を討つまではがんばってがんばり抜きます」と日記に書きます。その一〇日後、学校では「新日本建設を誓う音楽大会」が開催され、「戦意をいやが上にも高揚せしめた」愛国行進曲から始まって、最後に「海行かば」そして天皇陛下万歳三唱、すすり泣きで終わりました。軍国主義教育の最終の舞台でした。

教師の悲しみ

郷里岐阜県越原で療養中だった名古屋高女校長越原春子は、天皇の放送を聞き、九月一五日から学校再開方針をラジオで聞き、名古屋へ帰ります。戦争中に一七人の生徒（緑ヶ丘高女生徒も含む）が亡くなり、その中には三菱重工名古屋航空機製作所道徳工場へ動員され、東南海地震でレンガの建物が崩れ下敷きになった生徒もいました。九月二〇日、市瑞穂区大運寺で「純忠奉公の至誠を捧げ」た学徒の慰霊祭が越原の戦後の初仕事になりました。学校は再開、でも食糧不足のため、授業より農作業が優先しました。

敗戦後、疎開先で小学校の教員をしていた荻村美代子は、占領軍の気に入らぬ教科書の語句・文章を墨塗りしなければなりませんでした。種本をもとに、学年の先生同士で自分の教科書に墨を塗り、教室で子どもにやらせる。そうやって消した教科書を、子どもは読む気がしなくなり、教師も教える気がなくなります。結局苦労して墨を塗りたくっただけでした。のちに

「あのころぐらい前言をひるがえすのにためらいのなかったことはない。それに対して責任さえ感じなかった。不可抗力だと思っていたからだ。子どもたちは、この無責任な、自信をなくした教師からなにを学んでくれたのだろうか。」と書いています。

占領軍は女性校長の実現を要請しました。名古屋市で初の女性校長になったのは白木信子（のち城田）村雲小学校校長を含め二人（もう一人は不明）、男性ばかりの校長会はやりにくかったと家族に漏らし、一年半校長を務め、退職後結婚しました。

焼野原から

大矢晶子の戦争体験は貧乏物語でした。町内では昼も夜も防空訓練が行われ、防空壕を掘るにも十能しかありません。食べ物がない日も多くなります。米も一日二合一勺では塩を付けただけの握り飯が一食一個だけ、野菜・魚などの配給は全くないに近く、一三世帯に大根三本では分けるのに困ります。燃料がないので、教科書や通信簿まで燃やしました。食べ物がない朝、仕事に行く前にアカザのおひたしにお湯だけ飲みます。空襲が二晩おきにやってくるようになると眠れません。食べられない日と眠れない夜が交互にあるいは同時にやってきた夏の日、戦争が終わります。大矢は、生きること眠ることが自由になって、無条件降伏でも嬉しかったといいます。そういう日になって、極度の疲労と栄養失調、精神的な焦り、続く貧しさに力尽きて、母親が亡くなります。大矢は「国民皆兵」とか「八紘一宇」とか、日本は神の国だから必ず勝つとかの掛け声に駆り立てられ、貧しさに追われるだけで生きてきた自分を情けないと思い、戦争などしてはならない、させてはならないの信念をもちました。

山本信枝は妹の婚家へ百姓仕事の手伝いとゆっくり眠るために名古屋から泊りがけで行き、隣家でラジオを聞き、周りの人が泣くのを聞きながら「ガダルカナルのときに降伏していたらこんなに日本中を焼野原にしなくても、あんなにたくさんの非戦闘員を殺さなくてもすんだのにと、そのくやしさで」ぼんやり竹藪の一隅を見つめていたといいます。

2. 女性にも自由・平等の権利

アメリカによる民主化

一九四五（昭和二〇）年八月以降、連合国軍、現実にはアメリカ軍が来て日本を占領し、名古屋には九月に先遣隊が、その後米軍の第二五歩兵師団が来て大和生命ビルに司令部を置きます。ポツダム宣言にもとづく日本占領の目的は軍国主義の排除から民主化へ向かい、一〇月「人権指令」（特高警察解体など）、五大改革指令（選挙権付与による婦人の解放、労働組合の助長、教育の自由化・民主化、秘密的弾圧機構廃止、経済機構の民主化）が出され、やがて県内でも軍人・憲兵・在郷軍人会分会長を中心とした公職追放が実施されます。

新日本婦人同盟の誕生と活動

これに先立つ一九四五年八月二五日、東京では市川房枝らが戦時中の女性リーダー七二人と連絡し、「戦後対策婦人委員会」を結成、最初の総会で二〇歳以上の女性に選挙権、二五歳以上の女性に被選挙権、貴族院の選挙権・被選挙権、公民権を男性と同等に、政治結社への参加、行政機関への参加を認める要求を決定し、そのうえで政党や内閣等に働きかけました。一〇月、幣原内閣は閣議で女性の政治的権利を男性と同等にすると認め、五大改革指令前日にマッカーサーに報告します。ポツダム宣言に基づいて占領軍が主張しているのだから反対は無駄と議論も世評も低調でしたが、世界の民主主義として当然の婦人参政権は、戦前の刻苦艱難の運動の上にただちに実現します。

一一月、市川たちは「新日本婦人同盟」を設立、東京、広島、新潟、宮城と愛知からは飯田絹緒、小尾菊雄が参加して一八〇人が集まり、綱領の冒頭に「政治と台所を直結せしめ、国民生活の安定を図ると共に家庭生活の合理化、協同化を促進する事」を掲げました。一二月には愛知県支部が設立され（代表飯田絹緒）、六項目が決議されます。①労働争議調停委員に女子代表者の参加、②市配給委員に女子代表の参加、③女子方面委員の設置、④県産報会館の無償貸与、⑤市内各社会館・区民館を瘞生活者に一部開放、⑥三菱病院を市に無償移管—無料診療所、無料産院の設置。飯田支部長は県民女性から新日本婦人同盟の力で、外地にいる家族の様子を知りたい、戦災者の困窮を考えてほしいなど、具体的解決を求められていると語っています。国民が困っている現実を行政に働きかけて変えさせようとする新日本婦人同盟の考え方に対し、愛知の女性は、困っていることを新日本婦人同盟支部に何とかしてくれと期待し依存しているようで、戦前から婦人参政権を要求し続けた人と、敗戦に困惑している県民の間には深い隔たりがあります。

翌年一月知多支部（代表小栗きよ）ができ、愛知県支部は名古屋支部と改称し、一九四八年九月には西三河支部（代表古沢よしの、のち碧南支部）が設立されました。

女性の参政権が実現し、有権者になったのち、新日本婦人同盟は一九五〇年日本婦人有権者同盟（有権者同盟）と改称、名古屋支部（支部長栗本志津子）は政治学習、選挙浄化運動、総選挙立候補者へのアンケート活動などを行いました。その後も選挙公報発行の条例制定運動、松川事件被告の救援活動、橘宗一少年の碑の保存など人権を守る活動、政治を国民のための政治にするために努力し続けます。

日本国憲法のもとで

この間、新しい日本国憲法が一九四六年一一月三日公布、翌年五月三日施行されました。その原則は、国民主権、戦争放棄、基本的人権、議会制民主主義、地方自治といわれます。大日本帝国憲法の天皇主権は、象徴天皇制に変わりました。日本国憲法は、主権をもつ国民が恒久の平和を念願し自覚して行動すると前文で宣言、国民は法の下に平等で差別されない、婚姻は両性の合意のみに基づき、夫婦は同等の権利をもつ、健康で文化的な生活を営む権利、個人の自由・権利は尊重され、不断の努力で守ろうと主張しました。憲法の基本精神に基づいて、教育基本法・労働基準法・民法、刑法の姦通罪等は男女平等原則で大きく変えられます。法律は変更されましたが、大日本帝国憲法時代に国民の意識に根を張った、天皇は「聖上」、夫は主人、男性優先という戦前に根付かされた言葉や感覚、慣習は特別否定されないまま残ります。自分自身の心の声に従う自立・平等の精神の確立には、時間が必要でした。

徳武登志子は夫の死後公務員になり、一九五二年家庭裁判所調査官として、新しい民法、財産相続等について講演、男女平等を説き、一九八〇年には名古屋市教育委員長を務め、家庭裁判所調査で知った実情を踏まえて、民主主義社会で自立する女性の生き方を示しました。女性の進学率向上で増加した大学・短大で、ようやく研究職の場を得た女性研究者が、社会教育の講師にもなり、日本国憲法のもとで女性は主権者になり、女性差別は憲法で認められなくなったと説き続けてもいます。けれども激変した法律は学校教育と選挙以外は生活に届かず、県民の意識はなかなか変わりませんでした。

3. 婦人参政権実現

女性議員誕生と期待

一九四五（昭和二〇）年一二月一七日、衆議院議員選挙法が改正公布され、婦人参政権が実現、愛知県の有権者は一五八万九一五九人（一九四五年一一月一日現在）、前回総選挙の約二倍半になりました。

選挙法改正を受けて、『毎日新聞』に越原春子は、切れやすいスフの糸ではなく、切れない糸を配給する政治を実現させるには女性の力が重要、そして人格高潔な人を議員に、という談話を載せました（一二月二九日）。越原は戦前の一九二八年ごろから女性の参政権に関して発言、友人たちと獲得同盟に寄付し、一九三五年には「憲政の神様」といわれた尾崎行雄に女学校生徒へ講演してもらうなど、社会情勢に関心が深い人でした。年末、郷里に帰った越原の留守に、市緑ヶ丘女子学園理事長が、総選挙にぜひ越原が出馬するよう要請します。越原は弁護士田島好文と二人で新生公民党を結成、女性の政治への覚醒を求め、女性の解放、地位確立と向上のため立候補し、卒業生の応援を得て理想選挙を実行、愛知一区定員一一人、立候補六四人中五位で当選しました。愛知県の投票率は男性八三・七五％、女性七八・五〇％で全国一位の好成績でしたが、それは「狩り出し」、つまり町内会ごとに、男女別に時間を決めて集団で投票しに行くよう行政が勧めたためです。新生公民党の当選は一人だったため、越原は協同民主党に入党しましたが、立候補は一回にとどまりました。

このの ち愛知から衆議院議員になった女性は、一九四九年田島ひで（共産党）、一九五八年河野孝子（自由民主党、以下自民党）、伊藤よし子（日本社会党、以下社会党、一九六三年）、一九七二年田中美智子（無所属、一九七九年、八三年、八六年）、一九九六（平成八）年瀬古由起子（共産党、二〇〇〇年）でした。二〇〇〇年に選挙制度が変わり、東海ブロック比例代表当選者は大島令子（社会民主党、以下社民党）、山谷えり子（民主党）がいます。参議院議員地方区選出議員は一九五三年長谷部ひろ（広子、無所属）、一九八九年前畑幸子（社会党）、一九九五年末広眞樹子（無所属）、一九九八年八田広子（共産党）でした。参院選比例代表で当選した大脇雅子（一九九二年社会党、一九九八年社民党）も愛知が活動拠点でした。

『東海民主婦人』の呼びかけ

地域情報紙は女性の国会進出にどう対処していたでしょうか。一九四七年四月、編集人吉村尚子、発行人内田あぐりの『東海民主婦人』が「総選挙」を特集して創刊されました。「発刊の言葉」は、女性大衆が無知盲目を続けているので、眠り続ける封建の夢をさまし、民主日本建設の意欲を盛んにしようとして、中部日本唯一の女性による女性のための定期刊行物を発行すると宣言しています。一面は当時の女性評論家が民主主義社会での選挙の意義を語り、衆議院議員候補の飯田絹緒(社会党)、田島ひで(共産党)が国政に女性の声を届ける必要を説きました。二面は「東海地方婦人立候補者は語る」と題し、名古屋市の馬場いよ(進歩党)、野村敏子(無所属)、伏屋さだ(自由党)、加藤カツ(進歩党、立候補不明)、所久恵(社会党、立候補不明)、碧海郡高浜の森ミキエ(無所属)、岡崎市の神谷ふさゑ(共産党、立候補不明)、一宮市の近藤勝代(立候補不明)、多田政子(立候補不明)、森多美(立候補不明)、豊橋市の露久保正子(立候補不明)の政見・抱負を並べています。しかし紙面に意見を載せた人にも立候補しなかった人もおり、立候補したいと自分は考えても女性が立候補するには困難な事情があったと思われます。その後『東海民主婦人』は半年間休み、発行所を市熱田区の飯田絹緒宅から旭村(現碧南市)の内田あぐり宅に変更、その後も経営困難だったようで不安定な新聞でした。

一九四七年四月に吹いた選挙の風

一九四七年四月五日戦後第一回知事・市町村長選挙、二〇日第一回参議院選挙、二五日総選

挙、三〇日県市町村議員選挙が行われました。県内にはこれまで女性首長は誕生していません。参議院選挙に飯田絹緒、総選挙に田島ひでが立候補、落選でした。資格申請し、新聞紙上で立候補するといわれた女性は相当数いましたが、女性の立候補は家族や地域から圧力があったのか少数です。県会には女性が六人立候補、田中いと（知多郡）のみ当選（七期在職）、名古屋市議会五人立候補、馬場いよ（東区）のみ当選（四期在職）、ほかに当選がわかっているのは半田市会小栗きよ・羽田君子、春日井市会森勝子、東春日井郡守山町（現守山市）会浅井カナエ、海部郡七宝村（現七宝町）会山田千代、同大治村（現大治町）会角田かぎ、知多郡岡田町（現知多市）会竹内元代、同常滑町（現常滑市）会水上乃婦、同武豊町会杉江壽枝、幡豆郡福地村（現西尾市）会磯貝すゑ、額田郡福岡町（現岡崎市）会成瀬よつ、西加茂郡挙母町（現豊田市）会板倉玉子、宝飯郡蒲郡町（現蒲郡市）会逸見さかゑ、渥美郡老津村（現豊橋市）会彦坂たづ子でした。占領軍が立候補を促したと思われる人もいました。

名古屋市議会馬場議員は、青少年の不良化防止、託児所の新設・拡張をしたいと当選の弁を語り、田中県会議員は県会初出席後、金や情実で動かされる政治の排除、未亡人救済や女性の社会教育に力を入れたいと話します。老津村村議に当選した彦坂は、「新聞や雑誌も読めないで毎日仕事に追われている農村婦人のために政治力を高めたい」と述べます。半田市会議員に当選した小栗きよは、地域新聞『東海民報』のインタビューを受けて、市職員と議員は話し合うようにしたい、予算審議は企画段階から議員が参加し、市民の声を反映したい、生活必需品の配給増加を、子どものために社会環境の改善を、女性が自覚するよう啓発活動を、主婦のグループをつくり政治と生活問題に関心をもつように、と現実生活の改善を女性の発言と行動で行うように要望しています。

この前後女性議員への批判と期待は新聞をにぎわせました。女性が議員になったらすぐ米の配給が増えると期待しても実現しないので評判が落ちた、議員は国民の生活事情を知らないとの批判、政党が女性議員に対し非民主的、女性はもっと政治を勉強して現実生活を変えなければならない、事なかれ主義で眠っているようではだめと、批判は男性だけでなく、議員にも選挙民にも地域にも向けられていました。実際に選挙・議会政治に触れたから、一歩進んだ発言が出るようになったわけです。男性は女性の直面する困難を解決しようとしないから、女性自身が政治を動かさなければならないと考える女性が農村部にも存在し、戦後の民主主義政治への出発点を築きます。男性領域と考えられていた政治世界にも、門戸が開かれれば即座に女性が進出し、女性も議員になって当然という戦後政治の出発点を築いた勇気は、他の分野でも発揮されたことでしょう。このほかにも困難を克服して草創期の議員になった女性はいたかもしれないのですが、とくに最初の選挙は資料が散逸していて、「男女平等」が強調されたためか議員の性別も明記されず、わかりません。

愛知の女性議員はなぜ少ない

一九五一年統一地方選挙で、愛知県の女性県会当選者三人、市会当選者四人、町村会当選者九人、全当選者四六三四人中一六人で、女性比は〇・三％に過ぎません（全国〇・六％）。一期のみ当選に終わった人も多く、公職追放解消の過程で地域の男性が女性の進出を妨げたようにも思われます。女性票の基礎は地域婦人会か医師・教師など女性に影響の大きい職業程度で、地域の経済・政治を動かしてきた資金力・人脈がある男性と同等に選挙戦を戦い当選するのは至難の業でした。それでも統一地方選挙結果を見ると、女性当選者は微増していきます。

四四年後の一九九五（平成七）年統一地方選挙で、愛知の女性当選者は県会二人、市会六二人、町村会四四人、計一〇八人、女性比は六・八％（全国四・八％）でした。女性比で比較すると、東京、神奈川、大阪、京都、千葉、埼玉、奈良に次いで愛知は八番目です。女性比では首都圏、関西圏の次に愛知が入り、都会がまず女性政治家を受けいれていったことがわかります。しかし大都会名古屋がある愛知県が、東京や大阪周辺の県よりも女性議員が少ないのは、女性の政治への関心の低さや女性差別の体質を示しているようにも思われます。一九九九年の統一地方選挙で愛知の女性議員比は九・〇％、二〇〇四年ようやく一〇・〇％（全国八・一％）となりました。県民の半数は女性なのに、女性の生活を助ける地域政治は必要なのに、女性のために政治力を発揮しようとする女性、女性の議会進出を支援する女性はなかなか増えませんでした。

二〇一八年五月、「政治分野における男女共同参画推進法」（候補者男女均等法）が施行されました。県会の女性議員は八人（七・八％、全国一〇・一％）、神戸自民党県連女性局長は「働く場所があって裕福な愛知では、女性は専業主婦が当たり前という意識が根強く、その壁を破れていない」といいます。県内市町村議員中女性は一五・一％（全国一三・一％）、女性比がもっとも高いのは東浦町で一六人中七人女性（四三・八％）、三〇％を超えているのは日進市、長久手市、北名古屋市、東郷町、大府市、女性議員がゼロは、みよし市、飛島村、南知多町、豊根村でした。

地方議員を続けた人びと

知多郡選出の田中いと（民主党―自由党―自民党）は一八年間の県議在職中一九六五年五月から約一年間、全国で三番目の女性副議長になりました。議員になった初年度から、引揚者・戦災者・貧困者・寡婦の全面的救済を主張、婦人会館建設を要求、予算配分を社会的弱者に手厚くすべきと主張、女性の目線で県の施策について発言しました。県会議員には一九四九年名古屋市西区の補欠選挙で当選し、続いて五期在職した服部勝尾（民主党―無所属―民社党）もいます。寡婦の内職斡旋、内職組合設立や保育所増設に尽力、農村地域の簡易水道普及、医療福祉への予算措置など、経済的弱者である女性のために努力しました。愛知婦人民主クラブ、愛知母親大会にも協力を惜しまず、世界母親大会に日本代表として参加もしました。横地さだゑ（社会党―社会党（右）―民主社会党―民社党）は一九五一年県会に市昭和区で当選、六期在職します。一九五七年―一九八〇年名古屋市地域婦人団体連絡協議会三代目会長として地域婦人会を近代的団体に発展させる基礎を築きました。学習活動を進め、婦人会館建設に努力、機関紙『婦人なごや』を充実させました。

市東区選出の馬場いよ（無所属―自由党―自民党）は、敗戦直後米軍軍政部に駅周辺の浮浪児対策を命じられた市援護課長が困っていたのを、婦人慈愛会を設立して浮浪児の収容、福祉施設慰問等を実行して助ける実行力ある女性でした。一九四七年女性初の市議会議員に当選、青少年不良化防止に努力すると語り、四期務め、一九四八年結成された市地域婦人会連絡協議会二代目会長になります。奥村蝶子（市昭和区、自由党―自民党）、竹下みつゑ（市北区、無所属―自民党）は共に区地域婦人会連絡協議会会長で三期市会議員でした。戦後しばらくは地域婦人会会長が議員になる時代でした。保育所づくり運動、都市高速道路建設反対運動、名東区図書館設立運動などを重ねた本谷純子（市名東区、共産党）は、女性が生き生きと暮らせる世の中をつくりたい願いを議員活動で進めようとしました。一九七五年から三期務め、他党の人からは「女に何ができる」といわれたけれど、お母さんの声を市政に届けようとし、新議員や行政に女性、障がい者、子どもの声を聴く姿勢を忘れないでと要望して退陣しました（朝日一九八七年四月二二日）。

戦時中から岩倉町の婦人会長だった植手かまは、一九五一年統一地方選挙で岩倉町（現岩倉市）会議員に当選、続けて九期議員（のち岩倉市議）となり、一九七二〜一九七六年には中断の年もありましたが議長を務めました。一九五九年津島市初の女性議員となった平岩和子（自民党）は七期議員を続け、教育、ごみ問題、乳児保育所等に尽力、三回副議長を務めました。一九八七年市長選に挑戦しましたが落選、その後もボランティア活動を続けました。一九六八年夫の転職で東郷町に転居した戸田和は一九七五年無所属（のち自民党）で町会議員になり、四期務め、一九八六年には町会議長となります。政治の世界でも実力を認められる女性が少数ながら存在するようになりました。

けれども「女性首長　愛知に現れる日は」（朝日二〇一七年九月一二日）によれば、それまで大都会がある県としては愛知だけ知事・市町村長ゼロ、「女性首長を実現する会」が組織されても実現していません。和田肇名大副総長（労働法）は、「経済的に豊かだから女性は働かなくてもいい」といった保守的な価値観が根強いことも要因の一つかといいます。女性議員には全女性のため、子ども・高齢者のため、社会的弱者のために努力する人が多く、政治家としての質が問われています。

内田あぐりのあゆみ

『東海民主婦人』を刊行していた内田あぐりは一九四八年五月、四町村（旭村・新川町・大浜町・棚尾町）合併に伴う第一回碧南市会議員選挙に供託金を借金して立候補、言論戦中心に活動しますが落選します。女性の立場から政治に発言しようとすれば民主的な婦人団体を結成し、その代表を会員が協力して政界に送るのが正しい方法と反省し、一九四八年九月新日本婦人同盟西三河支部（のち有権者同盟碧南支部）を結成しました。しかし当時碧南地域の選挙は地域の利益代表を部落の長老が推薦、候補者は応援してくれる人に飲食の接待をし、地域住民は他地域の候補に票が流れないよう監視するのが普通というような状況でした。地域の利益代表ではなく、無所属の内田は月賦で買った自転車とメガホン、自分で書いたポスターを自分が挨拶して貼り、辻説法するしかありません。選挙公約は当選すれば市政の様子を偽りなく知らせる新聞を出す、ボス勢力が政治を動かすのを容認するか、対市政革新・民主主義・理想選挙の内田を支持するかのたたかいでした。公明選挙が社会の風として吹き始める時期、内田はトップ当選します。ジャーナリズムは大きく報道しました。

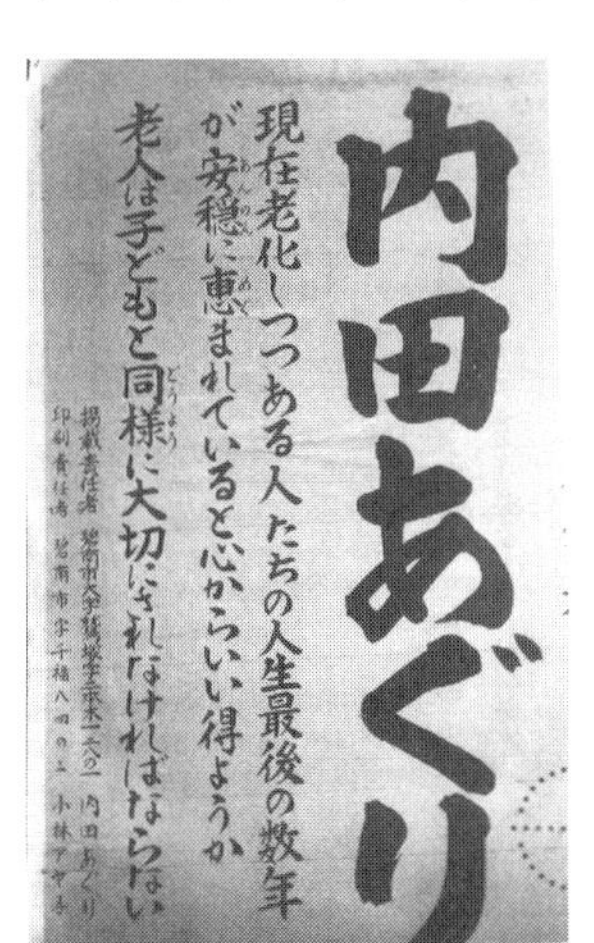

内田あぐりの選挙ポスター

内田は命がけの覚悟で市議会に臨みます。市議会で徹底して質問しようと手を上げ、「質問があります」「討論しましょう」「意見があります」と発言し続け、質問を記事にして『市議会情報』（のち『市政評論』）に掲載します。

婦人有権者同盟碧南支部の市川房枝を囲む会（1954年）。前列中央市川房枝、3列目中央内田あぐり（メガネの人）

予算議会が終わると通常宴会になるのですが、内田議員は費用の出所を聞き、市民の負担（税金）で芸者を呼んだのは誰か尋ね、「忘れました」の返事を書き、議会の出張費を誰が、なぜ、いつ、いくら使ったか、委員会飲食費もわかった限り書き、議員お手盛り税金浪費の姿勢を問題にしました。内田の市議会情報公開は近代政治の透明性を問う当然の市民要求でしたが、市会議員の中には机上の理想論、何でも反対論という人もいます。もうひとつ内田が問題にしたのは、四町村合併で成立した碧南市政の中に「地区政」が残る二重構造でした。旧町村ボスが、教育・消防・土木予算の一部を自由に執行するため、市予算・支出が不明朗になる仕組みです。ここを突く内田の質問をとらえ、碧南市会は内田懲罰＝除名を全員一致で議決します。内田は公的機関に相談し、仮処分決定を得て復権、行政訴訟で九年かけて完全勝訴しました。そのうえで予算全体を問題にし、将来の都市計画を立てる見通しで市政批判を続けます。次の選挙は勝ちましたが、政党からの立候補が増え、地域代表の選挙が崩れ始めると、内田は補選も含め三回落選、その後二回当選して、地方選挙は主婦がリーダーシップをとるべき主権者と主張しています。その後も環境問題・老人問題改善に努力、終生ボランティア精神をもち続けました。自主的な女性議員としてたたかい続ける困難にめげず、草の根の婦人参政権確立の志を堅持した内田を、市川房枝は支援・評価し、一九七二年「生活質素理想高遠」の色紙を贈っています。

4. 焼け跡の労働組合運動

食糧難・住宅難の中で

県は戦前、繊維産業に加えて航空機産業をはじめとする重工業地帯となっていたため、名古屋・一宮・半田・岡崎・豊橋・豊川・春日井の各市が空襲の集中的被害をうけ、三万五四一六戸、市街地の五〇％以上が焼失しました。一九四五（昭和二〇）年は一九一〇（明治四三）年以来の凶作で、県民への配給は遅配・欠配が深刻化、都会だけでなく山間部にも及びます。戦争末期の名古屋の配給実績は米八日・サツマイモ八日・麦八日・雑穀（大豆・トウモロコシなど）でしたが、翌年にはより悲惨な状態となります。食料と住宅が不足し、市教育局調査（一九四五年一一月）によれば、市内学童の一割、五八七八人が一日二食で我慢していました。一九四六年六月、挙母高女（現県立豊田東高校）で七七〇人余の生徒の家庭の食糧事情を調査しますが、二食以上が雑炊は六割、二食欠食は二分強、弁当に困っている生徒は四割もいました。

一九四七年の県就業者は男性八三万八二八五人、内農業二五万二六四一人（三〇・一％）、製造業二五万六五四八人（三〇・六％）に対し、女性は四九万三九三九人、内農業二七万三九九一人（五五・五％）、製造業一一万〇一〇二人（二二・三％）、男性は製造業と農業がほぼ同じですが、女性は男性より多く農業に従事し、次第に立ち直った工業生産は男性が担っていました。

労働組合続々誕生

戦時中名古屋市の作業所で働いていた山本信枝は、市役所本庁勤務になりましたが仕事はほとんどありません。食べるもの以外は誰も欲しがらず、買いたいものをなにも売っていないので月給だけで暮らせました。占領軍が五大改革指令で労働組合結成を勧めていたので、敗戦の年一一月には市役所内でも名古屋交通労働組合が結成されます。一二月には労働組合法が公布され、労働者の団結権が認められ、翌年五月戦後初のメーデーは雨、その直後から労働組合結成が続き、水道局、復興局、やがて市職員労働組合連合会（市労連）が組織され、山本は婦人部副部長になります。間もなく弾圧など予想もせず全官公庁の二・一ゼネスト実現に取り組みますが、マッカーサー命令でスト中止の放送を聞いて山本は涙が止まらず、以後市役所は暗い雰囲気に一転し、仕事をあまりせずに活動ばかりしていた山本は、退職します。

県の労働組合は一九四五年一二月、一二組合二万八九八二人が組織されていましたが、翌年一二月には六七七組合二一万二四八二人に急増します。復活メーデー参加者四万人、五月二六日食糧メーデー参加者三万人は労働組合拡大強化の結集でした。一九四六年一月日本労働組合総同盟愛知県連合会（総同盟）、八月愛知県地方産業別労働組合会議（産別）、一九四七年一月名古屋市教員組合（市教組）、六月愛知県教員組合（愛教組）が結成され、この年愛教組は男女同一賃金の調印を交わします。名古屋市女教員会は一九四六年、愛教組婦人部は一九五二年一〇月結成されました。愛知県高等学校教職員組合（愛高教）婦人部も発足しましたが、敗戦直後は高校の女子教員は少数で、数年で事実上消滅します（一九六六年再建）。

労働組合の結成は続きますが、統一はされず、民主主義の先生のように思っていた占領軍は労働運動を押しとどめ、産業界も混乱、軍隊・徴用から帰ってくる男子のために女子は家庭に帰れと、退職が求められます。しかし、生きるために働き続けなければならない寡婦や娘も多く、占領軍や行政に期待しても声は届かず、自分たちの生活を一生懸命立て直そうとする努力が続きます。

国鉄の労働組合

知多郡亀崎町（現半田市）出身の稲吉（のち鈴木）琴世は一九三七年高等小学校卒業後国鉄に就職、電話交換の仕事を主とする電務区に配属され、戦争が激化してからは男性がやっていた改札、出札、小荷物、掃除などもするようになり、稲吉も電信交換にかわり、鉄道を守るのは私たちとの意気に燃えて仕事をします。空襲が激化し、名古屋駅周辺も焼けましたが、米軍は占領後に利用するためか、鉄道や駅は爆撃しませんでした。戦争が終わると、ＧＨＱの指示で労働組合ができ、戦地からの復員で職員が増え、女性は真っ先に首切りの対象になります。組合も分裂、団結、紆余曲折あって一九四七年に国鉄労働組合結成大会に至り、名古屋支部ができました。婦人部もでき、稲吉は何も知らずに出かけた会議で誰も発言しないので「早く帰りたい」などといったら、婦人部長に選挙されてしまいます。女性は炊き出しなどして、外へ出る男性を助ける立場でした。全国的に婦人運動はまだ弱く、活動は職場中心、地域で活動することはなかったそうです。戦争中職場を死守して、空襲下にも退避さえ許されず忠実に職責を果たしたのに、戦後は女子を馘首し、労働協約は不履行のままとはどういうことか、と運輸大臣に問いかける文章が、『中部民報』一九四八年一月一日に掲載されています。その翌年夏、レッド・パージで馘首されてしまいました。女性の馘首は珍しく理由はいわれませんでしたが、「共産党員だから」としか考えられないといいます。レッド・パージにあったのは、仕事も組合も一生懸命にやる優秀な人と、不正は許さんという人ばかりでした。稲吉は「あのころは真面目に考えると共産党員になる、そんな時代だった」といいます。一九五〇年、国鉄労働組合の仲間だった鈴木松助と「自由・平和・独立」の横断幕を掲げて結婚、生活のため内職に働きづめでした。

「働く女性の会」の意気込み

敗戦直後、労働組合に入っている女性は少なく、誰でも参加できる働く女性の個人参加の会をつくろうと山本信枝ら数人が企画し、「働く女性の皆さん手をつなぎましょう」「働く女性の知識向上に努めたい」と呼びかけ、一九四六年九月、「働く女性の会」を結成しました。一〇月には田島ひでと内田あぐり「婦人と政治」の講演会、「ソビエト写真と講演とレコードを聞く会」、滝川幸辰「憲法と民主主義」の講演会など盛会でした。働きながら新しい文化を身につけたい女性のために、洋裁、労働問題、婦人問題、刺繍、栄養、保健衛生、生活科学、文芸などの講座が、生活文化学校として一年半ほど続きます。

働く女性の会は一九四七年婦人参政権行使一周年を期して「民主婦人大会」を企画、労働組合の仲間を通して宣伝しました。四月三日木曜日の朝一〇時半、市東別院広場に五〇〇〇人の働く女性が集まります。要求は五項目、分担して訴えます。①煙草労組「婦人会館の設置」、②産別「男女差別待遇の撤廃」、③教員「児童給食の国庫負担」、④民主主義科学者連盟「託児所の設置」、⑤ダンサー労組「不当検診反対」。大会宣言は「永い封建の残骸を葬り去り婦人の押さへられたる全能力を発揮して、あらゆる保守的反動勢力を排除して日本の輝かしき民主化の達成に邁進する」と誇らしく告げていました。名古屋初の女性だけのデモ行進は、東別院から北へ、上前津、栄、大津橋から県庁・市役所に向かいます。五項目の要求内容は働く女性だけではなく、主婦も子どもも願うことでした。働く女性の会自身も、事務所も会議場所も不安定だったので、女性がいつも気軽に行けて、資料もそろっていて、会議ができる婦人会館が、本当に欲しかったのです。婦人会館建設は、田中いと県議の力添えもあって、市役所の北側が予定地というところまで進みましたが、馬場いよ名古屋市議の猛反対でうやむやになったということです。女性要求の統一は集会・学習等ではできても、実現するには主導権を誰がとるか問題になり、壁にぶつかってしまうのです。

この大会ではダンサー労組の「不当検診反対」という異色の要求が出ています。占領軍が日本に来て、かつてアジアで日本軍が現地住民女性への性的暴行を頻発させ、侵略地支配に支障が起きた経験から、日本の警察は日本女性を守る「防波堤」と称して、ダンスホールや性的慰安所を大至急で設置しました。名古屋でもダンサー募集、応募者が殺到した記事が『中部日本新聞』一九四五年九月一四日にあります。慰安所等で性病が広がったため、占領軍はこれらの施設を閉鎖させ、強制的に検診を行いました。名古屋での詳細は不明ですが、ダンサーも労働組合をつくり、働く女性と連帯して、人権無視の検診をやめさせようとしたのでしょうか。

国際婦人デーとはたらく婦人の県集会

労働組合が元気よく誕生していく一九四七年、山本信枝の回想によれば国際婦人デーを記念する集会をしたいと願う「働く女性の会」の女性たちが準備の話し合いをしている間に時間が過ぎてささやかな会合しかできなかったので、婦人参政権行使の四月に集まったのが「民主婦人大会」でした。東京では一九四七年三月に戦後初の国際婦人デー集会が開催され、以後全国に広がりました。愛知では一九四八年から新聞に簡単な記事が残され、以後婦人団体が志をついで集会を続けました。

国際婦人デーのデモ

はたらく婦人の中央集会は総評婦人協議会主催で一九五六年第一回が開催されます。愛知では一九六九年四月、愛知大学名古屋校舎で第一回はたらく婦人の県集会が開催され、労働組合が中心になり、翌年六月第二回集会には五〇〇人が参加、第三回は翌年五月開催とその時の女性労働者の課題を学習して継続されました。七月、裁判でたたかう女性労働者一九人を励ます集会がもたれます（朝日一九六九年七月一九日）。その後二〇二一（令和三）年一一月には第五一回はたらく女性の愛知県集会が愛労連を事務局として開催されています。

5. 農地改革から生活改善へ

地主的土地所有の解体

一九四六（昭和二一）年一〇月、自作農創設特別措置法と農地調整法改正法が公布され、政府が地主の所有地を強制的に買収して小作農に売り渡すことを基本に実施され、一九四八年末までにほぼ完了し、短期間のうちに戦前の日本の農業の特徴だった地主的土地所有が基本的に解体されました。県では、名古屋市などの戦災復興と市街地化のために、地主からの買収をしない土地が多く、調整に手間取りましたが、小作農の自作農化という目的は達成され、小作地率は四一％から一三％へ減り、農家の自作農・自小作農の割合は五五％から八五％へ上昇しました。一九五〇年代には兼業農家が増え、農業就業者が減ります。農業生産の内容としては、畜産と果実が増え、畜産（そのトップは鶏卵）は米に次ぐ位置を占めていました。稲作では農薬の普及と農業機械の導入によって、省力化が進みます。一九五〇年代後半には台風の影響で農業収入が減りましたが、兼業化による農外収入の増加で家計は支えられ、農家経済は大きく変化しました。

この中で土地改良事業と、農村生活改善を目的とする農業改良普及事業が進められます。農村青年の自主性を尊重する活動が重視され、青年農業クラブやアメリカを起源とする4Hクラブが結成されていきますが、県内青年農業クラブ員一万六三八五人中女性は九・〇%、四Hクラブ員四八二五人中女性は一九・一%です。農作業だけでなく、日常の生活を重視し、家族関係・地域の人間関係を民主的にする生活改善が求められました。

農村の生活改善

白井小浪は一九四七年農地改革への対応のために豊橋市から渥美郡野田村（現田原市）へ移り、農業者になりました。当時農村の女性は、理屈をいうな、気配りもするな、「角のない牛」として働くだけの存在で、農作業はもちろん、客の料理も男性が仕切りました。白井は一九四九年地域婦人会会長となり、翌年農業協同組合（農協）に婦人部をつくれといわれ、渥美地区に農協婦人部を誕生させ、白井は部長になり、女性が客の料理を企画・実行できるよう料理講習を始めます。一九五二年、岡崎で最初の県農協婦人部大会が開催され、農村女性が自分たちの生活を協力して守る活動方針のもと、巡回診療、寄生虫駆除、台所改善、簡易水道普及、山代巴原作『荷車の歌』映画化募金と上映会、伊勢湾台風被災者救援等の活動を進めました。一九六〇年代には農村から若者、続いて壮年男性が工場や土木工事に現金稼ぎに出てしまい、農村は女性ばかりになります。白井は農業技術を勉強する主婦農業学校、健康会議など、必要とされている活動を重ねました。さらに県農業協同組合婦人連盟（のち県農協婦人組織協議会）会長、さらに全国農協婦人組織協議会会長となり、農村女性の地位向上のため働きます。

深見正子は椙山女子専門学校卒、一九五〇年生活改良普及員になりました。海部郡東部地区を担当、実態調査をし、その分析、計画立案から実行へ、簡易水道をひき、食事の改善、台所の改修、託児所づくりに、改良普及員の代名詞になった白い自転車で一九年間走り回ります。さらに農業の機械化に伴う健康問題の改善から、県消費生活センター設置に進みました。

八名郡七郷村一色婦人会（現新城市）では一九五一年から婦人会事業として台所改善を決め、ゆるやかな五か年計画とし、実験的施工を見て希望を出せるよう自主的に運営、県の援助、共同購入を含めた資金計画、夫も参加する研修を重ねました。トラックが入る道路から山道を一里（約四キロ）もレンガ・セメント・砂などを背負って運ばねばならず、困ったことがあると県の人に相談しながら知恵を出し合い、考え工夫することを学びます。実行は女性の自覚を育て、自分が認められると他人を尊重し思いやるようにもなります。こうして旧来の習慣に盲従した生活態度は変わり、和装から洋装へ、ばっかり食から混食へ、封建性を脱ぎ捨てるようになります。婦人会がやるなら俺たちも、と青年団に影響を与え、夫は主婦に家の改善計画、植え付け作物について相談するようになり、年代別の女性の会ができて自分たちの楽しみをもとうとするようになりました。これらの活動と実績は、一九五三年度新生活全国モデル町村選定で第一位の総理大臣賞を受賞しました。全国からの見学者は五〇〇〇人（県内三〇〇〇人）を超えました。

嫁から妻への転換

農村だけでなく、「嫁」の立場で必ずしも人間扱いされなかった女性は、戦後日本国憲法のもとで、男女共に「主権者」という耳慣れない言葉の中から、考え実行する人、成長したい人、楽しみたい人、社会を知ることができる人である自分を発見していきます。

一九五七年六月、戸籍法に関する省令が出され、一九五八年四月から、一つの戸籍には夫婦と氏が同じ子どもだけという新しい戸籍に書き換えられました。親が同意しなくても二〇歳以上の子どもは結婚すれば別戸籍になる個人中心、夫婦中心の考え方の戸籍です。しかし夫婦は同じ姓にしなければならず、それまで妻が夫の姓に変わっていたので、姓を選ぶことができるといわれても圧倒的に夫の姓を名乗る妻が多く、妻は「嫁」、夫は「主人」という言葉も残り、夫婦は対等といわれても、上下関係の空気を残す意識が続いたのは、女性にとっては痛恨の現実でした。

6．婦人民主クラブと愛知

婦人民主クラブの誕生

ＧＨＱ民間情報教育局で婦人政策を担当したウィードは、加藤シヅエ、羽仁説子の意見を聞き、侵略戦争に動員された日本女性が基本的な人権意識に目覚め、自主的に動く民主的運動が必要と考え、知識人女性もみんなで集まって徹底的な民主主義を育てるクラブがほしいと思い、一九四六（昭和二一）年三月、「みんなで助け合って民主的になっていく」「婦人民主クラブ」（婦民）が設立されました。新日本婦人同盟と婦民の綱領はかなり共通していますが、新日本婦人同盟は女性の政治的権利確立中心に活動したのに対し、婦民は自由な仲間同士で民主化を強めようという雰囲気がありました。婦民は一九四六年八月、週刊『婦人民主新聞』を創刊、街頭で飛ぶように売れたといいます。三月、宮城県で最初の支部が誕生、一九四七年三月名古屋支部も誕生しました。

名古屋支部の中心になった吉村尚子は、新聞創刊にあたって岐阜の繊維業者寺尾元に借金して紙代を捻出した功労者、働く女性の会を抜けて婦民支部をつくり、三〇〇部の新聞を配布していましたが、結核で倒れ、働く女性の会も低迷していたので、山本信枝は婦民支部再建を決心します。労働組合婦人部を頼りに『婦人民主新聞』の読者を七〇〇部に増やし、一九四九年一一月には櫛田ふき、佐多稲子、熊沢復六を囲む愛読者大会を開き、一九五〇年七月に婦人民主クラブ愛知支部が再建されます。その間山本が勤めていた中部民報社は倒産、山本が肝臓を病んでいる間に働く女性の会も消え、山本は婦民中央の講習会で学んだ内職のマクラメ編（紙ひもで手提げ袋を編む手芸）を組合婦人部で教え、できた手提げ袋を売って、生活費にしました。

自主性を貫く愛知

一九五〇年婦人民主クラブ第五回大会があり、婦民組織の主体を家庭婦人、働く婦人のどちらに置くかで激論になり、やがて共産党内部の考え方の違いに根がある対立で財政的にも混乱します。婦民愛知支部長の服部勝尾は嫌気がさし、中央と縁を切り、愛知だけの組織にしようと提案、「愛知婦人民主クラブ」（愛知婦民）が一九五二年一月、「婦人が力を合わせて日本の民主化と世界の平和のために努力する」という簡潔な綱領で発足しました。婦民の東京本部にいた星野節子が名古屋に来て山本と暮らし、山本は服部勝尾の紹介で皮革卸商内藤商店（のちヤマニ商会）の経理事務員として交通費込みの月給五〇〇〇円で働き生活費とし、ガリ版刷りの機関紙『たかまり』を一九五二年三月創刊しました。

民主化を求めて自主的に活動する婦人団体は愛知婦民ぐらいだったので、県庁や市役所、愛知婦人少年室の職員、長谷部ひろ（のち参議院議員、無所属）、横地さだゑ（県会議員、社会党のち民社党）、竹下みつゑ（市会議員、自民党）、ＹＷＣＡや有権者同盟、民商、主婦、多様な働く女性が参加する女性の統一組織でした。例会に集まる人は多くても、機関紙の編集・制作、会費を集めるなど事務局の仕事はずっと星野、山本が支え続けました。『たかまり』は一九五五年四月の最終号まで、三年間に一八回発行されます。名古屋市西区の未亡人懇談会では内職の問題点、、神戸製鋼婦人懇談会で便所の鍵の修理、鏡を付けて等の要求、子どもたちが戦争ごっこ、泥棒ごっこをしても放任されている、交通事故の危険があるという保母さんの話、乳児保育要求、防空演習反対、東京銀行名古屋支店の女性行員が結婚休暇を申請したら退職を強要され、結婚後配転された問題など名古屋のニュースを伝えています。敗戦直後の混乱激動の時代は終わり、女性の現実も以前よりましになってきて、みんなが怒り、みんなが動くという時代ではなくなりましたが、それでも戦争はもういや、男女平等への共感は風化されていなくて、愛知婦民がその拠点になっていました。

高良とみ講演会

一九五二年、講和条約発効直前、参議院議員高良とみ（緑風会）が旅券なしで平和を求め社会主義国ソ連、中国を訪ねます。七月、東京で帰朝報告婦人大会が開催され、四〇〇〇人が参加しました。名古屋でも高良とみに直接報告を聞きたいと愛知婦民は決め、小林橘川市長をはじめ労働組合、婦人団体、諸機関に働きかけました。各区の地域婦人団体連絡協議会会長を星野が訪ね、東区以外は賛同し、ポスターにも名前を入れてくれます。山本は高良とみに講演依

高良とみ女史大講演会（1952年12月4日）

頼に行き、最初は断られましたが、再度訪ねてＯＫがもらえました。一二月の高良とみ女史大講演会は旧金山体育館に七〇〇〇人を集め、すばらしい話で、大成功でした。講演会の財政を寄付金・参加券売り上げで支えたのは労働組合でした。翌年東京では高良とみ歓迎会の縁で、広く平和を願う婦人団体として、「日本婦人団体連合会」（婦団連）が設立され、山本は婦団連の個人会員になります。こうして女性の地位向上と平和を願う愛知の細々としたつながりと切実な願いが大きな企画を呼び起こし、東京の婦人団体に結び付き、情報発信の中心となり、愛知の女性の協力を広げました。

一九五三年は参議院選挙の年、女性の革新統一候補を当選させたいと願われ、高良とみ女史大講演会の司会をした長谷部ひろを押し出し当選させました。長谷部は市川房枝と二人で、政治献金汚職を制約する「公職選挙法の一部を改正する法律案」を提出、法律改正に貢献します。のち長谷部は椙山女学園大学教員になりました。

7. 地域婦人会の再組織

占領軍と婦人会

米軍は名古屋進駐後、東海北陸軍政部―愛知軍政部を置きます。軍政部は当初学校民主化に関心を集中し、社会教育については一九四六（昭和二一）年上半期まで野草や雑穀の料理講習会が教師と旧大日本婦人会幹部の協力で実施され、社会教育の「軍政空白時代」といわれます。一九四六年四月県、六月市に社会教育課が設置され、「軍政啓蒙時代」に入り、婦人文化講座、婦人団体指導者講習会が始まります。占領軍は戦時中の婦人団体を軍国主義団体として否定しますが、行政は旧婦人団体幹部以外に頼る女性を知りません。一九四八年九月、愛知軍政部が依頼した青年婦人団体調査で、地域婦人団体五三に対し、労働組合婦人部は一一一、約二倍です。社会党・共産党は協力関係にあり、総同盟・産別双方から働く女性の会に参加して行動していますが、一九四七年二・一スト禁止以降、労働運動は退潮傾向にありました。占領軍が求める民主化を推進する婦人団体が必要でした。

行政が必要な婦人団体

地域の行政当局は、頼れる婦人団体がない不便さで困っていました。一九四六年、市援護課長は軍政部に呼び出され、目に余る浮浪児の行状を有閑婦人の協力で解決せよと指示されます。ボランティアという言葉を知らなかった時代、やむをえず社会教育課でしかるべき人を各区二人推薦してもらい、中区役所に集めて浮浪児対策を依頼します。東区の馬場いよ（のち市会議員、市地域婦人団体連絡協議会二代目会長）は占領軍がいうのなら仕方ないと、婦人慈愛会を設立して、駅前に小屋を設け、相談に乗ったり世話をしたり社会事業に協力しました。占領軍にとっても行政にとってもアメリカの方針を実行する婦人団体が必要だったのです。

電話があまりない当時のこと、区役所が配給の知らせを届ける不便解消のため「もういっぺん婦人会をつくってくれんかね」ともちかけられたのは千種区上野婦人会、「区役所から婦人会をつくるようにお達しが来た」西区城西婦人会、「区役所に呼び出された」南区豊田婦人会、「あんたでなくてはいかんと説得された」中川区露橋婦人会、「何でもいわれるままに行動していた、婦人会ってそんなものだと思っていた」と戦時中以来の姿勢を振り返ったのは南区豊田婦人会伊藤さかえ、被災した学校を後援するために、文部省が勧めた母の会をのちに婦人会にしたのは瑞穂区瑞穂婦人会、敬老会を開催するために婦人会を設立したのは中村区中村婦人会、多かれ少なかれ行政が絡んで学区の地域婦人会は再建されます。人脈をたどって物資をまとめて入手し、分け合う婦人会もありました。国防婦人会を解散した午後に地域婦人会を設立した所もあります。戦後だから発揮された女性の積極性が、行政のために働く組織結成に利用されます。昭和区母の会は、医者の妻だった横地さだゑが、乳児になくてはならない牛乳の配給が三合あるはずのところを一合しか配られないのに義憤を感じ、保健所に集まる母親に呼びかけて結成され、のち昭和区御器所婦人会となりました。

占領軍は戦時中に地域婦人会が軍事支援活動をしていたので、多数を動員した県レベル以上の婦人団体を認めません。名古屋市婦人団体協議会（のち名古屋市地域婦人団体連絡協議会、市婦協）は一九四八年設立され（初代委員長伊藤たき）、愛知県地域婦人団体連絡協議会（県婦連）は一九五二年五月設立されます。占領軍はアメリカ通常の会議運営ルールを教え、日本の主婦はアメリカ流の議事運営になじめず、旧来の方法から変わるのに苦労します。時代にふさわしい婦人会活動のルールが模索される中、一九五七年総会で県婦連は解散し、翌年三月再発足しました。

一九六五年以後何回も県婦連の役員を務めた佐橋八寿子の回想によれば、県婦連事務局は県社会教育課に宿借り、会費は各都市一律負担で、形は自主団体でも戦前の御用団体、網羅組織のままでしたがその実態を近代化する努力を重ね、生活問題に取り組む婦人会へ脱皮していったといいます（中日一九七八年八月一〇日）。佐橋八寿子は労働省婦人少年局が例年「婦人週間」のテーマで全国から所感文を募集した際に応募、仲間と一緒に「愛知土曜会」を設立、会長になりました。愛知土曜会は勉強を重ね、妻の座をたかめようと「かけこみ電話相談」や民法改正へ問題提起をするなどしました。

のちの一九七六年一二月、大規模団体一三を集めた県婦人団体連盟（県遺族連合会婦人部、漁協婦人部連絡協議会、旧軍人恩給連合会婦人部、更生保護婦人連絡協議会、傷痍軍人妻の会、生活改善実行グループ連絡協議会、生活学校連絡会、県婦連、農協婦人組織協議会、母子福祉連合会、ク婦協、市婦協、日本退職女教師連合会愛知支部、初代会長岩田フサ子）が設立されています（毎日一九七六年一二月七日）。

名古屋クラブ婦人団体連絡協議会設立

一九五一年九月には、市社会教育課長加藤善三の呼びかけで、文化団体、職能団体、宗教団体等一九団体による「名古屋クラブ婦人団体連絡協議会」（ク婦協）が結成されます。目的も実情も異なる団体のゆるやかな組織で、情報を交換し、一致すれば皆で行動し、しなければ有志で動く、全国的にもユニークな組織でした。初代会長は名古屋ＹＷＣＡの長松一枝、一九八一年までの三〇年間を通して加盟していたのは、中部主婦の会、日本看護協会愛知支部、会長を長年務めたのは舘林涼子（中部主婦の会）です。当初は情報交流をする程度でしたが、やがて地域婦人会とともに婦人会館設立運動などに取り組みます。

8. 女性の未来を開く男女平等教育

教育の復興

戦災で教育施設の多くは焼失、市内の国民学校（小学校）全一三〇校中無事だったのは四一校にすぎません。疎開先から児童が帰ったので、校舎不足が深刻でした。市内では一つの校舎を二校で共同使用する学校が二六あり、三校での使用が一〇、八校によるものも一つあったほどです。市は午前、午後に分ける二部授業を全面的に実施し、寺や旧工場などでも授業をします。一九四五（昭和二〇）年九月、文部省は「国体護持」の教育方針を示したのに対し、一〇月ＧＨＱは日本政府に軍国主義教材の削除や修身の授業の停止を指令しました。混乱の中教科書の墨ぬりが行われ、一九四七年四月、学校教育法が施行され、六・三・三制、原則として公立は男女共学の新しい学校制度が始まりますが、新制中学は校舎・教員が全面的に不足しました。一九四八年新制高校は可能な限り男女共学、通学区域制に再編されます。高等教育機関の新設・再編が進み、多くの大学や短期大学が誕生します。民主化の一環として、女性の教育機会が拡大しました。

男女共学新制大学の感動

新制名古屋大学の第一回入試は、募集人員約七三〇人、一九四九年六月、国語・社会・理科・数学・外国語の試験で、受験者一七二二人、合格者七四二人（進学予定者数は法経学部二四六人〈女性一人、以下同じ〉、文学部九八人〈五人〉、教育学部四四人、医学部八三人〈二人〉、工学部二〇一人、理学部七〇人〈三人〉）、入学者は七一七人〈一二人〉でした。入学生の一人山田房江は当初は受験時の男女の教科書のレベル差（旧制中学と女学校の教科書が違い、女学校教育の内容は低い）による学力差、女性に良妻賢母像を求める世間の常識が壁になり、女性は志願者が少数でしたが、「自分のための本当の学問」を求めた努力の結果、入学できたと書いています。そして、新制名古屋大学は女子学生にとって平等に多くを与えてくれる住み心地の良い場所だった、それは真摯に学問研究を続けてこられた教授はじめ若い学者たちの影響だったと感謝しています。

様々な壁を乗り越えて新制名古屋大学最初の女子学生になった人たちは、医学部志望では六年かかるから嫁入りが遅れると父親に反対され、授業を最前列で受けようとしていると「お嬢ちゃん、こんなところへ遊びに来てはいけませんよ」といわれたりします。卒業して就職しようとすると、早く結婚するべき、就職するなら勘当すると親にいわれます。男子学生との学力差に苦労しますが、文学・映画・仏像など、戦時中縁がなかった文化が先生たちや学生から伝えられ、校内では男女差別はないうえに、少ない女性は大切にされ、多様な部活動を楽しみ、自治会活動にも目を開きます。自分も友人も奴隷でない生き方を学び、自由な学生生活を享受しますが、卒業で一転、大学卒の女性の就職を受け入れるのは医師と中学校の教師などに限られ、ジャーナリズムへの就職がようやく始まったころでした。戦前の女性を束縛していた社会環境・意識状況から解放される歩みは文月の会編・刊『新制名古屋大学第一期女子学生の記録』(二〇〇三年)に記録されています。その解放感と葛藤は、より貧しい、より束縛の強い女性の戦後の教育の諸相を想像させます。

名古屋大学のほか、一九四九年には国立では名古屋工業大学、愛知学芸大学、公立では名古屋薬科大学、私立では愛知大学、南山大学、金城学院大学、名城大学、椙山女学園大学が設立されました。一九五〇年には、公立では名古屋市立大学、私立では東海同朋大学、公私短大・短期大学部が県立女子短大、市立女子短大、愛知学院短大、中部短大、名古屋女学院短大、安城学園女子短大、光陵短大、瑞穂短大、中京女子短大、山田家政短大、名城大学短期大学部、愛知大学短期大学部、金城学院大学短期大学部と多数設立され、のちに改組・再編・改名が行われ、短大の多くは昇格したり大学の学部になります。多くの高等教育は自由と能力向上を求め、希望する職業に進出したい若者の背を押しました。

一九五〇年、県内中学生の高校進学率は、男性四九・八%、女性三三・七%、二〇年後の一九七〇年には男性八六・六%、女性八四・九%となります。大学・短大進学率は一九五〇年男性三五・九%、女性二一・八%、一九七〇年には三〇・九%と二七・八%と男女格差は縮小、やがて短大を含めれば女子の進学率は男子を超え、男女格差は解消へ向かいます（文部省『学校基本調査』）。

とはいえ二〇一八（平成三〇）年八月、東京医科大学が入学試験で、女子の合格者数を抑えるため女子に不利な得点操作をしていたことが明らかになりました。四年制大学に限れば二〇一八年県の男子進学率五六・三%に対し女子は五〇・〇%、愛知は全国平均とほぼ同じです。進学する学部には男女差がありますが、次第に差は縮小していきます。

幅広い社会教育活動

戦前には国民の「思想善導」の場として行政が指導した社会教育の場は、戦後まず選挙の手ほどき、続いてアメリカ流の会議方式などを伝え、変わった法律の理解を進める場に拡大されました。さらに婦人学級、婦人講座、グループ活動が推奨され、その全体像は長く社会教育の現場にかかわった前田美稲子、早くから研究・記録を進めた東海社会教育研究会によって、戦後名古屋市婦人教育史研究会編・刊『戦後名古屋の婦人教育―回顧と展望』（一九九四年）にまとめられています。県婦連は一九五八年再出発した時期から高度経済成長の中で消費者組織として活動した状況が、編集委員会編『愛知県地婦連二十年史』（愛知県地域婦人団体連絡協議会、一九七八年）にあります。市婦協は一九六二年五月機関紙『婦人なごや』を創刊、一九七七年創立三〇周年記念に縮刷版を出し、一九六七年二〇年史を出して以来、ほぼ五年ごとに記念誌がまとめられ足跡をとどめています。

この間一九四七年には労働省が発足し、アメリカにならって婦人少年局が設置されました。翌年各都道府県に地方職員室が置かれ、一九四九年には婦人少年局が主催する婦人週間が「もっと高めましょう、私たちの力を・地位を・自覚を」とよびかけ、中央行事として全国婦人会議が開かれました。

9. 地域社会へ貢献する人びと

女性弁護士が切り開いた道

戦時中の一九三八（昭和一三）年、婦人参政同盟が女性にも弁護士資格を与えてほしいという運動が成果を上げ、久米愛、中田正子とともに三淵嘉子も司法試験に合格、一九四〇年弁護士を開業しました。三淵は裁判官を志したのですが、「日本帝国男子に限る」とされていて拒否されます。しかし戦後、日本国憲法のもとで女性にも平等に道が開かれ、三淵は一九五二年から一九七一年まで名古屋地方裁判所判事を務め、一九七二年新潟家庭裁判所で女性初の所長に転任しました。定年退職後弁護士に戻り、女性法曹の地位向上に尽力しました。

渡辺道子の父は判事・弁護士でしたが、父の影響で弁護士志望だった娘は「嫁のもらい手がない」と反対されます。渡辺は東京女子大学校卒業後、名古屋ＹＷＣＡに就職、「友の家」事業にかかわり、女子労働者や底辺女性が家族制度の因習に苦しみながら生きる痛みを深く理解しました。退職して早稲田大学法学部・大学院で学び、戦争が終わったら提案したい民法の親族・相続編を研究します。一九四五年秋、司法試験が復活、三人の女性合格者の一人となり、家族法民主化期成同盟をつくって研究、一九四八年新民法制定に貢献しました。

名古屋大学在学中、最年少二一歳で司法試験に合格したのは大塚錥子（旧姓神谷）、一九六〇年県初の女性弁護士として名古屋弁護士会に登録しました。一九七〇年には県弁護士会初の女性副会長を務めます。高校時代には陸上部で選手として頑張り、「ソプラノ弁護士」「歌う弁護士」と名乗り、朝日大学法学部研究科教授を務め、名古屋家庭裁判所調停員、県社会福祉協議会理事、雇用機会調停委員、瀬戸少年院篤志面接員等々の仕事をした弁護士です。

岐阜出身で初の女性弁護士になったのは大脇雅子、名古屋大学法学部助手（労働法）を経て、一九六二年名古屋で女性二番目に弁護士登録し、一九七五年「国際婦人年あいちの会」の共同代表になり、一九八八年日本弁護士連合会の女性の権利に関する委員会委員長を務めます。総評弁護団（現日本労働弁護団）の一員として、結婚退職制やパートタイマー差別など、女性差別問題裁判に献身しました。法律をつくる側に立って問題解決したいと、一九九二（平成四）年参議院選挙に社会党（のち社会民主党）比例区から立候補、二期一二年務め、男女雇用機会均等法、選択的夫婦別姓法、パートタイム労働者の権利保護法、環境アセスメント法、廃棄物処理法等の立法、法改正に努力します。

青木仁子は妹と共に青木塾という学習塾を設立、学費も生活費も自分たちで稼ぎ、名古屋大学法学部卒業後二九歳で司法試験に合格しました。市中村区で下町の弁護士さんとして庶民の悩みごと解決に当たります。一九九一年、日本尊厳死協会に入会、東海支部支部長となります。自宅を改装し一階を多目的に使用できる場として、老人会や緩和ケアの勉強会など、地域住民のセンターとし、最後は尊厳死を実践する場としました。

弁護士は借金・相続などのごたごたを法律に基づいて片付けるだけでなく、地域社会の人が安心して、より豊かに暮らせるように、手助けする専門職です。教育が男女平等になり、弁護士に限らず多方面で女性の人生の役に立つ仕事を自分の仕事とする人々が育ちました。

女性が女性の能力開発を

亀井節子は一宮市役所の納税係を一〇年務め、社会保険労務士の資格を取得、退職して一九六七年労務事務所を開設しました。高度経済成長後社会の変化は激しく、女性にかかわる労働問題、社会保障も変化し、雇用形態の多様化が進み、労働条件も変化し、時代が必要とする問題の先端に亀井は取り組んで、企業の人事担当者が知恵を借りに来るようになります。女性がもっと社会保険労務士になればよい、女性の経験を活かせる仕事だと、亀井は養成講座にも力を入れ、女性の能力開発に努めました。

坂田佳代は自分の将来を演劇か、洋裁かと迷った末、父の死をきっかけに出身地碧南の地域新聞中部新報社に入社、男社会の中の女性として地域に密着した記事を書き続けます。創立者が病気で倒れ、坂田は後を託され、以後社長として活躍します。地域社会に貢献した人に贈る緑光賞を創設、文化活動に力を入れ、地域の交流の場を提供するなど、地域紙の特色を生かした新聞づくりを進め、生まれ変わっても記者になるというほど全力で働きました。『中部新報』は二〇〇四年終刊しました。

文化を発展させた女性たち

若尾隆子は女学校卒業後東京の宝塚劇場で照明係をして知り合った若尾正也と結婚、一九四八年夫が結成した名古屋演劇集団（劇団演集）の女優として活躍します。劇団活動が軌道に乗るまで、若尾総合舞台研究所として学芸会の照明などに出向き、名古屋の演劇を底辺から育て、そして演劇界の先頭を歩んだのです。

山田昌は常滑高校で演劇部に入り、演劇部講師の熊沢復六の推薦でＮＨＫ名古屋放送劇団に入ります。ラジオ時代の放送劇で老け役を引き受け、ＴＶ放送でも名古屋弁女優といわれる、ユニークな才能を発揮します。一九八五年夫天野鎮雄と劇団「劇座」を結成、原爆の惨禍を語りつぐ女優だけの朗読劇「この子たちの夏」「夏の雲は忘れない」に参加し続け、平和を訴え続けます。あいち女性九条の会代表の一人です。

長瀬正枝は県立熊本女子大学卒業後、名古屋市立中学の国語教師として三〇年間に約六〇〇〇人の生徒と向き合いました。その間創作活動を始め、ＮＨＫのドラマ脚本執筆にも参加、「中学生日記」に、進学のための成績・試験にこだわり、友人・家族と葛藤し、仲直りする現実を書きます。「中学生日記」は東海の少年少女が俳優になる道も開きました。長瀬は、敗戦後の満州の日本人を励まし救いながら銃殺された道官咲子の生涯を、反戦の思いを込めたドキュメント『お町さん』に書いています。

戦時中男性が軍事に取られたためギターがひけた平手久子はＮＨＫに採用され、戦後も引き続き音楽関係のプロデューサーとして働きます。ＮＨＫで英語のできる人を募集していると聞いた佐々基子は試験を受け、幼児の時間と婦人の時間のプロデューサーになります。占領軍は未亡人問題はやってはいけない、戦争に協力していた人は放送に出さないと制限しましたが、女性にマイクを開放し、女性の手で番組作りができるのがうれしかったといいます。稲蔭千代子は戦前のＮＨＫアナウンサーでしたが、結婚して退職、一九四九年名古屋放送局に戻り、「主婦日記」を担当、のちＣＢＣのアナウンサーとして活躍しました。

公務員として働きながら、児童劇を育てる文化活動と両立させる人もいました。山田智子は一九四七年、アメリカ軍民間情報教育局が指導して設置した国立教育研究所、青年指導協力者養成所を卒業、国立瀬戸少年院分院明徳少女苑の教官、県教育委員会で働き、仕事が終わってから児童劇団「杉の子」の指導と脚本づくりを続けました。自分の歩みを振り返って、希望や幸せは自分で求め、自分で創っていくものだといいきります。小沢喜美子は空襲下でもミシンを踏んでいたデザイナーでしたが、一九五〇年小沢服飾研究所を設立、翌年名古屋で初のファッションショーを開き、本格的な洋服づくりの道を開きました。

一九八一年海部郡七宝町（現あま市）の県立中村高校生堀田あけみの「1980年　アイコ一六歳」が河出文芸賞に選ばれました。一九八二年椙山女学園大学生の「あみん」（岡村孝子、加藤晴子）が歌う「待つわ」シングル盤が二か月で一〇〇万枚以上の売れ行きをみせました。無名の若い人も活躍できる時代に入っていきます。

戦時中疎開して北設楽郡津具村（現設楽町）で暮らし、結婚して名古屋へ、児童文学グループ「波の会」設立にかかわった渡辺満洲子は、図書館・児童館で読み聞かせを重ねます。夫の定年をきっかけに津具村へ戻り、図書館のなかった地域に自分の本で「きらきら文庫」を設立、子どもたちに開放しました。村の広報誌に毎月「きらきら文庫だより」掲載を続け、一九九七年には絵本などの朗読グループ「語りの会」を設け、美術館を巡る文学散歩も企画、山村に文化的生活を広めました。

愛知の戦後は、焼野原の中から自ら才能を伸ばした無数の女性を生み出しました。個人の能力を伸ばすだけでなく、周囲の女性・母を支え、地域の生活を豊かにする活動を進める女性が、多様に存在する愛知になっていきます。

10. 戦後復興と女性労働

集団就職の娘たち

復興していく製造業の中で女性が働くのはやはり繊維産業でした。岐阜県美濃町（現美濃市）出身の西部守江（のち岸）は一九四六（昭和二一）年国民学校高等科を卒業した一四歳で、「口減らし」のため大同毛織稲沢工場に就職しました。一五畳に五つの押し入れ、五畳間の更衣室と洗面所、水洗トイレを一〇人で使うよう割り当てられます。仕事は二交代制で、朝五時から午後二時まで、後番は午後二時から一〇時半まで、歩きづめで働きます。食事のご飯はどんぶり一杯、イモやダイコンを混ぜたごはんで、イモとみそ汁が付きます。外出すると、蒸したサツマイモが一皿一〇円、手取り四〇円の給料では買えず、やせ細ってあだ名が「栄養失調五分前」と付けられてしまいました。

九州出身の佐藤亀野（のち三尾）は一九五二年、中学卒業と同時に集団就職で知多半島にある都築紡績植大工場に入社します。近代的な工場や寄宿舎の写真を見て喜んだのですが、仕事は早番が深夜午前一時四五分から午後一時四五分まで、後番は午後一時四五分から午前一時四五分まで、労働基準法があっても、戦前と同じ一二時間働くのです。食事はどんぶり飯に干物一枚とかひじきの煮物におひたし、たくあん二切れ、細井和喜蔵の『女工哀史』そっくりでした。食事の休憩時間中も機械は回り続けるので、切れた糸をつなぎきれません。けが人や病人が出てやりきれません。女子寮では花嫁修業と称して習い事の茶道、華道があり、「生長の家」の人が来て、毎日「ありがとうございます」を一〇〇回唱えれば必ず幸せになると話すのですが、疲れてくたくたになるばかりです。このころひそかに労働組合をつくる動きが始まり、怖かったけれど職場のお姉さんに誘われて参加していきます。

新潟出身の吉村久子は、中学卒業後大東紡織西春工場、のち名古屋工場で働きました。働きながら学べるという約束は守られず、女工は労働組合やサークルに集まり、男性の多い他の工場の労働者と交流し、読書・合唱・映画・詩に楽しみを求めます。サークル仲間が四組合同結婚式を行い、働き続けることができるように保育所をつくろう、場所探し、保母さん探しに歩き回り、名北共同保育所をつくり、北医療生協へ、名北福祉会へ発展させていきました。

こうして親孝行しか知らなかったおかっぱ頭の少女たちは、全国から集まり、仲間に支えられ、社会の動きに目覚め始め、サークル活動や、『人生手帖』を読むグループや、労働組合の活動に参加し、いじめられても、仲間が退職しても、自分の本音で生きようとする道を歩き始めます。社会のあれこれがすぐには変わらなかったとしても、希望が生まれ、希望の火を大きくするのは自分たち自身だと知り、元気に生きていきます。

民主教育を育てる女性教師

女性教職員退職者は、のちに民主教育をめざして歩み続けた記録を集めました。「教え子を再び戦場に送るな」の痛切な思いを込めて組合運動を歩み始めた時から四〇年、新制中学の職場で「女性にも担任を持たせてほしい」と声を上げ、産前産後休暇を四週間延長させるために女の先生同士協力し助け合った日々、保育所づくり・学童保育所づくりの苦労、母乳を絞ってトイレに涙とともに捨てた末の育児休業要求、年次休暇・結婚休暇が正当に取れるように粘り強く取り組み、職員会議で独りぼっちでも震えて発言し、生徒があれる中学で無力感に襲われ、けれども教育が困難を抱えているときに女教師は底力を発揮し、子どもたちを信じ、権利を確立し、そして仲間を増やしたといいます。生徒と働く教師が大切にされる教育をめざす仲間がいたから、生徒も自信と誇りをもつようにたたかえたと、『いのち輝かせて』は記録しています。工場と違った苦労としても、仲間とともに民主主義を普通の生活の中で育てようとする生き方は共通していました。

アメリカのもとでの経済復興

一九五〇年六月、朝鮮戦争が勃発、一九五三年七月休戦協定に至りました。朝鮮戦争の特需は、県内では繊維産業では毛布が、それ以上に自動車が生産を拡大し、設備が近代化されました。さらに兵器産業も再出発しました。

一九五〇年の県就業者は男性八九万二五七四人、内農業二三万九二九九人（二六・八％）、製造業二六万二八三五人（二九・五％）で製造業の比重が高まりました。女性就業者五七万七六五一人、内農業二六万〇一〇四人（四五・〇％）、製造業一四万六五六四人（二五・四％）、農業が減り、製造業が増える傾向はその後も続きます。その後も男性より多数の女性が農業に従事してはいましたが、減っていって戦後三〇年の一九七五年には一〇万人を切り、一割以下となりました。製造業で働く女性は増加し一九七〇年にピークとなり、卸売・小売業やサービス業従事者は以後も増加し続けます。結果として、一九七五年の女性就業者は、製造業が最多で三五万一二三六人（三三・六％）、次に卸売・小売業で二八万〇五八九人（二六・八％）、三番目にサービス業二〇万五四三四人（一九・六％）、四番目が農業でした。農業は、じいちゃん・ばあちゃん・母ちゃんが従事する（若者は農業をしない）三ちゃん農業といわれるようになりました。一九五五年以降輸出が増加、高度成長期に入り、一九五七年にかけて「神武景気」、その後「なべ底景気」を経て、一九五九年には「岩戸景気」、一九六〇年には「所得倍増計画」が決定され、不況・好況の波はありましたが、一九六六年にはベトナム特需に支えられ「いざなぎ景気」といわれ、その中で愛知の製造業の中心は自動車関連工業となります。

講和条約締結へ

敗戦直後、戦争はもう嫌、軍や政府や新聞にだまされず、平和をだいじにして生きようと思わなかった女性はいなかったでしょう。しかし平和は願うだけでは実現できず、所得が増える未来設計が実現可能な希望でした。一致団結の力で日本の民主化、安心できる生活を実現する婦人運動が平和の基礎という人と、心の平和から世界の平和を広げようという人の共同行動も困難でした。朝鮮戦争のさなか再軍備政策が進められ、アメリカは軍事条約とだきあわせの「講和」構想を発表、日本国憲法に反しているにもかかわらず、日本人を秘密裏に朝鮮戦争に参加させます。一九五〇年七月、GHQの支持も得て日本労働組合総評議会（総評）が誕生、一〇月愛知県地方労働組合評議会（愛労評）も設立されました。翌年総評の第二回大会は再軍備反対・中立堅持・軍事基地反対・全面講和を求める平和綱領を決定し、その前後日本の講和と再軍備について意見はさまざまにたたかわされます。ストックホルム・アピール署名に県民二三万四六三八人が署名しました。愛知では一九五二年「大須事件」が起き多数が検挙され、「騒擾罪」で有罪にされてしまいました。

一九五一年九月八日、日本がもっとも迷惑をかけた中国を無視、ソ連等は反対、沖縄等はアメリカに占領されたままの対日講和条約がサンフランシスコで調印され、同時に結ばれた日米安全保障条約（旧安保条約）は米軍基地優先のままでした。翌年四月、講和条約は発効します。

一九五三年度愛労評大会は、婦人の組織強化・育成も課題とし、翌年七月「愛労評婦人協議会」（石田玉枝議長）を結成しました。愛知労働会館で開催された結成大会では「広く婦人の統一と、民主化えの斗（たたか）いを強力に進めることを誓い宣言する」、その内容として「同一労働　同一賃金／再軍備反対　平和憲法を守りませう／結婚資金の完全給付／生理休暇　産休を有給に／差別待遇　不当人事絶対反対」と述べています（「愛労評婦人協議会　結成大会議案書」）。

一九六〇年前後の警職法反対闘争や安保闘争の中で女性は活動的になり、中央で総評主婦の会が結成され、一九六一年三月には愛労評主婦の会（初代会長飯田絹緒）が「労働運動を理解し、その運動が主婦の台所と直結することを明らかにし、組合運動と密接な協力関係のもとに運動を展開する」を目的として結成されます。生活学校を開き、学習結果を市に要請し、女性の共同行動に参加しました。

この間、高度成長で東海製鉄をはじめとして工場が増加、都市・工業地域へ人口が集中し、県人口は増えますが県内農山村地域は過疎化し、所得は増えて、食・住生活は欧米風になり、一九五四年ＮＨＫテレビ本放送が開始され、名古屋市では一九五七年以降地下鉄が伸び、地下街も延びます。「現代的」なマイホーム生活が人並みの水準になり、現状肯定の意識が広がりました。

第四章　典拠・参考文献

『愛知県史』通史編9　資料編33　資料編36
愛知県地婦連二〇年史編集委員会編『愛知県地婦連二〇年史』愛知県地域婦人団体連絡協議会、一九七八年
愛知県地方労働組合評議会編・刊『愛労評結成30周年記念　30年のあゆみ』一九八〇年
愛知県農協婦人組織協議会編・刊『愛知県農協婦人部三十年のあゆみ』一九八二年
愛知土曜会編・刊『愛知土曜会の歩み―35年を顧みて』一九八八年
愛労評主婦の会県協議会編・刊『愛労評主婦の会20年譜』一九八一年
市川房枝記念会出版部編・刊『女性参政50周年記念　女性参政関係資料集』一九九七年、同『女性参政60周年記念　女性参政関係資料集』二〇〇六年
「いつまでも若く美しくしなやかに」の会編・刊『いのち輝かせて』二〇〇〇年
伊藤康子「戦後地域婦人会の育成過程」同『草の根の女性解放運動史』吉川弘文館、二〇〇五年
伊藤康子「地域の婦人参政権確立活動―内田あぐりを中心に」『草の根の婦人参政権運動史』吉川弘文館、二〇〇八年
伊藤康子「一九四七年地方議会選挙と愛知女性の動向」『愛知県史研究』一三号、二〇〇九年
沖野皓一・浅生幸子編『女たちの昭和』桂書房、一九九一年
大村和子「軍国少女の敗戦日記」半田市編さん委員会編『半田の戦争記録』半田市、一九九五年
荻村美代子「すみぬりの教科書」、大矢晶子「貧乏物語」いずみの会編『主婦の戦争体験記』風媒社、一九六五年
岸守江「貧しい農村から口減らしで」、三尾亀野「『女工哀史』を断ち切るまで」あいち「青春の日々」刊

行委員会編『「女工哀史」をぬりかえた織姫たち』光陽出版社、一九九九年
国立女性教育会館編『男女共同参画統計データブック　二〇〇六』ぎょうせい、二〇〇六年
佐藤明夫「初の女性市会議員　小栗きよの生涯」『占領期　知多社会運動史』一粒書房、二〇一一年
塩澤君夫・斎藤勇・近藤哲生『愛知県の百年』山川出版社、一九九三年
実行委員会編・刊『はたらく婦人の大合唱　第二回はたらく婦人の愛知県集会報告集』一九七〇年
戦後名古屋市婦人教育史研究会編・刊『戦後名古屋の婦人教育―回顧と展望』一九九四年
谷潤子（語り手）「学徒動員の記録」前掲『女たちの昭和』
名古屋クラブ婦人団体連絡協議会編・刊『ながれ　三十年のひびき』一九八二年
名古屋市地域婦人団体連絡協議会編・刊『道ひとすじに　25周年をふり返って』一九七二年
南部弘『越原春子伝　もえのぼる』学校法人越原学園・同名古屋女子大学、一九九五年
日本婦人有権者同盟名古屋支部編・刊『創立四〇周年記念　文集とあゆみ』一九八七年
深見正子『白い自転車』私家版、一九八七年
藤野道子・伊藤康子「聞き書き　服部勝尾さん　世界母親大会に参加して」愛知女性史研究会編・刊『母親運動を育てた人びと』愛知女性のあゆみ第二集、一九八九年
文月の会編・刊『新制名古屋大学第一期女子学生の記録』二〇〇三年
「婦人部二十年史」編集委員会編『婦人の未来を切り開くために　愛高教婦人部二十年史』愛知県高等学校教職員組合婦人部、一九八六年
「変転の六年」編集委員会編『変転の六年』あゆち会、一九七五年
森扶佐子「素朴な願いをたたかいに―聞き書き鈴木琴世」『歴史の理論と教育』一〇〇・一〇一合併号、

一九九八年
山本信枝『道—ある反骨の女の一生』ドメス出版、一九八八年
横地さだゑ『女だからこそ』私家版、一九九五年
吉村久子「私の青春」大東紡名古屋工場「紬の会」編・刊『つむぎ』二〇〇八年

第五章　母の本音、女性の本音で愛知を変える

1. 手をつなぐ母、主婦、労働者、女子学生

平和を求めて子どもを守る

朝鮮戦争によって米軍基地周辺の飲食街がにぎわい、子どもの遊びに戦争おもちゃが流行し、地域で子どもを守る活動が取り組まれました。この中から一九五二（昭和二七）年五月、「日本子どもを守る会」が結成されます。その年三月、愛知県教員組合（愛教組）大会は、「教え子を再び戦争に出さない」方針を示していました。一九五三年六月、コペンハーゲンで開かれた世界婦人大会の報告会を名古屋でも開催しようとの声があり、愛教組と市労連が中心になり、結

成大会の運動の進め方に「婦人戦線統一」を掲げていた愛労評婦人協議会や婦人団体にも働きかけます。日本看護協会県支部、東邦保育園母の会、愛知婦民等も協力して、一九五四年三月、羽仁説子、千葉千代世を迎え、「愛知婦人大会」が開催されます。「すべての婦人は手をつなぎましょう」のスローガンと万国旗のもと、七〇〇人が参加しました。この過程で名古屋子どもを守る会準備会がつくられ、愛知婦人大会の翌日、羽仁説子日本子どもを守る会副会長を迎えてスタートします。

会長は小林節子、副会長は名古屋へ来てまだ間のない竹内八重子、会員の主力は愛知婦民、事務局は愛教組、会計・庶務は石田玉枝愛教組婦人部長と愛知婦民の山本信枝でした。「日本国憲法の精神に基づいて、子どもの幸福をたかめ、国民の間に子どもを守る運動を広めること」を目的とした「名古屋子どもを守る会」は、小学校の教室増設、県営住宅の窓から子どもが落ちたので手すりを付けてほしいなどの活動で成果をあげます。名古屋テレビ塔が竣工したころのことです。

その事務局会議で、飯田絹緒が中国在留日本人の帰国を支援した中国紅十字会李徳全会長を名古屋でも歓迎しようと提案し、ク婦協が中心になって実現しました。一九五四年一一月の名古屋駅周辺に日中友好・平和友好の李徳全歓迎の一万三〇〇〇人が集まり、コーヒーとサンドイッチの午さん会（八〇人参加）で、李徳全女史の話を聞きます。その直前に長谷部ひろ、日教組婦人部の山下正子が訪中し、その報告会もあり、黄変米反対（黄色いカビが付いた米の配給辞退・反対運動）の懇談会もあり、平和と生活を守る人々は手をつないで活動しました。

人権を女性の現実生活に

一九五三年一二月には「全日本女子学生連合会」、「全国日雇婦人協議会」が結成され、一九五五年一月には「愛知女子学生の会」が発足します。一九五四年六月には近江絹糸で御用組合に対抗して自主的な労働組合が結成され、労組の承認のほか居住・外出・教育・信仰・結婚・通信など人権の自由を要求、拒否されて無期限ストでたたかいます。世論は「人権スト」の味方になり、一〇六日間のストは勝利し、人権ストに共感して中小企業や証券会社、地方銀行に労働組合が広がりました。一九五五年には社会党統一大会が開催され、保守合同で自由民主党が結成されます。長い間女性は「売春禁止法」を要求していましたが、一九五六年、鹿児島県松元荘事件（未成年の生徒を性の相手に提供した汚職事件）が発覚して二年後、ようやく「売春防止法」が公布され、日ソ国交回復の共同宣言が出され、国連総会は日本の加盟を可決し、明るい未来が見通せるようでした。差別されていた女性、労働者らが人間としての権利を求め、階級・階層を超えても手をつなぎ、女性にとって暮らしやすい愛知・日本に向かって進もうとしていました。

いずみの会・中日くらし友の会・波紋の会

『朝日新聞』の「ひととき」欄は当初女性文化人が寄稿する場でしたが、読者の投稿欄に変わり、投書する女性たちが交流するうちに新しい井戸端会議がほしいと一九五五年六月東京で「草の実会」が誕生、東海にも一〇月「いずみの会」が生まれます（初代代表塩田律子）。「書くこと、読むことによって結ばれてゆくわたくしたちの集いは、そのひとりひとりが、「いずみ」のようにいつも清らかで、つきることをしらない愛情と努力とえい智をかたむけて、一つの大きな流れの源となりたい」という願いを掲げ、年六回会誌を出し、運営は自主的、持ち回りを原則とし、やがて地域グループや新聞を読む会・ＰＴＡ研究会・老人問題研究会・幼児問題研究会等を設けます。主婦の生活の中で学びたいことを見極め、本を読み、話を聞き、仲間と討論して方向を探り当てていく会が育ちました。

一九五七年五月には『中日新聞』読者を基礎に、「中日くらし友の会」も誕生します。『毎日新聞』家庭欄「女性の広場」に井上やよいが出したビキニ被災者久保山愛吉の死を悼む手紙が発端になって、「波紋の会」も誕生しました。普通の主婦がＰＴＡの会合等で発言しないほうがよいといわれた愛知でも、女性が社会に向かって発言する時代になったのです。一九五〇年代中頃は、家庭電化時代の幕が開かれ、生活はモダンになり、便利になりましたが、お金がかかるようにもなりました。そういう中で主婦層でも近代的な人間関係が広がります。

2. 原水爆実験反対から母親運動へ

原水爆の被災はもういやです

一九五四（昭和二九）年三月、ビキニ環礁でアメリカは初の水爆実験を行い、太平洋でマグロ漁をしていた第五福竜丸他多数の漁船が被災しました。長崎を最後の核被災にと願っていた日本国民は、自然発生的に原水爆実験反対署名運動を起こします。広島・長崎の原爆被災県内生存者は一〇六〇人いると新聞が伝え、原水爆禁止署名運動が取り組まれます。

一七歳の時広島で被爆した亀沢深雪は県図書館司書として勤務していた時、同僚たちに励まされ、フィクション『傷む八月』、半自叙伝『広島巡礼』を書き、反核運動に参加、戦争責任を追及しなければ平和につながらないと、戦争体験語り部活動にも積極的でした。長崎で被災した山下秀子は、一九七二年県原爆被害者の会に参加、当時会員は約三七〇〇人いました。

一九八五年八月、被爆四〇周年を記念して「愛知県原水爆被災者の会婦人部」は『原爆、忘れまじ―ヒロシマ・ナガサキ被爆体験手記集』に一七人の女性被爆者の記録を収め出版しました。亀沢深雪は一五歳の妹たちが「平和という言葉すら知らずに死んでいった」、世の中は今大きく右に旋回しているが、彼女たちが本当に安らかに眠れるのはこの世のゆるぎない平和の中だと訴えています。翌年出された『原爆、忘れまじ』第二集に「自分のことを隠しがちだった人たちが核のない世界を痛切に願って発言するようになった」と亀沢は書いています（朝日一九八六年八月二三日）。手記集は毎年出され、日本語だけでは世界の人に伝わらないと英語版も出しましたが、思い出すのが嫌な人もいて手記が集まらず、一九九一（平成三）年第七集で終わります。女性被爆者は核兵器廃絶を願い、被爆者を放置し続ける政府を批判し続けました。様々な活動の上に、一九八八年「非核の政府を求める愛知の会」が結成されます。

こういう全国の思いや活動を集め、一九五五年には広島で第一回「原水爆禁止世界大会」が開催され、九月には「原水爆禁止日本協議会」（原水協）が結成され、一九五七年には「原水爆禁止愛知県協議会」も誕生しました。

愛知母親大会へのあゆみ

日本から「原水爆禁止のための訴え」が「国際民主婦人連盟」へ送られ、「世界母親大会」開催が決められ、日本でも母親大会準備会が発足しました。一九五五年春、平塚らいてう、羽仁設子、高田なほ子、高良とみ、鶴見和子連名の呼びかけが、「日本婦人団体連合会」（婦団連）から愛知にも届きます。「原子兵器の製造とか水爆の実験とか、また戦争になるのでは

母親がぎゅう詰めの第1回愛知母親大会

ないかとの不安が私たちをおそいます。…母と子どもが安心して住める世の中をつくるために、お母さんの力を結集しましょう。日本母親大会に集まりましょう。」

日本母親大会開催の前に愛知で母親大会を開きたいと、愛知婦民の星野節子、山本信枝は竹内八重子に相談し、愛教組、名教組、地域婦人会、生活協同組合（生協）、服部勝尾が会長だったク婦協の各団体、矯風会等を訪ね、会議を重ね、一九五五年六月四日、旧名古屋市教育会館三階講堂で開催された「愛知母親大会」に約三五〇人が参加しました。東京の豊島公会堂で開催された日本母親大会の二日前です。日本大会前に開催された母親大会は、愛知のほか静岡、京都、岩手でした。

小林橘川名古屋市長、成瀬幡治社会党参議院議員、愛労評の祝電、市教育委員会、愛知平和委員会、日本国民救援会愛知県本部、大須事件被告団、日本共産党愛知県委員会からメッセージが届きました。橋村ひさ愛教組婦人部長と鈴木文子（挙母市、現豊田市主婦）が議長となり、本音で現実の問題点やつらさを訴えあったのち「一切の脅威から子どもを守るために、人類の名において〈すべての子どもに幸福をもたらす〉ために母親の力を結集する」と決議します。新聞は大きく報道しました。

日本母親大会に二人の代表を出すと決め、専業主婦代表に竹内八重子、働く女性の代表は愛教組からということになった時、日雇い労働者のお母さんが「自分たちはお金もないし、着ていくものもない、その代わり〈世界中のお母さん手をつなぎましょう〉の手ぬぐいをかぶって働くことで、日本母親大会に参加することにしたい」と発言しました。それを聞いた橋村愛教組婦人部長は、「私は愛教組からお金を出してもらうから、私の分の旅費を日雇い労働者のお母さんに回して、出席してもらってください」とお金を辞退します。

暖かい支えあいがあって、愛知から八人が最初の日本大会に参加し、世界母親大会の日本代表に服部勝尾県会議員が選ばれ、スイスに旅立ちました。服部には地元から一〇円、五円の寄付で合計三五万円が寄せられ、愛知として総額五八万円のカンパが集められました。帰国した服部は、東海三県下で七二回の報告会を開き、翌年三月「愛知母親連絡会」が、「すべての母親と婦人が力をあわせて、思想、政治宗教などの立場に偏せず、子どもの幸福と婦人の権利を守る」ことを目的として発足します。

母親運動の活動家たち

市西区で服部勝尾を県会に送り込む運動に参加したのがきっかけで、石川セツは第一回愛知母親大会に参加、自分の夫は関東軍（在満州の日本軍）にいて結核になり生きて帰国しましたが、中国国民にとっては加害者だったと考え、学童疎開した子どもがやせ細って逃げ出してきた経験もあって、戦争が憎いからがんばりとおそう、平和のために運動を続けようと県母親連絡会の副会長となって晩年まで活動します。

一九五〇年名古屋へ転居した竹内八重子は、三人の子が小学校へ入ると、まだ三部授業がある状態、子どものためにいいたいことがいっぱいあっても、PTAの役員は男性で、母親は何もいえず賛成するだけの状況でした。竹内は東京から来た「よそもん」なので、そんな会はおかしいと発言し、いざこざはありましたが、竹内の正論は次第にわかってもらえるようになります。名古屋子どもを守る会の副会長になり、子どもを守る会としては愛教組婦人部が動き、他の労働組合にも働きかけて愛知母親大会が開催されたのです。会場いっぱいに集まった人の熱気はマスコミの人も感動させ、知らないお母さん同士なのに、みんな同じような経験をもっている仲間なのだから、手を取り合ってきりぬけようねという信頼感があふれていました。竹内は何でもかんでも包んできた、支えながら一緒にいこうというのが母親運動だと語っています。

戦時中思想犯として監視されていた杉本瑞枝（旧姓氏家）は、戦後洋裁の仕事で生活していましたが、丸木位里・俊子夫妻の「原爆の図」展を観に行き、戦争を再び起こさないためにどうしたらよいか考え、世界中の母親が手をつなぐことが大切と感じていたので、愛知母親大会開催のため努力し、参加しました。戦後の解放感から女性もグループをつくって勉強したり行動したりしていたので、愛知婦民の人がこまめに訪問し、結び合わせ、輪をひろげていったということです。服部を世界母親大会へ送り出すために、カンパを集め、手ぬぐいや扇子を売りました。当時の母親は、いいたいことは山ほどあるけれどどういってよいかわからず、皆の発言を聞いて、自分を縛っているものを自ら取り除いていく歩みが母親運動だったと杉本はいっています。

引揚者の大原モモエは、二人の子を働きながら育てるために、日雇い労働者になり組合活動に参加、母親運動にも協力しました。支えあっていかないと生きていけない仲間なので、すべての働く人に健康保険を、子どもの保育所をつくれという要求は、一言いえばわかってもらえるのです。女性はみんな信頼できる人ばかり、男性には「女のくせに生意気だ」といって妨害する人もいましたが、女の人が応援して支えてくれたと、女性のすばらしさを信じていました。母親は、まず子どものために、そして自分自身として、意見・信念をもとうと活動家になっていきました。

貧しくても本音を出して

女性が本音を出し、いたわりあい、自分のことはさておき子どもは幸せになってほしい、お金はなくてもたくさんいるみんなの力で何とかしようという発言や活動は、社会に注目され、その後も、子どものいない若い人からも協力がありました。

田中初代は、一九三三年名古屋へ来て、家族で豆腐屋をしていましたが、空襲で全焼、一時疎開し、一九四七年から石版印刷屋になります。一九五五年ごろ税務調査が縁で民主商工会(民商、のち全国商工団体連合会・全商連)の会員になり、その会議でいろいろ学習します。一九五九年伊勢湾台風の被災者の家には毎日通って泥まみれの家具・衣服を洗う手伝いをし、民商の強い助け合い精神を身につけます。田中は一九六一年第七回日本母親大会の「商店や中小工場の問題」の分科会に出席、人手不足や自家労賃について発言、翌日の民商活動者会議でも国税通則法と政治的暴力行為防止法について発言、司会者から褒められ、いっそう勉強する気になり、愛知に帰って何度も報告会をします。民商から母親大会への参加者が増え、各支部で婦人部づくり運動につながり、一九六九年愛知民商婦人部(一九七二年県商工団体連合会婦人部と改称)は結成されました。民商のおかげで豊かな人生になったと田中は言います。田中たちは国際児童年に小・中学生の「業者の子どもの実態調査」を実施し、父母はよく働くし、偉いと思うけれど、商売は継ぎたくない、それは「働きすぎのわりにもうからないから」などといわれてしまいます。泣いたり笑ったりしながら、仲間に支えられてがんばっていく業者婦人は、母親運動と同じでした。

保母だった稲木長子は、女性が働き続けるための仕事だからと母親運動に参加し、保育係を担当するだけでなく、カンパ集め、大会会場の飾りつけなどもしました。民商に勤めていた井並三千枝は職場で母親運動のことを知り、第一回愛知母親大会では、学校寄付金が多くて困ると発言しました。のち夫と自動車部品の修理工場を始め、民商婦人部創設や京都での第八回日本母親大会に参加、一九六二年「新日本婦人の会」（新婦人）ができた時にも参加しました。秦恵美子は中部社会事業短大（現日本福祉大学）を卒業、母校のケースワーカーとなり、第一回愛知母親大会に準備会から参加します。逆境にある女性が発言できる場と実感、以後も昭和区や天白区の母親大会運営にかかわりました。一緒に活動してきた仲間と「ミロの会」（魅力ある老後を考える婦人の会）をつくって勉強したり、楽しんだりしました。忙しいけれど肩ひじ張らない地域の仲間だから母親運動は続き、戦争はもう起こさせないの意思を根付かせているといいます。

こうして一年一回、県内から集まり、それまで人前で不満を訴える習慣のなかった母親たちが、不安・不満を愚痴ではなく意見として語る場ができました。第五回大会からは分科会・記念講演が始まり、一九六二年には『愛知母親通信』が出されます。一九六〇年代は子どもを小児マヒから守る運動、高校進学希望者全員入学運動等があって、情報を受け、交流し、発信する中心になりました。一九六三年には名古屋市中区、港区、豊橋市、津島市で地域大会が開催され、その翌年には地域大会が続々誕生します。一九六八年には母親行進（デモ）で意見を市民につたえるように工夫し、行政等に「母親交渉」という名で陳情をするようにもなりました。さらに革新市長・革新県知事実現にも努力します。一九七九年には県内三六か所に地域連絡会があり、三〇の地域大会がもたれるほど、母親大会は盛んでした。

三河に広がる母親運動

一九六三年から開催された東三河母親大会（当初豊橋地区母親大会）は、一九八七年二五周年を迎え、記念誌『へいわとともに』を出版しました。その冒頭で、東三河母親連絡会会長磯部しづ子（一九七〇年から愛知母親連絡会委員長）は、母親大会を「生命を生み、育て、守る、という崇高な使命のために欠かすことのできない『平和』と『愛』、これを母親の基本理念として、そのためたたかってきた二十五年間の女の歴史」と位置付けています。その座談会で母親運動は脱脂粉乳を生乳に変えさせ、子どもの小児マヒに対して生ワクチンを飲ませ、パンにリジンを添加させない成果をあげたと、運動で獲得した事実を示しています。

当初愛労評系の婦人部も子どもを守る会を軸に母親運動を進め、とくに教師の果たした役割は大きいものがありましたが、一九五四年「母と女教師の会」活動が始まって重点を移しました。原水爆禁止運動での社共の考え方の違いが、思想・信条の違う女性が共に行動した婦人運動にも影響を及ぼしていました。

のちの二〇〇六年、愛知母親大会連絡会は地域集会のひろがりなど全体像が分かるように五〇年史を世に出しています。

日本母親大会を愛知で開催

一九八九（平成元）年には第三五回日本母親大会を愛知で開催、第一日は名古屋大学に約一万五千人が参加、教育、生活、平和、女性の社会参加など四二テーマ八八分科会に分かれて討論しました。「トヨタの町と企業」分科会はトヨタ高岡工場へ行き、六千人の労働者が昼夜交代で一日三二〇〇台の車を組み立てる現場を見学しました。仕事中トイレに行くときは「ストップひも」を引いて、交代してくれる人を呼び、休むゆとりなく働くのです。豊田市は人口三二万人、その八〇％がトヨタとその関連企業の労働者と家族といわれます。下請け業者は、部品を決められた時間ぴったりにトヨタに収めなければならない「カンバン方式」で緊張した仕事をしています。小牧・各務原・依佐美基地等を回る「基地も兵器産業もいらない」見学分科会では、軍需にすぐ対応できる愛知の客観的位置を理解する機会になりました。第三五回日本母親大会には全県八六市町村から来なかったのは二つの村だけ、実行委員会は五二団体から一二二団体に増え、三万人が参加しました。

二〇〇八年第五四回日本母親大会は再び愛知で開催されました。名古屋工業大学・市公会堂など鶴舞公園周辺とポートメッセ名古屋で多くの会場に分かれて議論し、①藤前干潟と貨物量・貿易額ともに日本一の名古屋港、②新美南吉と半田に残る戦争の傷跡、③小牧基地とクラスター爆弾があるという高蔵寺弾薬庫の実態を見る見学分科会に出かけました。前年の夏は岐阜県多治見市などで四〇度を超える最高気温を記録し、各地で熱中症の死者が出るなど、地球温暖化が進んだのが目に見えるようになっていました。いのちを育て守ろうとする母親運動の目標がいっそう切実になり、いっそう強め広げることが必要な日本です。

3．伊勢湾台風と女性

すさまじい暴風雨・洪水・高潮

一九五九（昭和三四）年六月二六日の一五号台風は、和歌山県潮岬から奈良を通り、岐阜県白川町から新潟県、日本海へ抜けましたが、伊勢湾岸に暴風雨・洪水・高潮が襲いかかり、堤防を決壊し、低地では水がひかず、大きな被害をもたらし、伊勢湾台風と呼ばれました。愛知県の死者三一六八人、行方不明九二人合計三二六〇人にもなりました。貯木場のラワン材が高潮で家など建築物になだれ込み破壊したため、市南区の死者・行方不明者は一四七一人、負傷者四万〇五二八人、人口の一割に及びました。台風も大きかったのですが、行政の災害対策はほとんどなく、住民は防災意識が低く、防災計画がないまま都市化し、干拓地が増え、避難命令は遅く、停電で電話も通じなかったための被害です。翌日から消防団・警察・自衛隊はもちろん、病院や行政の救護班・防疫班が総出で、学生・生徒も救助、給水、避難所設置、食糧運搬等に取り組みました。地元企業も救援資金を拠出、多額の義援金が寄せられ、県民総出の活動でした。

助かったいのち

当初半日以上何も食べられず暗闇の中にいた被災者もおり、配給されるのはカンパンとおにぎりだけ、水につかって体は冷え、水に囲まれ便所はないので疲労と不潔な環境が続き、赤痢がはやりました。水につかった家に夜泥棒が襲うので家を立ち去ることができず、父親は職場の復旧に行かねばならず、子どもを親戚・知人に預けてバラバラに暮らす不安の日々でも、死ななかっただけましといわれるような状況です。その日々に市内高校生は四〇日弱の間に延べ二万一九五八人が、東海地方の二三大学が加盟する「被災学生を守る会」は延べ三万一一四七人が救援活動をし、多くの市民の献身的な姿に人のつながりがもつ意味を感じた人が多かったといいます。

市南区の白水・柴田学区あたりは天井まで水につかって、天井を破って屋根の上に這いあがった人は、押し寄せた流木で家ごと流され、避難命令そのままに行動しようとした人が、天白川と大井川の両方の堤防が切れて渦巻く水に巻き込まれ、亡くなりました。水がひくのに一か月以上かかり、引いた後の天井までゴミが付き、床上一尺五寸もヘドロがたまっていました。市内の地域婦人会会員は、炊き出しに延べ三万七五七七人が参加しました。衣類はトラック五八台、オート三輪八二台、敷布団掛布団あわせて七九五六枚、毛布一八七〇枚、座布団一万三二五一枚が集められ、被災者に配られます。神戸市・京都市・横浜市の地域婦人会からも布団の山が届けられました。一段落した後の市婦協研究協議大会は「伊勢湾台風をかえりみて」のテーマで、水害など考えたこともなかった緊急事態の対応・活動を考えあいました。

台風後、いずみの会被災会員は死の一歩手前の嘆きを書き、救援会員は縦割り行政への不満、手抜き工事、遅れる復興工事に苛立ちながら新聞・会誌に書きに書いて世論に訴えます。早川良子は台風の中では「助けて」と叫びながら流されていく人をどうにもできず、台風後は筏で丸く膨れ上がった死体を身寄りではないかと探す人を見て、一〇日後にチラシの裏に「早く水が引いて野菜が食べたいな」と書き、朝日新聞の腕章をつけた人に渡したら「ひととき」に掲載されました。その二日後、水の中にいる会員たちに、いずみの会の対策本部から大皿いっぱいの野菜サラダが届いたといいます。「いずみの会ってすごいな」と夫がポツリといったそうです。書く仲間だから本音で書きたいことを書き、本当に欲しいものを届ける仲間意識が強い団体に、発足して四年間に育っていたのです。

波紋の会では『毎日新聞』の西宮市の読者が、一〇センチ毛糸編のモチーフ一五〇枚をつないだ毛布一〇〇枚を被災地に届けました。これなら誰でもできると新聞を通じて呼びかけ、毛糸や編んだモチーフも届き、仮設住宅の被災者に配りました。瑞浪の会員の呼びかけで、自分の畑の半坪分の野菜を集め、善意のトラックで届ける運動もありました。女性らしい工夫と活動が展開されました。戦後生まれの婦人団体は、それぞれの能力をたかめ、活動して、仲間のきずなを強めたのです。

ヤジエセツルメントは未来を育てる

小中高校や企業の避難所には、主として学生が担当する保育所が開設されました。泥水滞留が長かった市南区弥次衛町の応急仮設住宅は便所・炊事場共用の三〇二戸で、入居者の半分は在日朝鮮人でした。住宅内で三歳の子に焚火の火が移って焼け死ぬ事件が起き、保育所開設要求が強まります。学生たちは一九五九年一二月、元養鶏場の二〇坪の空事務所にヤジエセツルメントを設けました。学生は授業が始まると学校へ行かなければならず、一貫した保育体制ができなかったので、子どもはおやつのときだけ集まり、気ままに遊び暴力をふるう場になってしまいます。集められたおもちゃや絵本は投げられ、壊れます。突然子どもが大人に体当たりし、ポケットに手を突っ込み「何かチョー（チョーダイ）」といい、被災地の子どもだから何かもらうのが当然という風な荒れ方もします。保育には日本福祉大、名古屋大、市立保育短大、県立女子大などの学生ボランティア、いずみの会やYWCAの会員が当たり、全国からのカンパや教材は集まりました。しかし学生は試験期間があり、保育ができないので保育者を探します。名古屋には見つからず、東京保母の会、東京保育問題研究会（保問研）に頼みました。そんなに困っているのならと、東京保問研から経験豊かな及川嘉美子（のち原田）、さらに難波ふじ江（のち河本）が来て、子ども自身の考えと行動を引き出す保育を工夫し、親や地域の人を巻き込み、市の補助も得るよう働きかけます。二年八か月続いたヤジエセツルメント保育所は、トイレも水道も離れた場所にある条件の悪い保育所でしたが、子どもにも親にも頼りにされる教育を創造したので、開設時三〇人だった園児は、市立宝保育園に全員入園した時には、六〇人になっていました。しかし親や支援者が民生局長に要請しても、市は保母が市の基準以上の年齢だからという理由で就職を拒否します。

保育問題研究者の土方康夫は、一九六〇年前後の名古屋の保育所づくり運動は遅れていたので、弱者に社会的援助の手をさしのべるべき市行政も市民も何が保育にもっとも大切かの問題を理解できなかったのではないかといっています。被災は市行政と市民の隠れた問題点を洗い出したのでした。原田嘉美子は保母退職後、「生活をいける」をモットーにした華道「華原の会」を創設、初代家元として国内外の文化交流に尽力しました。

一九六〇年には県災害復興計画が決定され、県災害救助隊活用計画・県水防計画も策定されました。県民の記憶に伊勢湾台風を残すため、市南区宝学区では、犠牲者の靴が多数残っていた「くつ塚」と呼ばれた場所に、三〇七人の名前が刻まれた慰霊之碑、南区市立白水小学校には浸水の水位と同じ台座に子どもを守ろうと必死で逃げる母親の像が立ち、市千種区平和公園には伊勢湾台風殉難者慰霊之碑など、市民自身が心に刻む防災のための碑が建てられました。

4．警察官職務執行法・安保条約改定反対運動へ女性の訴え

警察国家復活を阻止した世論

一九五八（昭和三三）年一〇月、突然国会へ警察官職務執行法（警職法）一部改正案が提出されました。ひとことでいえば、警官が怪しいと思えば令状なしで身体検査や留置ができるように警官の権限を強める法律、なぜ急に警察力を強めようとするのかは、岸首相の戦前復帰構想、

憲法九条の戦争放棄をやめて海外派兵や徴兵制復活を可能にしたかったからではないかと考えられています。すぐに社会党・総評中心に「警職法反対国民会議」が結成され、社会党婦人部が提唱して「人権を守る婦人協議会」が組織されました。最大の婦人団体である全国地域婦人団体連絡協議会、一番古い歴史を持つ矯風会、有権者同盟が一緒に反対声明を出し、『週刊明星』は「デートをじゃまする警職法」の記事で若者の関心を呼び起こしました。

一九五八年一〇月愛労評を中心に、母親連絡会なども参加し、「警職法改悪反対愛知県共闘会議」が結成されました。中央では共闘組織に参加できなかった平和委員会や県学生連合会も加わり、共産党のオブザーバー参加も認め、大きな相手に最大の協力体制で立ち向かおうとしました。一九五八年度ク婦協会長は愛知子どもを守る会の竹内八重子、政党に無関係の婦人団体独自の立場で反対しようと話し合い、「警職法改訂に反対する婦人団体の会」として、「人権を阻害する警職法改訂に反対」のビラをつくり、栄で配ります。ビラは次のように訴えました。

「…戦前婦選獲得運動や治警法改正運動、廃娼運動等の婦人運動にさえも言論集会は抑圧され、解散を命ぜられた過去の歴史をかえりみる時、警職法改定で、再びかつての警察国家が復活し、やがては婦人の地位が戦前の状態に引き戻されることを恐れる。

そのような抑圧的権威国家の中で、児童の健康なる成長は著しく阻まれることを私たち婦人はもっとも恐れる。

私達が次代に残す唯一の遺産として希求して止まないものは「日本の平和と民主主義を守る」ことである。

ゆたかな文化を創造し、ゆたかな文化を享受するために、これを侵害する危険をもつ同法案に私達は力を結集して反対する決意をここに声明する。」

ここに参加したのは、ＹＷＣＡ、愛知子どもを守る会、矯風会名古屋支部、有権者同盟支部、愛知くらしの会、愛知日中婦人交流会、新樹の会、大学婦人協会愛知支部、朝日女性サークル、愛知婦民、当時ク婦協加盟一七団体中の一〇団体でした。世論の高まりの前に、一一月、警職法改定案は審議未了、廃案となりました。それまで政党や労組中心だった政治運動に無党派の市民も参加して廃案にできた意味は貴重です。女性は社会を見る目、歴史から検討する知性、子どもの未来まで考えて行動する力を育ててきたのでした。

安保条約改定反対に進む

この間、いずみの会は政治的運動について、原水爆反対運動団体からの参加の呼びかけに個人として参加してのち、相談会にかけ、会員にアンケートをして賛否を確認、原水爆反対の行動に限定して協力すると決めるなど、慎重な姿勢をとっていました。警職法改定については、書くこと、読むこと、話し合うことを制約する動きに怒りの寄稿をした人がいて、討論の末有志としてデモ行進に参加し、経験を書いて会員で共有していきます。伊勢湾台風を経て、日米安全保障（安保）条約を学習し、討論もします。「皆で考え合うにつけ新安保条約を強行しようとする政府の態度に非常に納得ゆかないものを感じます」、だから有志の名で、「条約反対、政府に反省を」と決議しました。

このように慎重に一歩ずつ政治への関心と行動を強めていった女性市民は、愛労評や学者・研究者と集会・デモに参加、商工業者も参加しましたが、農民の参加はほとんどありませんでした。一九六〇年五月、衆議院本会議で日米軍事同盟強化の安保条約批准強行採決に対し、民主主義の危機として、岸内閣打倒の抗議行動が繰り返されました。それでも新安保条約は六月自然承認・発効に至ります。この間労働争議は活発化し、ベトナム反戦など平和運動も展開されました。

「なごや松川守る会」の人びと

一九四九年国鉄の人員整理が進行する中、東北本線松川駅近くで起きた「松川事件」をめぐって、逮捕・裁判、一審二審の有罪判決後一九五八年「松川事件対策協議会」（松対協）、間もなく「愛知県松対協」が結成されました。翌年松川事件はおかしい、真実を知りたい、被告は否定しているのに死刑になるのはかわいそう、その他ちょっとでも関心がある人の「なごや松川守る会」も結成されます。署名を取るまではできないけれど、被告を慰める折鶴は折れる、階級闘争には近づけないけれどヒューマニズムの心をもつ労働者として手紙なら出せる、そういう優しい手を重ね合わせる会です。その優しさといざという時の積極性をもって長く会を支えた女性たち、梶浦南美枝、佐藤貴美子、伊奈成子らは、副会長や運営委員、総括冊子の編集委員も務めました。男女が協力する団体でも、女性は手足だけでなく心棒の役割を果たすようになっていたのです。

女性のための永続的組織がほしい

女性の活動が社会で注目されるようになり、政党も女性を全国的に組織しようとしました。一九六〇年一月新安保条約調印全権団激励のつどいが「全日本婦人連盟」準備会によって開催され、一一月自民党・教育父母会議・教育委員・民生委員などが中心になって正式に発足しました（初代代表中河幹子）。民社党は一九六〇年一月社会党から分かれて発足しましたが、四月第一回「全国婦人のつどい」を開催、一九六一年四月「日本婦人教室の会」（のち日本民主婦人の会、初代会長赤松常子）を結成します。一九六二年四月社会党の提唱により「日本婦人会議」

が設立されました（議長団松岡洋子・田中寿美子・高田なほ子ら）。愛知県でもこれらの支部組織はつくられたようですが活動の姿はよくわかりません。

一九六二年一月、新しい婦人組織の呼びかけが平塚らいてうらからあり、一〇月に「新日本婦人の会」（新婦人）が結成されます。愛知では小岩井多嘉子・杉浦松代・高橋なつ・山本信枝・浅野秋江・青山三枝・中山恵子が世話人となり、「子供の明るい未来をねがうおかあさん／ゆたかなくらしをのぞむ私たち／平和な世の中をつくるために／今こそ／私たちの力を一つにしましょう」と広く呼びかけ、愛知県本部は一一月に組織されました。当初の事務局の中心は小岩井多嘉子、高橋なつ、人から人へ働きかけて支部をつくっていきました。

小岩井多嘉子（旧姓山岸）は新潟県出身、一九三七年『婦人公論』特派記者として北支戦線に行く愛国主義者でしたが、東洋平和の理想は教育による貧困の克服が大切と考え、中国女性が働く場を得る手助けもします。戦後小岩井浄と結婚、豊橋市に住み、平和を熱望する豊橋市民の会を設立、豊橋連合婦人会会長、愛知県平和委員会副会長等を歴任、平和運動を推進しました。小岩井は初対面の人にも「コンチワ」「ワハハハ」と明るく話し、私利私欲がなく、頼りがいのある人でした。アメリカの水爆実験に対してライシャワー大使に抗議に行き、小児マヒ問題では県庁に要求に行き、はっきり自分の主張を語るので信頼されていました。多忙の中で急逝し、長久手町（現長久手市）出身の青山三枝が後を継ぎます。青山は戦後教員になり、一九五八年愛教組婦人部長となり、勤務評定闘争、母親運動に参加、一九六七年退職して新婦人の事務局長になり、保育所づくり、ベトナム反戦、交通事故から子どもを守る運動に取り組みます。若いお母さんがやりたいこと、コーラス、パン作り、料理、絵手紙、ヨガその他何でも自主的に集まって行動する「小組」を推進して、みんなの幸せのために集まり楽しみ学び行動する新婦人を育てました。

新日本婦人の会愛知県本部の二〇一八（平成三〇）年までの活動や想いの歴史は、会員の写真・絵手紙・声を満載、年表を中心にしたユニークな群像史『半世紀をこえて歩みつづける女性群像―日本国憲法と人権・未来へ―1937〜1961　1962〜2018』に残されています。

5．高度経済成長政策の明暗

資本主義国中国民総生産第二位になった日本

一九六〇（昭和三五）年、岸内閣の後を継いだ池田内閣は、一九六一年から一〇年間で所得を倍増させると夢のような政策をうたい、国民の心を吸い寄せました。製造業やエネルギーの中心だった天然繊維や石炭産業は、合成繊維や石油に転換され、重化学工業を発展させて国際競争力の強い日本経済がめざされます。こうして一九六八年の日本の国民総生産（GNP）は西ドイツを抜いて資本主義国中第二位になり、政府の計画で一九五六〜五八年に一〇兆円足らずのGNPを一九七〇年に二六兆円にのばすはずだったのを、一九六三年に達成してしまい、一九六五年には三三兆円になる急成長でした。その結果、物価も上昇しましたが、三〇人以上企業平均、年収を一二で割った賃金額は、一九六〇年二万四三七五円から一九六七年四万八七一四円で二倍に、一九七〇年には七万四四三六円で三倍になりました。

県内でも工場用地や交通通信網が整備され、一九六四年東海道新幹線が開通、開業時の名古屋―東京間は約二時間半、名古屋―新大阪間は約一時間半で結ばれ、名古屋は首都圏や関西圏と日帰りできる交通環境になります。一九六五年名神高速道路、一九六九年東名高速道路が全線開通し、県内道路も大きく整備されましたが、騒音公害、大気汚染問題が起きるようになりました。

交通事故急増、猿投事故

一九六六年一二月、西加茂郡猿投町（現豊田市）の国道一五三号線で、大量の砂利を積んだダンプカーの運転手が居眠り運転をして一時停車中の車に衝突、二台いっしょに越戸保育園児の集団登園の列に突っ込み、園児一〇人と保母一人の命を奪い、重軽傷者二二人を出しました。

猿投町はトヨタ自動車の工場拡張のため豊田市に合併すると議会で決めていました。工場拡張のため、資材を運ぶトラックがスピードを上げ、保育園前の交通量が多くなっているため、子どもの送迎には保母と親がついて集団登園していた時の惨事です。翌年には市緑区鳴海町で保育園児の列にトラックが突っ込み、六人が重軽傷の被害にあいました。一九六七年、市婦協は、新入学児童を交通事故から守る運動を始めます。一九六八年、六九年県の交通事故死者は全国最多となり、とくに歩行中の幼児と高齢者に死者が多く出ました。市では一九六三年一一月に婦人交通指導員四〇人を委嘱しており、県も対策を講じ、国も一九七〇年交通安全対策基本法を制定し、県の交通事故による死傷者は一九七〇年代に減少に向かいます。

都市的文化生活の拡大

高度経済成長の結果、工業生産物は家庭の中にもあふれるようになります。県民が保有する耐久消費財は、電気・ガス冷蔵庫一九六六年七二・一%から一九七五年九八・一%へ、電気洗濯機同八五・三%から九八・九%へ、乗用車一九六八年一六・二%から五六・四%へ、カラーテレビ同五・六%から九二・〇%へ保有率が増加しました（第四回愛知県累年統計表）。家事は便利になり、力仕事が少なく楽になりましたが、家計費は膨らみます。

一九六〇年代以降民間・ＮＨＫのラジオ・テレビ放送局が次々に開局しました。

またそれまで家庭消費生活を支え、地域の交流の場でもあった小売店に代わってスーパーマーケット（スーパー）が進出、一か所で食品も雑貨もさらに衣料品も買い物できる便利さ、駐車場が広いので家族で買い物を楽しめるなど、時間を無駄なく使える忙しい生活に対応します。スーパーはチェーン店を増やし、宣伝を強化し、売上高も増加して、百貨店をしのぐ勢いになります。地場産品を売買していた小売店は、後継ぎがなく次第に姿を消していきます。

一九五六年八月、日本住宅公団名古屋市北区志賀団地に、中部地方で初めて「団地」入居が行われ、一九七三年にかけて県への転入者が激増しました。住環境の整備が早急に必要になり、一九六〇年代後半には、名古屋市郊外の高蔵寺（春日井市）、菱野（瀬戸市）、桃花台（小牧市）で、大規模なニュータウン開発が進められました。高蔵寺ニュータウンで最初に建設された藤山台団地（一九六七～六九年度）は、２ＤＫ、３Ｋ、３ＤＫ住宅が中心となり、その結果入居者は若い核家族世帯が多く、ニュータウンを一時的住居と考える世帯が半数以上、自家用車を毎日通勤に利用するなど、住宅・交通環境や意識も変化します。

こうして大都会の外にも都市的生活様式は広がり、家族の経済生活への関心は深まり、多様な働き方働く場が増え、生活は一見豊かになりましたが、家庭用電気器具や自動車の有無で豊かさや幸せをはかる錯覚もなかったとはいえません。

6. 世界の人と手を結んで守りたいこと

小児マヒから子どもを守りたい

一九六〇（昭和三五）年五月から全国で小児マヒ患者が急増、県では一九五九年患者は九七人だったのに翌年九月までに三三二人になり、北海道に次いで全国二位、やがて名古屋市は都市最高の患者数を抱えました。世界ではすでにソーク死ワクチンと生ワクチンがつくられていて、ソ連ではアメリカのセービン株から生ワクチンを大量に作り、子どもに大量投与して流行を食い止めていました。一二月東京で「子どもを小児マヒから守る中央協議会」が設立され、一九六一年一月日ソ協会愛知県連合会（県日ソ協会）と愛労評が中心になり、「子どもを小児マヒから守る愛知県協議会」が結成されます。この年、小児マヒはいっそう猛威を振るい、七月県日ソ協会、愛労評、いずみの会、母親連絡会、民商ほかの団体代表が集まって県民大会を開催、県・市に陳情します。県日ソ協会の山田ことぢは、妹がむかし小児マヒにかかって片手が不自由になっていたので、三歳と〇歳の子どもを連れて陳情に参加し、この子を実験に使ってもよいから生ワクチンを輸入してほしいと頼みます。ソ連への警戒心が強い当時、勉強している母親に対し、行政関係者は「赤い国の薬を飲むと子どもが赤くなる」といいましたが、世界最先端の医療で子どもの命を守りたい母親の要望を無視できません。政府はソ連生ワクチン一千万人分、カナダのシロップ状ワクチン三百万人分の緊急輸入を認め、一九六一年六月以降患者は激減しました。

いずみの会は幼児問題研究会が中心になってソ連生ワクチン要求の署名集めや陳情に参加しました。日本母親大会に参加した母親は、地域で学習会を開き、署名活動をします。戦後生まれの婦人団体の学習・活動が広く世論を動かし、子どもを守ります。平和な時代、国際連帯があってこそ可能な学習であり活動でした。

一九六三年四月、豊橋市の夫婦は、製薬会社に対しサリドマイド児に対する民事訴訟を提起します。子どもの水難事故が続発していた一宮市では、一九七〇年七月子どもを亡くした父母と住民が「子どもの安全と健康を守る会」を設立、行政に転落防止柵を設置させる運動が始まります。子どもの命、子どもの健康について問題が起きてから、親や地域の人が動かなければならない日々はまだ続きますが、柵設置など必要な成果を上げました。

中国、ベトナムと平和の手を結ぶ

一九六一年、中国から許広平全国婦女連合会副主席を団長とする婦人訪日代表団が来日、四月に名古屋も訪問、県平和委員会副会長の小岩井多嘉子が愛知県歓迎委員会委員長を務めました。小岩井は中国を侵略した日本こそ友好関係を樹立する努力をすべきなのに、日本政府は中国敵視政策をあらわにしている、だから自分たちは安保闘争をたたかい、最後までたたかうと挨拶しています。

平和に向かう県民の意思は、一九六一年五月、小牧基地撤去県民総決起大会、一九六二年一一月、憲法完全実施・軍事基地撤去・日韓会談粉砕愛知県総決起大会でも示されます。一九六三年三月には「愛知県アジア・アフリカ連帯会議」が結成されました。

しかし一九六四年八月、アメリカは北ベトナムの哨戒艇を攻撃し（トンキン湾事件）、ベトナム戦争が始まります。日本はその後方基地にされました。新婦人は一九六六年ベトナムへの一円カンパをよびかけ、春日井支部は竹筒で募金箱をつくり、市場、風呂屋、下駄屋、菓子屋の店先においてもらって、誰でもできる募金に努力し、全国女性の協力で一九七五年お産のできる巡回診療車をベトナムへ贈ります。一一年間続けた全国のベトナム募金は六千万円以上になり、国際民主婦人連盟提唱のベトナム母子保健センター設立へ貢献しました。

一九六六年九月、愛労評主婦の会などが中心になってベトナム反戦婦人総決起集会が名交会館で開催され、デモ行進も行いました。一〇月二一日ベトナム侵略反対統一ストライキが呼びかけられ、名古屋ではテレビ塔北広場に三万人が集まり、二八のスト・職場集会で連帯の意思表示をします。翌年ワシントンでベトナム反戦十万人集会があり、ベトナム人民の不屈の抵抗の周りに、世界の平和の意思が結集しました。ようやく一九七三年一月、パリでベトナム和平協定が調印され、一九七五年南ベトナムのサイゴンが陥落、世界最強のアメリカ軍は民族解放運動に敗北撤退し、一九七六年七月南北を統一してベトナム社会主義共和国が誕生しました。

戦争に荒れたベトナムの状況を見に行った市の高橋ますみら「ベトナム友好市民の会」の主婦たちは、日本の戦後の復興を支えた母親のミシンが内職と同様に、ベトナムの戦争寡婦や孤児の生活を立て直すために不要になった中古ミシンを贈ることを思い立ち、共鳴する人たちからミシンを集め、ミシンメーカーのブラザー工業が無料で修理を引き受け、全国から集まった約八〇〇台のミシンをベトナムへ届けました。その後「ウイン女性企画」（高橋ますみ代表）と共にベントレー市の保育園建設資金を集めるチャリティコンサートを開くなど、海を越えた連帯活動は続きました（朝日一九八九年五月一一日、同一九九六年七月三日）。

7. パートか女子労働裁判か

パート女性の増加

一九六〇年代には農業に従事する女性は減って製造業の労働者が増加、七〇年代には製造業も減少に転じ、卸売り・小売業、サービス業で働く女性が増加しました。女性労働者は増えても働き続けるには保育所がなく、「寿退職」という言葉で祝われて、結婚後に続く子育て期には働けず、「子どもの手が離れてから」再就職する、統計グラフに年齢と就業率を組み合わせて表示すると「M字型」と呼ばれる就業が増えました。共働き増加の内実は、パートタイマー（パート）と呼ばれる短時間・不安定雇用労働者の増加です。一九六〇（昭和三五）年、若い娘の働く場だったデパートでもアルバイト不足から、主婦のパートを採用し始めます。

一九六五年県女性労働者の平均年齢は二六・五歳〈男性三一・八歳〉、平均勤続年数は女性三・七年〈男性七・二年〉、一〇年後の一九七五年女性労働者の平均年齢は三二・七歳〈男性三四・五歳〉、平均勤続年数は女性五・四年〈男性一〇・二年〉、以後も伸び続けますが、女性の勤続年数の伸びは短い。主婦層も働くようになったといっても、女性は安定的な勤務というわけではありません（「賃金構造基本統計調査」）。

一九七三年六月末の県労働部労働経済調査室による「婦人の就業等実態調査」結果では、三〇人以上の常用労働者がいる四三三事業所で「結婚したら退職する」制度・慣行がある二八、「妊娠・出産したら退職する」三三、「若年定年制（四五歳以下）」一二三、「職場結婚の場合、妻が退職する」一七事業所となっています。制度や慣行（暗黙の強制）だけで退職するわけではなく、パートになった人で就職経験があった人の六五・八％が結婚・出産で退職しており、パートに就業した理由は「家庭と両立できる」「収入を得るため」がどちらも六割弱、雇用形態に対する希望は「このままのパートタイマーがよい」七四・〇％で圧倒的に多く、「常用労働者として働きたい」は一一・二％で少数です。パートで働くのは自分の都合、現状のままを良しとする姿勢です。

事業所はパートを一般常用労働者と同じ日数働かせているところが六一・四％、作業配置もまじって同じ作業をさせており、就業規則も原則的に同じです。何が事業所にとっての利点かといえば、仕事内容がパートに適している六五・一％、作業量の変動で雇用量を調節できるが三三・七％、パートは勤務時間六時間がもっとも多く、給与額は一般常用労働者が四～六万円、パートは二～四万円が約六割で多い。つまりパートに適している作業を、一般常用労働者と一緒に同じ日数だが短い時間働き、給与は少ないのがパートの実情です。一般常用労働者の労働時間を八時間とすると、パートは一般常用労働者給与の七五％なら合理性がないわけではありませんが、それ以下は差別です。しかしパートは、家事育児をしなければならず、収入も欲しいから、このままでよいと思っています。女性の間にも格差が生まれていますが、損しているパート自身はそれを変えようと考えてはいません。

名古屋市のパートタイマーは一九六八年一八万二千人、一九七四年二二万七千人、一九八二年には四〇万九千人で一五年間に二倍以上に増えています。市市民局「パートタイマーの実態と意識」によれば、労務的な仕事系三八・六％、販売・サービス系三五・八％、パート労働者の約八割は中小企業で働いています。仕事に対する不満は「賃金が低い」が六五・四％でとびぬけて多数です。パートで働く理由の一位（四二・〇％）は勤務時間が短いからと、家庭生活を前提にした働き方となっています。

フルタイムで働きたい女性はがんばる

フルタイムで働かなければならない、働き続けたい女性も出てきます。新城市出身の安藤啓子は一二歳の時父親が死去、高校卒業後タイピストなら収入が良いと考え、タイプを習い、一九六一年興亜火災海上保険名古屋支店にカナタイピストとして入社しました。一九六四年四月「頚腕症候群」の診断を受け、その後名古屋大学医学部労働衛生相談室で発病経過や労働条件を聞かれ、多くの検査を受けて職業病の一つタイピスト病と診断され、一一月に結成した「安藤さんを守る会」に支えられ、一九六五年八月には、「職業病に抗議する名古屋市中区機械従事者のつどい」が開催され、ようやく労働によって起こされた傷害と認定され、療養生活に入ることができました。腱鞘炎になったオペレーターたちは、安藤がたたかったからこの病気のことが知られるようになり、自分たちも頑張れる、患者を出さない職場にしたいと励ましあっています。この間興亜火災の労働組合が全国損害保険労働組合（全損保）から脱退し、労働災害・職業病を出さない職場にしようという運動は、全国の支援を求めて広がります。

木全志ず子（のち土井）は市中区生まれ、空襲で自宅は全焼、馬や人の死骸がいっぱいの道を避難した経験があります。高校卒業の年はなべ底景気といわれた不況の時代、税理士事務所に就職しましたが、健康保険がある会社に就職したいと、二年後水谷証券に転職、翌年会社は山種証券という当時中堅八社といわれた会社に吸収合併されますが、経理事務の仕事をしていました。一九六一年近所の男性と結婚、会社には結婚退職の慣習があったので、ただ働きたいというだけで結婚届を出さず、事実婚・内縁・別姓の道を選びます。山種証券には労働組合はなかったので、いつ退職しろといわれるか怖れ、他の証券業界の人と活動していた友人に相談して、初めて一人でも入れる組合があることを知り、勇気をふるって一九六五年二月に総評全国一般労働組合に加入しました。その一か月後、会社は結婚しているからと退職を迫ります。労働組合は木全の意思を確かめながら、つらいだろうがこれからも結婚しても働きたいという人はいるから、頑張れと励ましました。結婚は黙認になりましたが、定期昇給からはずされ、岐阜へ転勤辞令が出され、会社は嫌がらせで攻め立てますが、労働組合に守られてきりぬけました。次いで三〇歳定年制のために解雇通告されましたが、労働組合は地位保全等の仮処分申請を名古屋地方裁判所（名古屋地裁）に提出、木全は就労闘争を続けます。証券界以外にも問題を広めようと、総評全国一般労働組合名古屋支部、全国証券労働組合協議会（全証労協）名古屋地区共闘会議、愛労評、全国金融労働組合共闘会議の四組織が協力し、「山種証券女子三十歳定年制反対共闘会議」が結成されました。職場周辺の「伊勢町婦人のつどい」もできて、木全を一人ぼっちにさせないよう支えます。一九六六年年末には、住友セメントの鈴木節子が結婚退職制は憲法違反の判決を得て木全は励まされます。解雇一周年の一九六七年五月には「結婚退職、若年定年制をはね返し、働く者の生活と権利を守る集い」が開催されます。そして突然、会社は憲法違反判決が出るのを恐れ、解雇を撤回、出産して婚姻届を出した木全は土井志ず子になって職場に戻りました。給与も是正され、土井は一九九六年、六〇歳の定年までしっかり勤めて退職します。

木全志ず子は当初自分だけの問題としか考えられなかったけれど、多くの人と話し合い、励まされ、一人でもたたかう、たたかえる、行動の中で全体の婦人の権利を守ることを理解したといいます。

なぜあんなたたかいができたのか聞かれた時、戦争で庭師の父は仕事がなく、経済的に苦しくて、歯医者に行きたくてもお金がいると親にいえない生活だった、会社からは「アカ」などといわれたけれど、理屈ではなく働くのは普通のことだから、と語っています。そして、全国的にも、名古屋でも山一證券の結婚退職制裁判や、名古屋放送の女子若年定年制裁判など、ほとんど勝ったと、二〇〇三年にふり返っています。自分の人生を自分で決めたいという自立の精神をもった働く女性は、愛知にも育っていたのです。

仲間を信頼して

纐纈多恵子は、一九六三年岐阜県から師勝町（現北名古屋市）の尾州紡績に就職、音楽が好きだったので友人に誘われて行った勤労者音楽協議会（労音）例会の舞台に魅せられ、一九六四年職場に名古屋労音尾州紡サークルを結成、会員が増えます。会社から「労音はアカ」と攻撃され、纐纈は些細な書類の違いを問題にされ、配転され、業務命令違反で解雇をいい渡され、トイレを使わせないなどで退職させようとされます。「不当解雇反対」のゼッケンをつけてたたかう「纐纈を守る会」がつくられ、提訴した名古屋地裁で労音活動を嫌悪した解雇だから無効の判決を得ました。纐纈は、職場復帰・結婚・出産・退職後、師勝町町会議員となって活躍します。

一九六八年六月、帝国興信所は吉田礼子が生理休暇として休んだのが一か月に二日あったと、一日分の賃金をカットしました。労働組合は、一生理周期に一日休暇を取るのは正当と名古屋地裁に提訴、一九七〇年全面勝訴します。しかし会社は控訴、就業規則を「有給生理休暇は賃金計算期間について一日」と改悪したので、吉田礼子は母性保護の権利確立のため結局四日分五九〇〇円の賃金カットをめぐって闘い続けなければなりませんでした。金額は少なくても、女性が生涯働き続けるための生理休暇の権利を守る裁判として画期的でした。大脇雅子弁護士は男性が多数の労働組合が生理休暇の権利を求めてたたかい、勝利したことに感激し、男女労働者の団結の力を評価しています。

自分として働き続ける道を求め、労働組合・仲間の力を頼って闘うのか、パートという働き方で収入を確保すればよいのか、自立したい女性の誇りがかかっている厳しい道ですが、戦後制定された憲法・法律に守られ、人間としての権利をだいじにする労働者と働く人を支援する弁護士に守られる道が築かれていきました。

8. へこたれない母と父の保育所づくり

働き続けるためにまず共同保育所を

名古屋市が生活保護家庭等の救貧を主眼とする規定から、児童福祉法を基本とする保育所規則に変更したのは一九五七（昭和三二）年五月でしたが、一九六三年の中央児童福祉審議会保育制度特別部会「保育問題をこう考える」は、乳幼児期の子どもは家庭保育が原則と明言しています。育児は家庭責任とする保育所抑制政策は全国的傾向で、気の毒な家庭とかわいそうな子どものための保育所という意識は長く残りました。

一九六一年秋、名古屋市で三人の電話局労働者が出産し、保育の壁に突き当たっていました。親のない子を乳児院では預かりますが、保育園は乳児を保育しません。けれども三人は労働組合活動で問題解決をしてきた経験から、働き続けることをあきらめませんでした。三人の赤ちゃんを誰か保母さんに育ててもらうことを思いつきますが、保育者は見つかりません。あきらめかけた時、愛知婦民の人が訴えを聞く機会を設け、会員、名古屋保問研会員、電話局勤務の佐藤貴美子・富田静江で話し合いました。話は保育所設立に進みます。佐藤は自分の赤ん坊のために大きな問題になったと小さくなりたい気持ちと、えらいことになった、後には退けないという複雑な思いの間で揺れます。富田静江夫婦の子カツオは脳性マヒでした。保育所に迷惑をかけるのではないかと悩んだ末、保問研の土方康夫たちに相談します。土方は、障がい児だからこそ自発性や意思を育て、豊かな生活経験が必要と答えたのです。

こうして一九六二年五月、愛知初めての池内共同保育所（共保）が誕生します。池内共保は赤字経営、親の事情の変化、子ども・親・保母の病気、住宅立ち退き問題などでいつ潰れてもおかしくない危機に何度も見舞われます。保育料は高いし、会議や赤字を埋める活動はきつくて逃げだしたい。「共保地獄」という言葉が生まれ、認可保育園に入所可能になると、子どもは転園し、経営は綱渡り状態でした。子どもは守られる、親は子どもを守ってくれる人がいる、守らなければと深入りした人々が共同体をつくって池内共保は一六年続き、名古屋市・個人・団体から借金・カンパ六千万円の建設資金を集めて、池内わらべ保育園に生まれ変わりました。

一九六三年いりなか共保、半田あすなろ共保、熱田共保、春日井みつばち共保、清洲共保

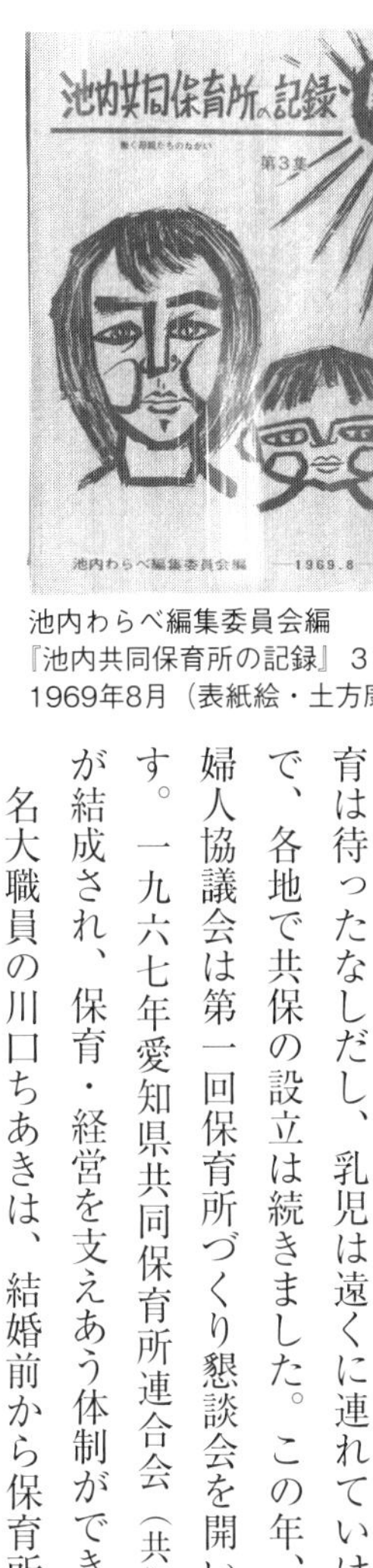

池内わらべ編集委員会編
『池内共同保育所の記録』３集
1969年8月（表紙絵・土方康夫）

など、名古屋市内外に多くの共保が設立され、乳児保育は待ったなしだし、乳児は遠くに連れていけないので、各地で共保の設立は続きました。この年、愛労評婦人協議会は第一回保育所づくり懇談会を開いています。一九六七年愛知県共同保育所連合会（共保連合）が結成され、保育・経営を支えあう体制ができます。

名大職員の川口ちあきは、結婚前から保育所づくり運動にかかわり、出産・退職後一九七二年に共保連合に就職、共保の活動・経営を支えました。保母・父母だけでない様々な協力のもとで、一九六八年六月、名古屋市内に一三、市外に一二、計二五共保が困難を乗りこえながら設立されました。一九八〇年代初め、共保連合に参加する保育所は、名古屋市内二八（内病院職場保育所一三）、市外一三、計四一、認可園になって共保を卒業した所は市内一一、市外五、計一六、閉鎖したのは市内一、市外七、計八でした。

乳児・長時間保育が必要

池内共保が誕生した翌月、市虹ヶ丘団地に住む高校教員松下哲子は名古屋に子どもを安心して預けられる保育園・家庭福祉員がほしいと『朝日新聞』「ひととき」欄に投書します。近くの星ヶ丘団地でこれを読んだ人が呼びかけ、一九六二年一〇月話し合いの会に集まったのは七人、意見は分かれましたが、実情を知るため団地の二〇〇〇軒にアンケート調査をしようと決めます。周りの女性団体や新聞記者にも協力を頼んでまわりました。保育園設置陳情署名を集めると決めてからは市職員、市議会議員、公団、保育研究者、今困っている人、会って調べて相談を重ね、一九六三年二月二三日「保育の会」を設立します。東京や大阪の経験、母親大会や保育運動の経験を学び、調査と討論を重ねて、共同保育所のあり方を評価しているのですが、経済的・精神的・身体的負担が大きすぎるから、公立保育園創設をめざすと決めました。共働き家庭の現実を各自が書いて一二五通の要望書を市へ提出します。一九六四年二月、市議会で予算案が可決され、星ヶ丘、自由ヶ丘、千音寺の団地周辺に六か月以上児の受け入れ、長時間保育を実施する三保育園が新設されます。保育の会はさらに施設・保育内容・保母増員について調査と陳情を重ね、「公立保育園父母の会」誕生の中心となりました。

のちに市千種区東山保育園は日照権をめぐる裁判を起こし、子どもの健康を守る努力は続きました。一九八〇年代後半以降市街地の地価が高騰し、新しい高層マンション建設や屋上看板の設置で保育園の建物、園庭が日陰になりそうと、園・保母・親子が「お日さまを奪わないで」の抵抗・陳情も重ねなければなりませんでした。

それまで保育園は、勢力の強い市会議員が、ここにつくれと要請してできるといわれていましたが、市民のせっぱ詰まった要求のもと体当たり要求で保育園をつくらせる歴史がきりひらかれます。愛知では大衆運動は育たないといわれ、名古屋の婦人運動は活発でないともいわれていました。女性を取り巻く家庭環境は、結婚して一人前、当時は二四歳前に結婚しなければ相手にされない（二五日になったらクリスマスケーキは売れない）、結婚すれば一日も早く孫を産むのが親孝行、二八歳以上の初出産は高齢出産で危険を伴うという社会通念があり、そこを無難に避けて通るのが普通でした。子どもを母（または祖母）の手で育てないのは鬼のような母、子どもは自己中心的な母親の犠牲者とまでいわれました。普通の家庭には電話も車もなく、当時四、五階建の団地にはエレベーターがなく、連絡も署名集めも階段を上がったり下りたり、保育運動は流産・早産の原因にもなりました。それでも母の勤務に見合う保育時間、かわいい子ども用便器がある保育園ができた喜びは、政治を変えていく苦労に勝る喜びでした。保育所づくり運動は、永続する質の高い子育ての場をめざして、名古屋市とくに団地周辺に広がります。市の公私立保育所は、一九四七年一九園、一九五五年一一四園、一九六五年一四三園、一九七五年一九五園、一九八五年二六七園と増加、公立保育園の比重を増しています。

岩倉の保育運動

名古屋市の郊外岩倉町（現岩倉市）では一九六五年岩倉団地第一次入居が開始され、翌年共働きの女性が中心となって「岩倉団地保育の会」をつくり、保育所設置の署名運動を始め、二八〇〇人の署名が集まりました。町立保育園ができるまでの過渡的手段として個人宅で保育室を設け、第二保育室、幼児教室、第三保育室も設置、一九六八年には町立中部保育園で乳児保育が始まり、翌年には団地周辺に町立東部保育園が新しく設立され、みんながまとまって要求すれば成果が上がることを実感していきます。長時間保育料徴収も園の指導に従う承諾書提出も撤回させ、対市交渉を重ね、保母と母親はもちろん父親も提携し、市も含めて三者が一体となって保育行政を進める基本線が育っていきました。その中で一九七一年学童保育も始められます。

学校に入った子どもの保育

小学校に入学し、授業終了後の幼い子どもを放置するわけにいきません。一九六六年ごろから、県の留守家庭児童対策事業は文部省の方針に従って始められたといいますが、一九七〇年三月現在三四か所（内名古屋市八）の文部省・県費補助の留守家庭児童会があり、週六日制は一二か所のみ、七一年には文部省の校庭開放事業に解消されます。民間の学童保育（学童）は一九六四年ごろから広がり、一九六九年一一月には「愛知学童保育連絡協議会」を結成、一九七二年には一三か所の学童保育所が設立され、名古屋市に学童制度化と助成を請願します。名古屋周辺で「カギッ子」（学校から帰った時自宅に鍵を開けて入る子）が急増、五人に一人といわれたのは一九六八年です。学童保育所設立の活動が続きます。

一九七二年一月市千種区高見学区の仲田荘で新一年生は四一人、一〜三年生で一〇〇人をこすという見通しになりました。二月学童保育所について話し合い、待っていたのでは間に合わないので、保育園父母の会会長、県学童保育連絡協議会の援助を得て、数人の母親が四月「春休み子ども天国」の名のもとに、テスト保育所を一週間開設することを決めます。場所は市営住宅仲田荘集会所、子どもたちが「てい王ぜみクラブ」と命名し、順調なスタートでしたが、指導員の着任が遅れ、集会所周辺から苦情も出てピンチになり、話し合いの中で夏休みに全力投球することになりました。指導員のバイタリティ、どんな困難も乗り越えようとする母親・父親の協力で夏休みの新企画で内容を充実、この間市行政は担当局を民生局に決め、補正予算で助成措置が決まります。近くの振甫プールの跡地の建物の中に学童保育の専用施設が決まり、一九七三年春は市長選挙、回答があったのは本山事務所だけ、学童保育の内容をニュースで配り、『奥様ジャーナル』『奥様新聞』が一貫して取材に来て、地域住民の要求と活動の情報を報道しました。子どもを核にした人の輪と学習、あれやこれやの住民運動、新婦人のグループなど各種団体の協力が一九七〇年代にはあって、てい王ゼミクラブが設立でき、児童館内の公立学童保育所になりました。

その後、一九八〇年までに、へこたれない親たちが千種区内に七学区九か所の学童保育所をつくっています。

国は一九七六年都市児童健全育成事業の名のもとに、留守家庭児童対策を開始します。名古屋市は一九七七年公設公営の児童館の学童保育一二を一九八一年一五に増やし、南区を除く各区に設けました。民間の学童保育育成会は一九七二年（年度末）一一が一九八一年一〇五に増加しています。

ベビーホテルと夜間保育

保育園は夜間閉園、保育園に入れなかった赤ちゃんもいて、無認可の通称「ベビーホテル」は一九七〇年代中ごろから設立されるようになりました。一九八一年市千種区のベビーホテルで一歳半の赤ちゃんが就寝中に死亡、東京でも同様の事故が起きて、厚生省（現厚生労働省）が実態調査に乗り出そうとしていました。県内ベビーホテルは二五か所、名古屋市に多く中区・千種区に集中し、豊田・豊橋・岡崎に一か所ずつありました（朝日一九八一年三月一二日）。一九八二年末調査では市にベビーホテル一六か所、ベビーホーム（夜間保育なし）八か所、必要とされている施設ですが行政が対応していないので存在するという問題の多い施設です。厚生省は夜間保育試行の方針を出し、一九八八年ごろ市には民間三か所の夜間保育園が設立され、八五人が保育されています。一方ベビーホテルは市の繁華街を中心に一四か所あり、二七六人が入所し、その母親の約四割が社交業といわれました。

都心の共同保育所としてベビーホテル問題は避けて通れないと、瓦町共同保育所は夜間保育園として認可されるよう、市に援助を求めて交渉を続け、建設費をカンパしてもらう運動に努力し、ようやく一九八九（平成元）年、朝から二五時（午前一時）まで続けて乳幼児を保育できるかわらまち夜間保育園として完成しました。保母にも家族はあるので大変ですが、保育要求にこたえられない行政の現実に対し、共同保育運動の初心が生きている出発でした。堀江京子園長によれば、父母の職業は医療、マスコミ、金融、弁護士、スナックや居酒屋、タクシー運転手、自営業など様々で、ひとり親や単身赴任、長時間労働など、働き続ける困難につぶされないで頑張る親子と保母の保育園です（朝日一九八九年三月二〇日、赤旗二〇〇〇年九月二二日）。

9. 息ができない・眠れない公害をなくそう

水・空気・騒音・振動と健康

重化学工業を軸とする産業が拡大すると、環境・人間の健康・生活に及ぼす影響が無視できなくなります。一九五三（昭和二八）年、市婦協は木曽川の市上水道取り入れ口近くに東洋化成の工場建設計画があることを知り、水源擁護の署名運動を実施、四七万人の署名を集め、一二人が上京して厚生省（現厚生労働省）に陳情、工事を中止させました。

一九六〇年代に入ると、大気汚染・水質汚濁・土壌汚染・騒音・振動・地盤沈下・悪臭は典型七公害と呼ばれ、反対・抗議の声が各地で起こり広がります。とくに市南部の大気汚染は、呼吸器疾患（柴田ゼンソク）の患者を増やしました。県は一九六四年公害防止条例を公布、公害課を設置、一九六五年には光化学スモッグ監視体制を整備します。国は一九六七年公害対策基本法を公布、市は一九七三年公害防止条例を出します。その間一九六九年一〇月、愛労評の呼びかけで「公害対策愛知連絡会議」（愛知公害連）が結成されました。

一九四九年名古屋市立大学衛生学研究室の助手となった青山光子は、経済の高度成長や産業の発展に伴う大気汚染、騒音、衣料・食品の安全性問題に取り組み、環境衛生学の先駆けとして生活に密着した研究を行います。現場に出向いて実験する研究姿勢が評価され、一九七五年大気汚染全国協議会賞を受賞しました。この前後公害は広がり続けます。

人が暮らせる環境を

一九六四年一〇月に開通した東海道新幹線の列車運転は、テレビ受像障害・高架による日照障害を起こし、さらに騒音・振動は睡眠も会話も思考も邪魔し、家屋にも被害は及びました。

全国的にも一九七〇年代に熊本県・新潟県の水俣病、富山県のイタイイタイ病、三重県四日市の大気汚染が裁判で争われ、住民側が勝訴していきます。国は単に公害対策にとどまらない自然保護行政を含めて環境庁（現環境省）発足に進みました。

新幹線軌道のそばに住む高木輝雄弁護士は、近所の人に協力を求められ、新幹線公害対策同盟の裁判闘争の中心となりました。国鉄側は高速鉄道が社会的に有益だからと公共性を主張、住民側は名古屋の住宅近接地七キロのスピードを半分に落としても遅れるのは三分くらい、それで耐え難い騒音振動は改善されると主張、労働組合の協力を得て現場検証もしました。国鉄側は名古屋だけではなく全国全線に波及すると反論、市は加害企業に公害対策の意見を出し、事後の環境対策など公害を解消させていくことを含めて裁判後に和解します。即時減速はできませんでしたが、それ以後の新幹線建設は公害対策をせざるをえなくなったなど大きな意義があります。長期間の粘り強い住民運動、裁判、自治体の公害対策調査、公衆衛生学調査など広範囲の協力がなければ、公害対策は進みません。一九七一年「名古屋新幹線公害対策同盟」が結成され、県は公害対策局を環境部に拡充します。工場による大気汚染の規制は進みますが、人口の都市集中が続くと自動車交通・生活排水・一般廃棄物等による都市・生活型公害が増え、カラオケ騒音も問題にされました。ごみ回収の徹底、河川・海の浄化は住民の協力なしでは実現できません。

市医師会は、大気汚染で子どもがどういう健康被害を受けているか一九八〇年に約一三万四五〇〇人のアンケート調査を実施、五年前と比べ健康状態は改善の方向にあるとはいっても、居住地が幹線道路に近づくにつれ「ゼンソク」や「風邪をひきやすい」と訴える子が増え、年少者により多く、港・東・中区に多く名東・緑区で低く、交通公害の影響を受けていると発表しました（朝日一九八一年七月一一日）。県民の生活に必要とされる自動車が子どもの健康をそこなう事実をどう改善できるのか、自分たちの生活を深くみつめなければならないところにきています。

10．社会福祉が支える高齢者・乳幼児

社会福祉の専門家

日本初のソーシャルワーカーは、知多郡半田町（現半田市）出身の浅賀ふさ（旧姓小栗）です。浅賀は女の幸福は結婚にあると考える親の反対に逆らい、一九一九（大正八）年渡米、一九二四年社会事業大学に入学、一九二五年帰国して東京の聖ルカ病院（現聖路加国際病院）で初の医療ソーシャルワーカーとなりました。病院の患者だけでなく地域の公衆衛生にも努力、社会福祉だけでは解決できないと獲得同盟にも加入し、母子保護法、家事調停法制定も働きかけまし

た。戦後厚生省（現厚生労働省）児童局に勤め、一九五三（昭和二八）年中部社会事業短大（現日本福祉大学）の教員として専門職養成のため働きます。一九七〇年名古屋市老人医療費無料化運動の代表になり、社会福祉の実現のリーダーにもなりました。

医療ソーシャルワーカーの児島美都子（のち長）は一九六六年日本福祉大学教員になるまで、戦後の食糧メーデー、朝日訴訟の患者支援など実践的な活動の中で研究者に育ち、貧困者、障がい者、さらに高齢者が安心して暮らせる地域づくりを学生・地域ボランティアとともに考え、実行しようとします。けれども現実には家族介護がなければ成り立たない老人医療・老人介護を体験し、夫を自宅で介護した日記を公表し、あるべき地域社会の介護を周りの人と模索し実現する医療ソーシャルワーカーとしての姿勢をもち続けました。このような社会福祉の専門家が愛知には早くからいて、人間らしく暮らせる社会福祉状況を模索・実践していました。

高齢者の増加と要求

一九六五年県人口四七九万八六五三人、内六五歳以上は二五万三七四六人（五・三％）、一五年後の一九八〇年には四六万二二一三人（七・四％）に増加し、以後も増加すると考えられました（国勢調査）。愛知県は高度経済成長政策によって労働者が全国から集まってくるので、全国と比べると高齢者率は低いのです。市では一九七七年、一九八二年にひとり暮らしの老人世帯、ねたきり老人世帯の調査をしていますが、ひとり暮らしになった理由でもっとも多いのは男女とも「子どもがいない」で三割強、女性はそのおよそ八割を占めています。主な収入で多いのは恩給・年金が一九七七年三八・一％（二位賃金）、一九八二年五三・九％（二位生活保護）、一九八二年に悩みごとがある人の主な問題点は健康・収入・孤独でした。一九八三年市市民局「婦人問題基礎調査」によれば、「名古屋市などへ婦人対策として望むこと」の第一位は「老人の介護や施設の充実」三八・八％、第二位は「年金・手当などの改善」三〇・一％ですから、福祉・老後の生活保障への要望は大きく、どう改善へ働きかけるかが課題になっています。

一九六〇年五月、「愛知県社会保障推進協議会」（愛知社保協）が、愛労評はじめ多様な民主的団体をほとんど集めて結成され、持続的に運動します。その前後、伊勢湾台風被災、水俣病、四日市ぜんそく、小児マヒ、市南部の硫黄酸化物汚染、イタイイタイ病、森永ヒ素ミルク中毒、母乳・牛乳のＤＤＴ汚染等が問題化し、福祉施策充実が求められる時期でした。一九六二年七月老人福祉法が制定されます。実際に行われたのは老人の健康診断、しかし当時健康保険の自己負担は家族五割だったので、病気があるとわかっても現金がなければ治療してもらえません。

一九六三年市婦協は、「五大都市地域婦人団体連絡協議会」として老人調査を行っていました。老人と子供の同居は七五％、病弱者一八％、仕事をもつ老人一九％、身体の自由がきかなくなった時誰に手助けしてもらうかという問いに「嫁」という答えが名古屋では非常に多く（四〇・六％）、大阪・神戸の四倍以上、横浜の三倍以上になりました。喜んでいることは健康、困っていることは病気、望んでいることは健康という結果が出ます。市婦協としては、自分の趣味さえもっていない女性高齢者が多い現実に対して、和裁・手芸や手編、書道や俳句・民謡・社交ダンスなどの「おたのしみ教室」を企画実現し、即売会やグループ活動に発展させました。調査して問題解決に進む市婦協の活動は、そののちも続きます。

高齢者の医療費無料化を求めて

一九六六年九月から愛知社保協などは第一回高齢者集会を、県老人クラブ連合会が第一回老人福祉大会を開催し、以後も毎年続きます。日本は一九七〇年に六五歳以上の人口比率が七％をこえる高齢化社会に、一九九四（平成六）年一四％をこえる高齢社会になり、その間一九七二年に有吉佐和子の『恍惚の人』が出版され、認知症と福祉施策の貧困が社会的問題になります。退職労働者などから老後の生活保障をと声があがり、一九七〇年市に対して老人医療費無料化直接請求運動がスタートし、翌年県は七五歳（次の年七〇歳）以上の老人医療費無料制度を実施するようになりました。社会党と共産党の関係はこのころ必ずしも円滑ではなかったのですが、高齢者問題はみんなの要求だから、要求で一致し、良く討論した結果、ほとんど唯一の社共共闘で進むことができたと愛労評の成瀬昇は評価しています。

ボランティア活動で探る高齢者福祉

金沢から名古屋へ移住した野村文枝は一九六四年市の成人学校で老人問題を学び始め、講師の話を聞き、施設見学へ出かけ、医療費無料化の請願運動に参加、さらに一九七五年白分たちの老後に向けて「地域ボランティアさつき会」を結成、実践活動に入りました。一九七一年文部省委嘱の名古屋市ボランティアスクールが始まり、翌年市の婦人ボランティア大学、さらに婦人会館のボランティア講座と続き、ボランティアグループが誕生していきます。一九八二年には婦人ボランティア協議会が結成され、野村が初代会長になりました。県内外のグループ・機関と交流、社会見学・研修を重ね、ボランティアの内容を充実させていきます。食事サービスやなかまの家づくり、傾聴ボランティア活動から「地域福祉を考える会」で会員制介護支援活動「ふれあいサービス」を始め、その経験を市の「なごやかヘルプ事業」に持ち込み、公募による住民参加型非営利・有料・有償の在宅介護サービスを行うとともに、地域福祉の土壌づくりも働きかける仕事でした。単なるサービス提供の便利屋ではなく、行政の先を行く開拓性、行政や社会の動向に対する批判性をもつボランティア活動を作り上げようとしました。

一九七三年市社会教育課主催の婦人ボランティア講座を受講したメンバーはくすの木会を結成（初代代表杉戸和子）、八人が市厚生院の特別養護老人ホームでボランティア活動に入ります。翌年から代表となったのは、有権者同盟の長沼てる子、会員は学習会、話し合いを重ねながら、洗濯もの整理や繕い物、掃除、食事介助、観桜会などの行事を手伝い、施設に市民生活の風をもち込みました。ねむの木学園を見学し、高校生や大学生の仲間も増やして、一二年目には一一〇人の会員になりました。五党の市議会議員と懇談して、実情や要望を話し合います。一九八二年に厚生院が新しい施設に移転したのち、現場職員と話し合いをして、職員からは作業の後に時間があれば、お年寄りと話や歌の相手をしてくださいと頼まれ、会員からは行政に訴えたいことについて、自分たちも行動を一緒にしたいと求めています。施設・市民・行政が意見を交流して、高齢者のより充実した生活への模索が続けられています（『あゆみ』五号、一九八四年、二〇年記念号、一九九三年）。

一九八六年には市婦協に「ファミリー・サービスクラブ」が発足、人手がなくて困ったときはお互いに助け合いましょうという事業を始めました。

次第に一人暮らしや高齢者夫婦だけという世帯が増え、中年夫婦も共働きしているので昼間親を介護できず老々介護が増え、高齢者を取り巻く社会環境はいっそう厳しさを増していきます。ボランティアや臨時の手伝いでは間に合わず、行政の本格的な支援がなければ介護できなくなります。一九八〇年度市民生局の「寝たきり老人実態調査」では男性の寝たきり老人の六四・九％は配偶者が介護していますが、女性の場合は四三・五％が嫁、二三・三％が娘、誰もいない一一・一％とより深刻です。一九八〇年代には痴呆性（認知症）老人が急増し、重点課題となっていきます（朝日一九八六年六月一一日、同一九九〇年九月一七日）。

乳幼児医療費無料化要求

老人医療費無料化に刺激された母親たちが乳幼児医療費無料化を市に請願、否決され、大きな運動にしなければ成功しないと、愛知社保協の取り組みとなりました。高齢者は自分たちが無料になったのだから、今度は孫の医療費無料化も、と考えます。一九七二年愛知社保協は〇～二歳児の医療費無料化要求請願署名運動を開始、翌年一月〇歳児のみ実現、四月には一歳児に拡大、県も〇歳児に補助をすることになりました。これらが革新自治体をつくろうという流れの源になっていきます。

しかし一九八三年二月施行された「老人保健法」は、高齢者については医療費の一部負担へ逆行させてしまいます。

11．どのような人もその人らしく生きられる愛知に

障がい者の未来を開く

障がい者は長い間家族と慈善家に頼って暮らしがちでしたが、一九六七（昭和四二）年全日

本視力障碍者協議会が結成され、全国障碍者問題研究会の生活と権利を守る全国連絡協議会が相次いで結成されます。その出版物の読者が核になって、愛知でも一九六九年四月、愛知県視力障害者協議会が結成されます。生活を自分たちで守ろう、自分たちの権利は自分たちの活動で実現しようと団結したのでした。革新県政、革新市長を実現させる活動、自治体交渉、学習など地味な活動を続けます。一九七一年には婦人サークルも誕生、料理をつくったり、おいしいものの食べ歩きをしたりする中で、悩みや要求を話し、みんなで解決の道をみつけようとする仲間づくりです。一九七〇年代以降は、視力障がい者が街を安心して歩けるようにする要望を名古屋市へ出す「まちづくり」運動として具体的な点検を始め、県内に広げようとしています。

愛知にも多様な障がい者がいます。障がい者への差別は戦時中とくに厳しく、女学生の時リウマチを発病した宮田鈴枝は「病人や障がい者は非国民」とみられる社会環境の中で、手足の障がいがあっても軍需工場で働かねばなりません。戦後、傷痍軍人が推進して一九五〇年身体障害者福祉法が施行され、障がい者団体が結成され、宮田は多くの仲間の生活実態に触れ、障がい者運動に進みます。日本身体障がい者友愛会（のち愛知障がい者（児）の生活と権利を守る懇談会、略称愛障懇、のち連絡協議会＝愛障協）に出会い、親の死後は独り暮らしになりますが、親身になってくれるボランティア、ヘルパーに助けられ、公的・安定的な生活の充実を求めました。宮田は愛障協の会長を一七年間務め、障がい者医療費無料化、福祉タクシーの創設などを、全国に先駆けて実現します。国や自治体が障がい者の生きる権利、学ぶ権利、働く権利、政治参加の権利を拡充するよう働きかけ、平和でなければ障がい者の生活を守ることはできない、その基本は憲法九条と二五条の生存権保障にあると訴え続けました。

塚崎映子の子どもは結核の予防接種を受けた後、障がい児になってしまいました。障がい児も健康な子どもと共に学び、共に育つことの重要性を痛感し、一九六六年自閉症児と母親が心中未遂し、県心身障がい者コロニー建設計画が報道されたことをきっかけに、親の会づくりを計画、名大病院の患者の家を訪ね、一九六七年「名古屋自閉症児親の会」を設立、会誌『つぼみ』を発行、実情を記録し励ましあい、周囲の理解を求めました。自治体に情緒児治療教育研究所設置を陳情し、この年「全国自閉症児親の会協議会」が発足します。一九七〇年に春日井市の春日台養護学校に情緒児学級が新設され、コロニー中央病院に自閉症児が入院できるようになり、社会の理解がすこしずつ進むようになります。一九七一年には、親の会の第三回全国大会を愛知で開催、自閉症児の就学、重症児の受け入れ施設設置、成長した自閉症者の作業所・授産所建設運動に取り組みをすすめます。塚崎は「愛知自閉症児親の会」（のち愛知県自閉症協会・つぼみの会）会長として先頭に立ち続けました（中日一九八六年一〇月七日）。

名古屋市名東区で子どもが重度の知的障がい児になった加藤奈々枝は、仲間と共に一九八一年「名東福祉会」を設立、「名東ワークス」、さらに「天白ワークス」を開所します。地域や障がいの違いに応じて「手をつなぐ親の会」「肢体不自由児父母の会」「あさみどりの会」「麦の会」などの組織が誕生、現実に立ち向かっています。中心になって献身する加藤は「障がい者の母」と呼ばれ、多くの親がお金や力を出し合い、協力者を増やし、行政の支援を引き出しながら、どんな子も可能性をたかめる社会をつくろうとしています。

一九八六年、加藤は「あさみどりの会」の機関紙『療育援助』に書いていた文章や詩をまとめました。その中の詩「愛をください」は、神様がたった一つ願いをかなえようといわれたら、自分の子の頭や手足をよくするのではなく、「世界中のみんなの心に愛をください」と願う母の広い心を歌っています。その心にうたれた佐々木伸尚は、名古屋大学医学部混声合唱団演奏会の創作組曲につくり上げ、県勤労会館で発表の運びとなりました（朝日一九八七年一月一六日）。

家族でなくても人間だから

二〇歳代半ばの皿井壽子は、単純に子どもと一緒にいられる仕事がしたいと思い、一九五七年重度障がい児を預かり、障がい児には働きかけと訓練が必要と痛感、親やボランティアの協力で一九六五年大府市に通園施設愛光園を設立します。しかし一八歳になった重度障がい者を受け入れるところはありませんでした。その生活の場を求めた皿井に、知多郡東浦町の農場主日高昇が、広い農場の一区画を貸すと申し出ます。一九七八年身体障がい者療護施設ひかりのさと「のぞみの家」が完成、無農薬・有機農業・養鶏・廃品回収で生活し、一九八一年精神障がい者の厚生施設「まどか」を拡充します。皿井は、障がい者と共に泣き、共に笑い、地域の人の支援を受け、地域の中で共に生きるを基本とした高齢者・障がい者の福祉事業所を知多地域に展開しました。

一九八一年国際障がい者年に、市婦人会館ボランティアビューロー協議会は、婦人会館開館三周年記念事業として障がい者の社会参加が進むような市中区の福祉ガイドマップをつくろうと決めます。地下鉄各駅の周辺の官庁やデパート、地下街のトイレ、駐車場、エレベーター、車いすの有無など使う人の身になって調べ、地図と説明を一冊にまとめるのに述べ白数十人が参加しました。ボランティア団体も障がい者も交流し、理解を深めたということです。障がい者に重荷を押し付けている社会、それに気がつかない健常者が、ほんとうの人間らしさ、豊かさを考える機会になったと、野村文枝会長はいっています。

織田弘子は市港区に住んでいましたが、一九八一年視覚障がい者が隣に引越してきて、盲導犬の必要性を知り、「中部盲導犬協会」に協力を申し出ます。盲導犬を育てる資金を集めるボランティアになった織田は、ほぼ毎日名古屋駅や栄のデパート前で盲導犬と共に募金を呼びかけ続けました。織田は「募金活動は私の生きがい」と一七年間活動を続け、「盲導犬の母」といわれ、応援する人、募金活動に参加する人が増えました。地道な活動が継続されることで、障がい者を自分のこととして共感・協力する健常者が育ちます（中日一九九九年九月一一日）。

このようにして多くの障がい者（児）の親や友人・近所の人の愛情がまわりの善意の人々の協力を呼び、新しい事態を理解し、努力を重ね、「法律ではここまでしかしない、できない」といっていた人や行政を動かし、障がいがあっても成長する人間の可能性への理解を深めさせました。一九六〇年「精神薄弱者福祉法」が制定され、どんな子どもでも就学できるようになり、一九七九年には養護学校設置が義務化され、一九八一年は国際障がい者年、一九八八年障がい者の雇用促進法が拡充されましたが、自立できる働き方は難しく、親や支援者の協力がなければ生活できにくいのが現実です。

一九八一年には市で障がいをもつ女性の生活実態調査が行われ、六〇人のうち六人は空襲や戦時の栄養失調が原因で、半数は職をもっているけれども常用雇用は四人だけ、経済的自立は難しいのです。既婚者は七二％いますが障がい者同士が多く、結婚は理解されても出産は反対されることも多く、老後は不安に包まれています（朝日一九八二年五月一日）。一九八九（平成元）年県の「身障者実態調査（男女）」では、一九七四年と比べ六〇歳以上が過半数に増え、病気を原因とする人がほぼ半数、治療が必要な有病者が約六割と、困難度が増しています（赤旗一九九〇年五月一七日）。

障がい者に連帯する心は、遅々とした歩みではありますが、多様な道を通って広がっています。高齢者が増えることは障がい者が増えること、誰でも障がい者になる可能性があるのです。

子どもを育てられない親に代わる「親」を

宮城県菊田医師が他人の子どもを別の親の実子とする出生証明書偽造は菊田医師事件として告発されました。一九七六年県産婦人科医会は「赤ちゃん養子縁組無料相談」を発足させ、法律に基づく養子縁組を主張、実現させ、二一年後、この活動を県に引き継ぎます。児童相談所に勤務していた県職員の矢満田篤二は、養育放棄された子どもの姿に心を痛め、一九八二年に新生児を里親家庭で育てる「赤ちゃん縁組・里親委託」を愛知方式として企画、一九八七年の民法改正の特別養子縁組規定で、実子として戸籍に記載できる方式の基礎をつくりました。児童相談所長萬屋育子は相談員たちと「愛知方式赤ちゃん縁組」を発展させ、生後四週間以内の赤ちゃんを産院から里親家庭へ送り届けます。矢満田は一九九四年退職後「子どもの虐待防止ネットワークあいち」設立に参画、活動を続けました。

二〇一一年厚生労働省は愛知県の「新生児里親委託の実際例」を全国に通知、福岡、兵庫、和歌山などに広がりました。愛の手が差し伸べられる一方、幼い子どもの虐待事件はその後もなくならず、女性が自立しにくい社会環境、不十分な児童相談所体制などの問題点が指摘されています。

12. 革新自治体を女性がつくっていこう

革新自治体への期待

高度経済成長がもたらした公害は多方面に拡大し、水質汚染・大気汚染が深刻化し、工場騒音や悪臭が周辺住民を悩ませ、病人が出れば反対運動が活発化し、公害のもとになる企業への反感は強まり、自治体が対策をとることが期待されます。大都市に際立った公害に対し、一九五〇（昭和二五）年以来革新の京都府知事蜷川虎三に学び、各地に革新自治体への期待が高まります。汚職・買収事件が続発した東京都では、一九六七年都知事選挙で、社会党・共産党を軸に労働組合、文化団体、知識人らが地域の統一組織「明るい革新都政をつくる会」を結成、美濃部亮吉を推薦、自民党・民社党推薦の松下正寿と競い合います。女性の投票率は男性を約四ポイント上回り、自民党支持者の一六・四％、民社党支持者の四〇・〇％、支持政党なしの人の過半数が革新候補を支持し、革新は一四万票差で勝ちました。その前後、一九六三年横浜市長飛鳥田一雄、一九六八年琉球（沖縄）政府主席屋良朝苗、一九七一年大阪府知事黒田了一、一九七二年埼玉県知事畑和が革新首長として当選し、新幹線の「ひかり」停車駅を全部革新に変えようと、愛知県・名古屋市の選挙が目標になります。

一九六一年知事選挙では桑原幹根に対し、革新候補磯部巌が挑戦、一九七一年には「明るい革新県政をつくる会」に推薦された新村猛が挑戦、敗れますが名古屋市では桑原を上回る票を獲得しました。一九七三年四月の市長選挙では愛労評・社会党・共産党が「明るい革新名古屋市政をつくる会」にまとまり、「暮らしと健康を守る」を訴えた本山政雄候補が僅差で勝ちます。選挙の投票率は六一・四二％で関心が高く、女性は六二・四六％が投票しました。公害地域や新興住宅地の市民の支持が強く、公害反対・福祉要求・教育要求の住民運動を反映していました。本山は当選直後に市バスに高齢者・障がい者・妊婦・病人などのための福祉席を設け、与党の少ない市議会で予算措置の必要がない福祉施策を実現します。本山市政は市民の福祉要求にこたえ、福祉を市政の基本に据え、老人ホーム、児童遊園地、児童館、保育園等の新増設を進め、職員を増やし、ホームヘルパーの正職員化を実現します。公害行政も前進させ、健康を守る医療も拡充しました。

革新市長によりかからないで

本山政雄は一九四一年ごろ東京目白で国民生活学院という女性の生活指導者養成学校の教育にかかわり、名古屋でも名大教育学部教授として、また社会教育講師として女性になじみがあり、市長二期目には婦人問題担当室を新設します。さらに一九七八年、市婦協、ク婦協、その他小さな女性サークルもまとまって請願した、女性が使いやすいよう工夫された婦人会館も建設されました。およそ八年間の経験から本山市長は人間本位のまちづくりを進めるには「相談づくでいこう」、「常に市民の市政への批判・要望を踏まえる」と考えているのですが、市民には市長に直訴すれば解決する、市長が何とかするという依頼心もあるようだと、大局から判断する立場を語っています（『女のひろば』一号、一九七八年八月）。

名古屋市婦人会館開館一周年には、県出身の市川房枝が本山市長に紹介されて登壇し、「婦人と社会参加」のテーマで記念講演を行いました。県出身の首相の名は記憶されていないかもしれないけれど、市川は県民の敬愛の的でした。一九八一年二月、市川が八七歳で死去した時、全国紙だけでなく、地元の地域紙も尾西市（現一宮市）名誉市民市川の死を一面トップで伝えています。市川の生家跡は小公園として整備され、憩いの場になっています。

13. 死と隣り合わせの体験が生きかえる

戦争体験記録続々出版

戦後二〇年の一九六五（昭和四〇）年は、アメリカ軍がベトナム北爆を開始した年でした。

日本は安保条約に基づいて米軍に基地を提供し、沖縄から爆撃機が飛び立っている、また新しい戦争に巻き込まれるのではないか、いやでも二〇年前の空襲を思い出す、戦争の実態を知らない世代に語り継ぐ責任があるのではないか、という歴史的意味を考えながら、いずみの会は主婦の戦争体験記録を集めました。望郷・召集・夫婦・戦時下の子ども・勤労動員・飢え・空襲をテーマに三五編、そして座談会と資料が新書版に収められます。昔の主婦は社会的に無知だったけれど自分たちは違う、真実を知らされないまま戦争の渦中に投げ込まれ協力させられたことへの悔いを抱いているからこそ、若い世代への教育が真実を見通せないものになっているのではないか、権力に従順な人間に仕立て上げられるのではないか、いよいよ戦争になってしまうまでわからなくなっているのではないかという不安、一番苦労した人たちは死んでしまったのだから、戦争体験者が平和を求めるための資料として出版しよう、と座談会では話し合われていました。

ベトナム反戦活動の影響もあって、一九七〇年東京大空襲を記録する会が発足し、一九七一年には「第一回空襲・戦災を記録する会」全国連絡会議が開催され、記録運動が全国に呼び掛けられます。翌年二月、県出身の横井庄一が敗戦を知らずにグアム島に潜んで生き続け、「戦争が続いている生き証人」として帰国しました。三月、「名古屋空襲を記録する会」が発足します。一九七三年八月、「名古屋大空襲展」が松坂屋で開催され、盛会でした。一九七五年

「岡崎空襲を記録する会」が発足、一九七七年には『名古屋空襲誌』が発刊され（八号まで）、一九八二年「半田空襲と戦争を記録する会」、一九八六年「熱田空襲を記録する会」「春日井の戦争を記録する会」、一九八九年には「豊橋空襲を語りつぐ会」、さらに「瀬戸地下軍需工場跡を保存する会」「名和の自然と歴史に親しむ会」が設立され、記録活動を続けます。

記憶に残る一九四五年六月九日、熱田区愛知時計電機船方工場、愛知航空機熱田工場・船方工場、港区の住友金属工場が大型爆弾で約一〇分間攻撃され、死体がばらばらで数えようがなかったといわれる死者約二千人、負傷者も約二千人の惨事となりました。警報ミスがあったといわれています。工場の壊れた屋根の鉄骨に人の頭や胴体がぶらぶらとひっかかり、頭の中味が吹きとばされてスイカの皮だけのようになり、目玉が飛び出し、頭が切り裂かれて脳が見え、腹を切られて腸がたれているなど、実際にみた人でなければ語れない悲惨な証言が詰まっています（『名古屋空襲誌』第五号）。

「名古屋空襲を記録する会」の集会に参加した杉山千佐子は、負傷者の発言がないので、真実をわかってほしいと体験を語り、軍関係者には「戦傷病者戦没者遺族等援護法」（一九五四年）という国の援助があるのに、民間戦災被害者には一切援助がないのはおかしいと、一九七三年戦時災害援護法制定を要求する運動を始め、名古屋市で「全国戦災傷害者連絡会」（全傷連）を設立、国会に何回も法律制定を求めましたが、廃案にされ続けます。名古屋市は全国に先駆けて調査し、市内身体障がい者一万五四四三人中戦災傷害者は二七三人いることがわかりましたが、福祉年金を受給している人は四三人にすぎず、国家総動員法で国のために働いても放置されている人が多いといいます（全国戦災傷害者連絡会・愛知戦災傷害者の会『傷痕』一号、一九七五年）。別に、一九七六年名古屋空襲で片腕を亡くした三人の女性が、「軍関係被害者との差別は憲法違反」だからと、国に戦災補償請求を提訴、最高裁まで争いますが敗訴になりました。しかし県はこれらの運動に対応して、一九八一年七月、愛知県一般戦災傷害者援護一時見舞金を支給しました。自治体による援助は珍しい例といいます。

悲しみ苦しみの想いをつないで

市内東海女子高校の教師今川仁視は「母の歴史」を書く夏休みの課題を一九七〇年代に出しました。当時の母親は一九三〇年前後に生まれ、青春時代に「一五年戦争を知っている子どもたち」だから「戦争を知らない子どもたち」に伝えることがあるだろうと考え、その記録をまとめます。六一編の記録は、常に戦争について受け身で日本人の戦争の被害届に終始し、被害を受けたアジアの人々の暮らしや心に触れていない共通の特徴をもっています。

一九八一年には日本赤十字社愛知県支部所属の元従軍看護婦三四人が、看護を通してみた戦争を、殉職した仲間への鎮魂と戦争反対の決意をこめ『あいち従軍看護婦の記録』としてまとめました（朝日一九八一年二月八日）。

一九八三年戦争体験記を募集した愛知県教員組合は三九人から四一編の原稿を集めます。空襲（焼夷弾の雨の中を・我が家が焼ける・焼け跡に立つ虹）、生活（戦時下の暮らし・おなかがすいて・学童疎開）、出兵・引き揚げにわけられた「子どもたちが読める戦争体験記」のほとんどすべてが被害体験で、真正面から加害者の立場で書かれたものはありませんでした。戦前の日本国民同様に将来の国民も、無意識のうちに加害者になっていく可能性があるのではないかという危機意識が感じられます。

戦争と正面からむきあう

一九六二年、家永三郎らが執筆した『新日本史』は、教科書検定で戦争を暗く表現しすぎている等の理由で不合格とされ、家永は一九六五年精神的損害を受けたとして国家賠償請求訴訟を起こし、支援団体が設立されます。一九六九年「教科書検定訴訟を支援する愛知県連絡会」（長谷川正安ほか共同代表）が結成され、当初の委員二一人中四人の女性がいました。一九七二年には女性委員は委員会の発言、カンパ活動、ビラまき、学習会の組織についての力強い担い手と、新婦人の浅井弘子、市民代表の大沢一子、神保登代、永井郁子、いずみの会の斎藤とい、ＹＷＣＡの島田麗子が紹介されています。戦争中に国定教科書だけが正しいと教えられ、自分の意見を殺すことを当然とされ、犠牲を強いられたと振り返る年配者、教科書を墨ぬりさせられた自分の子が、戦争を直視しない教科書で教わるのは許せないという母親、子どもがついていけない教科書や教師に疑問を持つ親、教科書裁判を学習し行動して、女性も子どもの教育の権利を考えないわけにはいかないのです。

一九八一年東京で「第二回国連軍縮特別総会に核兵器完全禁止と軍縮を要請する国民運動推進連絡会議」が発足しました。翌年県レベルで二百万人の国民署名運動を推進しようと「核兵器禁止国民署名愛知県センター」が結成され、事務局をＹＷＣＡに置き、街頭署名や原爆の記録映画「にんげんをかえせ」上映会を広げていきます。名古屋市議会ではいったん超党派で「非核都市宣言」をする話が出ましたが、全党一致ができませんでした。町内を夕食前後に回り、地味に署名を集め続け、協力者にも署名を集めてもらった市天白区の主婦向井恭子は一万人の署名を集めました（朝日一九八二年三月七日、赤旗一九八六年一一月一日）。

一九八七年には名古屋大学が大学初の「平和憲章」を制定し、いかなる理由であれ、「戦争を目的とする学問研究と教育には従わない」と宣言、構成員の批准署名運動を行い、署名者は教職員の七七％、大学院生の六六％になり（二月四日現在）、宣言書を一六か国に発送しました。軍事関係の研究費が増加する中、厳しい平和と自立の精神が示されました。

一九八八年には、沖縄で戦死した岩瀬忠一の遺品の日章旗が、アメリカ人から預かった沖縄の「白旗の少女」といわれる比賀富子から蒲郡の遺族のもとに返されました（朝日一九八八年八月二五日）。戦後四三年たっても、無残な死の悲しみは終わっていません。

二〇一一（平成二三）年には市で「愛知・日本軍『慰安婦』問題の解決をすすめる会」が新婦人県本部などの参加で結成されました。国連から日本政府に謝罪をと勧告されても解決に動かない現状を、韓国の活動と連帯しながら、動かそうとしています。

こうした草の根の平和運動、草の根の記録活動などは、戦争を過去の体験として記録するだけではなく、どうしたら平和を県民に根付かせることができるのか、待ってはいられないから今でもできることをと、書き継がれる記録であり行動です。

14．総力を結集した平塚らいてう展・講演会

団体も個人もいっしょになって

一九七二（昭和四七）年、神戸で「平塚らいてうをしのぶ展」が開催されて以来、西宮市、丹波青垣町（兵庫県丹波市）、柏原町（同上）、大阪、京都、東京で「元始、女性は太陽であった」の名句を残したらいてうの回顧展が実現しました。個人として見てきた中山惠子と伊藤康子は、名古屋でも開催したいと、一九七三年一二月愛知の婦人団体・関係機関・個人に呼びか

けます。元気よくあわただしく準備が進み、パネル中心の展示会、講演会、学習会、後援要請先について意見が交わされ、事務局団体は愛知女性史研究会と決めて、一九七四年多数の婦人団体、研究者・文化人・個人が協力する結果となりました。『平塚らいてう展報告書』にみる実行委員*、協力婦人組織+、婦人団体報告#(紙上含む)は左記のとおりです。一九七〇年代に多数の女性が多様に自分のやりたいことを見定め、活動していたことがわかります。

青山三枝*+#(新日本婦人の会愛知県本部)/浅賀ふさ*(日本福祉大学)/飯田絹緒*(家庭裁判所調停員)/磯部しづ子*(中京女子大学・現至学館大学)/伊藤よし子*+(日本婦人会議愛知県本部)/稲子宣子*(日本福祉大学)/内田あぐり*(碧南市議会議員)/浦辺竹代*+(日ソ婦人懇談会)/大脇雅子*(弁護士)/河合百合子*+#(若菜会)/小保昌子*+#(愛知いけばな交流会)/佐藤貴美子*(作家)/佐藤ふみ*+#(日本婦人有権者同盟名古屋支部)/鈴木満智子*(社会教育アドバイザー)/竹下みつえ*(名古屋市議会議員)/舘林涼子*(名古屋クラブ婦人団体連絡協議会)/田中いと*(愛知県議会議員)/田中マサミ+#(志賀・鳩岡保育の会)/田中美智子*(衆議院議員)/簗島京子*+#(萌えの会)/徳武登志子*(名古屋市教育委員)/中山恵子*+#(愛知女性史研究会)/中田照子*+(名古屋市公立保育園父母会)/根岸ヤス*(家庭裁判所調停員)/丹羽和子*(画家)/服部勝尾*+(愛知有

職婦人クラブ）／長谷部ひろ＊＋＃（ベターホーム協会）／前田いね子＊（医師）／前田美稲子＊（自由学園短大）／水田珠枝＊（市邨学園短大）／三浦小春＊＋（名古屋有職婦人クラブ）／山本信枝＊＋＃（愛知母親大会連絡会）／横地さだゑ＊＋＃（名古屋市地域婦人団体連絡協議会）

右記以外に婦人団体報告を行った協力組織は、名古屋市職員組合婦人部、愛知私立学校教職員組合連合婦人部、愛知土曜会、葵美術グループ、おさなご会、グループＴＢＳ71、芸能文化教室、子どもの本セミナー、児童文学波の会、しみず会、しろく会、名古屋園芸同好みどり会、名古屋女性サークル、虹の会、二水会、波紋の会、病院ボランティア、婦人民主クラブ再建連絡会名古屋支部、翠ボランティア、ＹＷＣＡしののめグループでした。

平塚らいてう展の講演会で挨拶する浅賀ふさ実行委員（1974年）

継続できなかった現実

「平塚らいてう展」は国際婦人年の前年、名古屋市内外で活動していた女性、婦人組織を網羅した連帯の活動でした。高齢女性が若い時代にあこがれた平塚らいてう、若い世代の教科書に載る平塚らいてうを、もっとよく知ろうという問題提起が広く受け止められたこと、名古屋市教育委員会職員中山恵子の人脈の力によるものでしょう。全国組織の支部、学習会、同好会、子どものためのグループなど社会的な働きかけを行っていた大小の活動は、市内に広く知られているとは限らず、どういう会があるのか知りたい、活動を豊かにしたい、仲間を増やしたいと願っている時期だったと思われます。

平塚らいてう展終了後、緩やかな協力組織として「平塚らいてうの願いをうけつぐ婦人の集い」を設立しましたが、右記以外に参加したのは、愛知大学女性解放研究会、あすなろ会、千種台歴史の会、はばたき会、野ばら会と記録されています。事務局長を伊藤康子（愛知女性史研究会）が続けて務め、展覧会以後学習会の提案はありましたが、現実にはほとんど実行されないままになりました。多様な団体が一時的に行う活動は、資金も人手も集めて実現できましたが、継続するほどの力はありませんでした。

15. 愛知の女性を愛するから女性史学習を

名古屋女性史研究会の誕生

一九五四（昭和二九）年設立された朝日女性サークルは、女性なら誰でも参加でき、社会・家庭・文学・音楽・美術・ニュースの六グループがあり、教養と文化を身につけるため講演会、座談会を開き、その時々の社会問題も勉強しました。その前後、新聞に女性の投稿欄も設けられ、「いずみの会」「中日くらし友の会」「波紋の会」が誕生、「ＮＨＫ婦人学級」も始まっています。女性も社会問題に目覚める時期でした。社会グループの中山恵子・今中保子たちは、講演・講義を聞くだけでなく、自分たちで勉強する会がほしいと考え、『婦人画報』（一九五九年九月号）に掲載された東京の三井礼子らの女性史研究会の記事を手掛かりに、長谷川昇（東海学園女子短大）を講師として、一九五九年一〇月名古屋女性史研究会を発足しました（会員一八人）。女性史の本を何冊も読み、福田英子にかかわる論考を書いて『福田英子研究』にまとめ、福田英子を記念する会を開催しました。その後、念願の「愛知県の女性のあゆみ」に取り掛かり、大正期を中心に一一人の労作をまとめ『朝日新聞』に連載後、一九六九年『母の時代―愛知の女性史』（風媒社）として出版しました。地域女性史としては全国的にみても早い時期の組織・成果で、婦人団体の機関誌の中に地域の女性を探し、青鞜社や新婦人協会関係者の聞き取りをおこない、地域新聞を自分たちの目で探して結び合わせたので、大正デモクラシー期の生活や婦人運動草創期の地元の活動をよみがえらせた大きな意義がありました。

愛知女性史研究会の成果

名古屋女性史研究会ではその後、婦人論・経済史の本を読み、文部省婦人学級「働く婦人のセミナー」「働く婦人の通信セミナー」を主催しつつ学習を重ねました。問題を深めるために愛知女性の意識と行動の基礎資料になる年表を、県母親連絡会事務局長山本信枝の所蔵資料と新聞記事でつくろうと、改めて愛知女性史研究会を一九七二年一〇月発足します。当時の会員は若い人が多く二三人、子連れの研究会で、山のような仕事に取りかかり実現しました。

愛知女性史研究会は一九七四年平塚らいてう展・講演会を事務局団体として支え、一九七五年国際婦人年を記念して『戦後愛知女性史年表―明日を生きるために』を出版しました。年表だけでなく、「戦後愛知女性小史」「婦人議員立候補者一覧」「愛知女性史研究会のあゆみ」などを入れました（毎日一九七五年一二月一六日、朝日一二月一八日）。年表をもとに自分のテーマをもって戦後愛知女性史の論考を書こうと相談したのですが、働く人が多く、仕事は進みませんでした。

愛知女性史研究会は、その後励ましあって書いた文章を集め、一九八六年『愛知女性のあゆみ』第一集を出版します。一九八七年には市市民局に研究委託され、年表中心の『なごやの女性の歴史―一九七五年〜一九八五年』を仕上げ、一九八九（平成元）年愛知で第三五回日本母親大会開催の機会に、聞き取り中心の『母親運動を育てた人びと　愛知女性のあゆみ　第二集』を出し、一九九四年には郷土出版社から『【写真でつづる】あいちの女性史』を刊行、一九九八年には名古屋歴史科学研究会から『歴史の理論と教育』に女性史特集を出したいと提案され、要望に応えました（会としては第三集とする）。二〇〇三年には人権をキーワードとする原稿を書いて『人権確立を求めつづけて—愛知女性のあゆみ　第四集』を出し、二〇〇五年には急逝した会員川口ちあきを追悼して『川口ちあきの女性史世界』を緊急出版します。

長い研究が書けないなら、短いたくさんの文章を積み重ねようと、五年かけて『愛知近代女性史年表　1871〜1945』を二〇一〇年出版、また五年かけて『愛知近現代女性史人名事典』（故人と一九二五年生まれまでの愛知で暮らしたことのある人）を二〇一五年につくり上げました。二〇一四年には公益財団法人東海ジェンダー研究所、公益財団法人愛銀教育文化財団から団体助成金をいただくことができました。地元の機関から評価されるとは、予想もしないうれしい出来事でした。二〇二〇（令和二）年戦後民主主義を育てる役割を果たした一九三五年生まれまでの人を集め、『愛知近現代女性史人名事典　Ⅱ』を出版、少数になった会員五人の自己紹介も加えました。

女性史ブームの中で

浅野美和子は一九七四年ごろ女性問題誌『あごら』を知り、友人と「あごら東海」を結成、居住地尾西市（現一宮市）で市川房枝の資料を集め、聞き取りをおこない、一九九〇年「尾西女性史を学ぶ会」を立ち上げます。一九七八年近世女性史を学ぶ「知る史の会」を門玲子、高橋ますみらと結成しました。浅野は如来教の始祖きのの伝記『女教祖の誕生』(藤原書店)などを、門は『江戸女流文学の発見』(藤原書店、一九九八年)などを出版しています。

平塚らいてう展実行委員会には、近代女性史を学び、文学散歩に出かけるＹＷＣＡしののめグループ(一九七二年～)、名古屋市婦人学級「青鞜からウーマンリブまで」の受講修了者を母体にした萌えの会(一九七三年～)も参加しています。

名古屋女性史研究会の中村雪子は、旧満州から引き揚げてきた体験を子どもたちに書き残しておこうと考えていましたが、より悲惨な満蒙開拓団の集団自決の事実を知り、資料を探し、生存者を尋ね、なぜ満蒙開拓に参加したのか、戦後どう生きたのかと視野を広げて『麻山事件』にまとめました(朝日一九七九年八月一五日)。

愛知女性史研究会30年記念会。左から5番目中山恵子

一九八一年には第一五回千種区母親大会を記念して千種区母親連絡会は『地域ぐるみの子育て　千種の地域運動の歴史と展望』として、子どもたちに伝えるべきふるさとを描いています。水田珠枝は「地域運動、母親運動と婦人解放」として、地域の運動が本格化するのは一九六〇年代に入ってから、生活習慣に根を下ろしたどろどろとした気分を変えようとすると摩擦を引

き起こし、摩擦を引き起こしたくないという気分、無難に過ごすという保守意識と無関心が、過去のファシズムを生む土壌になった、どういう地域を求めつくることができるかが女性解放に向かう今後の課題と書いています。

名古屋市婦人会館主催講座「わたしの歩み―歴史の中で」に集まった一四人の女性は、一九八一年自分史をもとにした記録集を作り上げました。職業体験・退職体験を書いて、今の自分ならどうするという反省も書きます（朝日一九八一年六月一〇日）。自主グループ「なごやの女を記録する会」は、明治生まれの女性の半生を聞き書きして冊子にまとめます（朝日一九八三年一月六日）。

出版界では一九七〇年代は歴史ブームと言われ、引き続き一九八〇年代にかけて女性史ブームともいわれました。国際婦人年・国連婦人の一〇年の国際潮流もあって、自主的な女性史学習・活動がとりくまれ、記録を残すことができました。

第五章　典拠・参考文献

『愛知県史』通史編9　資料編36
愛商連婦人部協議会編・刊『泣いて笑って20年―婦人部のあゆみ』一九九〇年
愛知学童保育連絡協議会編・刊『愛知に於ける学童保育運動の現状と課題　№２』一九七二年

愛知県教員組合編・刊『焼け跡に立つ虹』一九八四年
愛知県原水爆被災者の会婦人部編・刊『原爆、忘れまじ―ヒロシマ・ナガサキ被爆体験手記集』一九八五年
愛知県社会保障推進協議会編・刊『愛知の社会保障運動の歴史』一九九二年
愛知県労働部労働経済調査室編・刊『愛知県に於ける婦人就業の実態』一九七四年
愛知母親大会連絡会編・刊『愛知母親大会50年の歩み』二〇〇六年
いずみの会編『主婦の戦争体験記　この声を子らに』風媒社、一九六五年
いずみの会編・刊『伊勢湾台風　その後二十年』一九七九年
伊藤康子『新　日本の女性史』学習の友社、一九九八年
伊藤康子「初期母親大会の性格」「地域母親運動史―愛知を中心に」同『草の根の婦人参政権運動史』吉川弘文館、二〇〇八年
伊藤康子「地域女性の生活と社会運動―名古屋の保育所づくりを中心に」安田常雄編『社会を問う人びと―運動の中の個と共同性』岩波書店、二〇一二年
今川仁視『戦禍の記憶　娘たちが書いた母の「歴史」』大学教育出版、一九九五年
井上やよい「波紋の会ができるまで」戦後名古屋市婦人教育研究会編・刊『戦後名古屋の婦人教育』一九九四年
岩倉団地自治会保育の会編・刊『第一歩　岩倉の産休明け保育』No.4，一九七三年
岩倉団地自治会保育の会編・刊『働いて育てて育てられて』一九八八年
加藤奈々枝『花影の譜―ちえおくれの子をもつ母として、妻として、女として』大揚社、一九八六年

亀山利子編著『カツオ・おかあさん・共同保育―脳性小児マヒ克郎君の記録』鳩の森書房、一九七三年
川口ちあき「いつも世直しと女性の味方―聞き書き青山三枝さん」名古屋歴史科学研究会『歴史の理論と教育』一〇〇・一〇一合併号、一九九八年
川口ちあき「小岩井多嘉子」「小岩井（山岸）多嘉子の足跡　戦後編」愛知女性史研究会編・刊『川口ちあきの女性史世界』二〇〇五年
刊行委員会編・刊『ゆとりとうるおいを求めて―本山政雄・まちづくりを語る』一九八一年
北島洋子「小児マヒ生ワクチン」いずみの会編・刊『いずみ50』二〇〇五年
教科書検定訴訟を支援する愛知県連絡会編・刊『教科書裁判とともに　愛知の支援運動10年のあゆみ』一九七九年
児島美都子＋地域福祉を考える会『どうします　あなたと私の老後―名古屋の女性がとりくむ「介護の社会化」』ミネルヴァ書房、一九九七年
阪上裕子「浅賀ふさ」五味百合子編著『社会事業に生きた女性たち―その生涯としごと』ドメス出版、一九七三年
皿井壽子『光をみつめて―愛光園の二〇年』風媒社、一九八六年
杉山千佐子『おみすてになるのですか』クリエイティブ21、一九九九年
戦後名古屋市婦人教育史研究会編・刊『戦後名古屋の婦人教育―回顧と展望―』一九九四年
全損保東海地方協議会ほか編・刊『怒りに燃える青春　タイピスト病とたたかって』一九六七年
全帝国興信所労働組合名古屋支部、総評・全国一般労働組合愛知地方本部編・刊『帝国興信所における生理休暇賃金カット・就業規則改悪反対闘争』一九七二年

第54回日本母親大会実行委員会「二〇〇八年第五四回日本母親大会のしおりin愛知」
千種区母親連絡会編・刊『千種の地域運動の歴史と展望』一九八一年
中国婦人代表団愛知歓迎委員会編・刊『友情の記録　中国代表団を迎えて』一九六一年
中日くらし友の会女性史グループ編・刊『女のわだち　くらし友の会五年史』一九八〇年
東海自治体問題研究所編『名古屋市政と住民自治』自治体研究社、一九七七年
中田照子「働く女性のための条件整備―保育所、学童保育所」、秦恵美子「女性の健康と福祉」名古屋市市民局婦人問題担当室編・刊『なごや婦人白書―婦人施策の現状と課題』一九八四年
中西静子・藤野道子「稲木長子さん聞き書き　どこに住んでも母親運動を」、長澤静子・三輪久美子「井並三千枝さん聞き書き　戦争は反対と語り続けて」、藤野道子・中西静子「秦恵美子さん聞き書き　女の生き方を学んだ場」愛知女性史研究会編・刊『母親運動を育てた人びと　愛知女性のあゆみ第二集』一九八九年
長沼てる子『めっせいじ―市井のかたすみから』東海BOC、一九八六年
中村雪子『麻山事件』草思社、一九八三年
中山惠子『お言葉を返すようですが…。―肝っ玉母さんと呼ばれて三五年』中央出版、一九九二年
名古屋共同法律事務所編『労働弁護士五〇年―高木輝雄のしごと』かもがわ出版、二〇一九年
名古屋市勤労婦人センター編『名古屋の働く女性たち　その歴史と未来』名古屋市、一九八七年
名古屋市市民局編・刊『なごや女性白書』一九八九年
名古屋市地域婦人団体連絡協議会編・刊『25年のあゆみ』一九七二年
名古屋女性史研究会編『母の時代―愛知の女性史』風媒社、一九六九年

名古屋市婦人会館ボランティアビューロー協議会編集委員会編『障碍者の社会参加を進めるために―中区を中心にした福祉マップ』名古屋市中区社会福祉協議会ほか、一九八二年
野村文枝著・刊『野村文枝の本　学習もだいじ　実践もだいじ』二〇〇七年
早川良子「伊勢湾台風と野菜サラダ」前掲『いずみ50』
東三河母親連絡会編・刊『へいわとともに』一九八七年
平塚らいてう展実行委員会編・刊『平塚らいてう展報告書』一九七四年
編集委員会編『スクラム特集号　愛視協運動のあゆみ』愛知県視力障碍者協議会、一九八一年
編集委員会編『あいち従軍看護婦の記録』日本赤十字社、一九八〇年
編集委員会編『半世紀をこえて歩みつづける女性群像―日本国憲法と人権・未来へ』新日本婦人の会愛知県本部、二〇二〇年
編集委員会編『愛知県日ソ親善運動三十年史』日ソ協会愛知県連合会、一九七九年
編集委員会編『駆けつ転びつ―名古屋第一法律事務所二〇年のあゆみ』名古屋第一法律事務所、一九八八年
編集委員会編『松川の火だね―私たちの歩いてきた道』なごや松川守る会、一九六四年
名大平和憲章制定実行委員会「名大平和憲章」一九八七年二月一六日
三井礼子「女性史研究グループ」『婦人画報』一九五九年九月号
宮田鈴枝『乳房やさしかり　リウマチとともに五〇年』同時代社、一九九六年
森扶佐子「田中初代さん聞き書き　中商工業者の主婦として」、同「聞き書き　ただ働きたかっただけ―三十歳定年制と闘った木全志ず子さん」愛知女性史研究会編・刊『人権確立を求めつづけて　愛知女性

のあゆみ第4集』二〇〇三年
山種証券女子三十歳定年制反対共闘会議編『私はもっと働きたい』労働旬報社、一九六七年
山本信枝『道　ある反骨の女の一生』ドメス出版、一九八八年
矢満田篤二・萬屋育子『赤ちゃん縁組で虐待死をなくす』光文社、二〇一五年
脇田順子「市民のみなさまへ　警職法・安保改訂に反対した主婦たち」愛知女性史研究会編・刊『愛知女性のあゆみ　第1集』一九八六年

第六章　国際婦人年は希望の灯、女性の武器

1. なくそう男女の差別、強めよう女性の力

女性も議員も裁判官も政治家も大忙し

一九六七（昭和四二）年、国連は「女子に対する差別撤廃宣言」を満場一致で採択、女性差別を基本的に不正、人間の尊厳を犯すものと第一条で定めました。決めるだけでは現実の女性差別はなくなりません。国連は現実を変えるために、一九七五年を国際婦人年と決定しました。国際婦人年のテーマは「平等―男女平等の促進」「開発―経済・社会・文化の発展への女性の全面的参加の確保」「平和―国際平和を目指して、増大しつつある女性の役割の認識」と見定

められました。

一九七四年一二月「国際婦人年日本大会準備委員会」が、翌年四一団体が参加して「国際婦人年日本大会実行委員会」が結成されました。一月大阪では「国際婦人年大阪の会」が、東京では「国際婦人年をきっかけとして行動を起こす女たちの会」が発足し、国際婦人年の名を掲げた組織・活動があちこちに生まれ、生き生きと動きました。「売春問題と取り組む会」はトルコ風呂廃止を要求、二月森山真弓婦人少年局長他各省の婦人課長は国家公務員への女性の採用と登用を三木武夫首相に陳情、東京高裁は伊豆シャボテン公園の定年男女差別無効の判決を出し、「女子教育問題研究会」も発足して教科書にもある女性差別を分析するなど、様々な活動が沸き立ちました。

この年だけでも東京地裁はエールフランスのスチュワーデスのパリ移籍拒否で解雇するのは権利の乱用と無効判決、大阪地裁は朝日放送の女子アルバイト二年解雇制は解雇権の乱用と無効判決、秋田地裁は秋田相互銀行の二本立て賃金表による賃金差別は違憲判決、東京地裁はコパル事件で子どもが二人以上いる女子を人員整理基準に掲げることは違法、解雇無効の判決なども、裁判でたたかう女性への企業の権利濫用を否定しました。それでも不況対策として五二歳以上と既婚女子全員の半年間帰休を提案する東芝（のち撤回）、パート女性に解雇通告した帝国臓器製薬川崎工場（労組を結成して撤回させる）など、女性にしわ寄せするのを当然視する企業はあり、女性の人権軽視はあとで撤回しなければなりませんでした。

五月、日本女子登山隊の田部井淳子は、世界初の女性エベレスト登頂を果たしました。六月、衆議院社会労働委員会が初の女性問題の集中審議を行い、衆参本会議で、「国際婦人年にあたり女性の社会的地位の向上をはかる決議」を全会一致で採択、九月総理府に「婦人問題企画推進本部」（本部長首相）設置が閣議決定され、一〇月差別裁判闘争中の女性八九人が国会へ支援要請に行き、一一月には政府主催、天皇・皇后が出席する「国際婦人年記念日本婦人問題会議」があり、四一婦人団体実行委員会が主催する「国際婦人年日本大会」も開催され、日本女性の現実を政治・教育・労働・家庭・福祉の五分野で検討し、その解決のため「国際婦人年日本大会の決議を実現するための連絡会」（国際婦人年連絡会）が結成されました。一九七九年には国連総会で「女子に対するあらゆる形態の差別の撤廃に関する条約」（女性差別撤廃条約）が採択されます。

この前後、日本女性の現状について調査・報告が重ねられました。衆参婦人議員懇談会の要請があって総理府に設けられていた婦人関係の諸問題に関する懇談会の検討から、一九七二、三年に調査が進められ、その報告は「結婚」「家族・家庭」「職業」「市民活動」「レジャー」の資料・調査結果と提言を内容とする『現代日本女性の意識と行動』にまとめられました。「男女の地位が平等になっていない」と思う人は七三・九％と発表されます。住民運動・消費者運動・社会奉仕その他市民活動に参加経験をもつ女性は、全国平均で一三・五%にすぎないという実態がでてきました。労働省婦人少年局は戦後三〇年間の調査・統計で客観的に女性の地位の変遷をたどる『婦人のあゆみ30年』を国際婦人年記念として出版しました。日本婦人団体連合会は、まだ多くの困難が解決されていない現実を解明し、婦人運動の展望を示そうと『婦人白書』(二〇〇〇年以降『女性白書』)を創刊、刊行し続けます。広く日本女性の現実がみえるようになってきたのです。

愛知の国際婦人年

愛知ではどのような動きがあり、どう変わったでしょうか。

一九七五年一月、名古屋放送の三〇歳女子定年制を撤廃させた大木捷代は業務局進行部に、清水睦子は報道局報道部に復職しました。一九六一年企業設立以来の結婚退職・出産退職などの女性差別、労働組合分裂に抵抗し続け、アメリカの週刊誌『ニューズウイーク』などの取材、衆議院社会労働委員会で田中美智子議員が政府を追及、労働婦人少年局に支援を要請し、名古屋地裁での重ねての地位保全・賃金のベースアップ分・一時金分仮処分請求裁判勝訴、働き続けるための活動等々の成果でした。その過程は企業が妻を夫の付属物扱いにし、上司は励ますかと思えば退職を迫り、仲間の葛藤が起こるように、人間信頼を揺るがせるように迷わせる日々でした。戦後三〇年、日本国憲法のもとで性差別は認められないはずであっても、当事者と家族・友人、労働組合や弁護士の努力、日本中の民主主義の知恵を集めてたたかわなければ実現できない復職でした。

三月、市昭和・天白区母親連絡会主催、米原美智子を講師とした「名古屋・国際婦人年講演会」が開催されました。市婦協の研究協議会は市川房枝を講師に招き「権利の上に眠るな、行動で示そう男女平等、もっと政治の勉強を」と学びました。国際婦人デー県集会は「国際婦人年を成功させ、平和・独立・婦人の解放をかちとろう」と訴え、公的施設としては初の託児設備を備えた名古屋市勤労婦人センター（現名古屋市男女平等参画推進センター）が開所しました。女性の社会的地位向上のためにできることをやろうという動きが進みました。

四月県会議員選挙に女性は三人立候補しましたが当選に至らず、名古屋市会議員選挙には女性五人が立候補、本谷純子（共産党初の女性市議）のみ当選しました。愛知婦人少年室・愛知土曜会共催「国際婦人年記念・愛知婦人のつどい」が開催され、五月県母親連絡会主催「国際婦人年を考える婦人講座」が始まります。一一月には「愛知婦人研究者の会」が発足し、現状を洗い出すことから始めました。

一二月には国連のメキシコ世界会議に参加した衆議院議員田中美智子と、国際民主婦人連盟主催のベルリン大会に参加した民商の岡田博子の講演を聞いて、世界行動計画の実行を日本政府に要求し、世界の婦人運動に学んで愛知で何をしたらよいか考えようと「国際婦人年の講演を聞く会」が開催されました。会ののち、もっと内容を広めようと、『国際婦人年とこれからのわたしたち』の講演記録が出されます。

国際婦人年あいちの会はナマの声を集めて

婦人問題に関心が深い人たちが名古屋で「国際婦人年に何かをする会」を設立しようと呼びかけ、準備会がもたれ、日常の隠れた男女差別とその根源を探り、女性の社会的進出を妨げるものに対して行動しようと、四月「国際婦人年あいちの会—つながりと広がりを求めて」（あいちの会、事務局大脇雅子）を結成しました。まず女性のナマの声を集め、明日の自分の行動の原点を発見しようと、「女にとって家庭とは」「教育—新しい女性像をさぐる」「妻の経済的地位と老後」「就労上の差別をあらう」の四回の小集会と泊まり込みのフェスティバル（女の船）での発言や原稿を集め、裁判や労働運動でたたかう女性や長良川河口堰問題の訴えと合わせて、『女の声—一九七五年の場合』を出版します。大脇雅子は、当時自分の忙しい毎日が子どもや家族への「罪の意識」と共にあり、ウーマン・リブの女たちが告発する「結婚は諸悪の根源」に、中年女性は反発と肯定の矛盾した感情をもった、と振り返っています。多くの女性が話し合い、記録することで責任を確認し、連帯して行動したことは、何はともあれ女性が思想信条を超えてよりよい明日を創ろうとする気運を育てました。あいちの会はその後女子労働裁判、女性の集会、講演記録などを『あいちの会ニュース』に掲載、一九九八（平成一〇）年七九号を最終号として閉会しました。

　あいちの会等の資料をのちに「名古屋大学ジェンダー・リサーチ・ライブラリ」に寄贈した大脇は、「力をあわせて運動を継続することが必要」と痛感していると、一九九二年七月に書いています。

男女雇用機会均等法施行

国連の女性差別撤廃条約が一九八一年発効した前後、一九七〇年代に欧米では、国連・ＩＬＯ・ＥＵ等の働きかけがあって雇用平等法が制定されていきました。日本では戦後財界が追求してきた労働組合運動の弱体化、世論の保守化は、波乱含みながら一九七〇年代後半に相当に進んだとみられる状態でしたが、働く場での平等はどう変化したでしょうか。

　女性差別に抵抗する裁判は重ねられましたが当事者しか救われず、労働基準法は採用時には関係ないので、女性労働者は実効ある男女雇用平等法実現を求めました。日経連、経済同友会は平等法に反対、世界の男女平等への流れに背を向け、これまでの性別役割分担が好都合と、世界の潮流にも配慮せざるをえない立場の政府に正面から反対しました。労働基準法改悪に反対し実効ある雇用平等法を求めた集会やデモ・ハンストも東京などで行われます。愛知でも「労基法改悪反対！　実効ある雇用平等法の制定を進める愛知県連絡会」が設立されます。

日本の法律で抵触する問題が検討され、国籍・戸籍について男女同等の条件にする、教育での男女別学をやめる、労働基準法等での男女別基準をなくすことが必要とされます。国籍・戸籍については父母両系主義に変え、家庭科は段階的に男女共に学ぶことになり、最後の懸案だった労働分野については「雇用の分野における男女の均等な機会及び待遇の確保を促進する労働省関係法律の整備等に関する法律」（男女雇用機会均等法）制定に至りました。この法律は多くを企業の努力に任せることとし、同時に労働基準法の生理休暇等の保護規定が緩和され、前後して「人材派遣法」も成立し、一九八六年四月、男女雇用機会均等法は施行されました。日本は女性差別撤廃条約を一九八〇年に署名しましたがようやく一九八五年に批准し、世界で七二番目の締約国になりました。

愛知の組織は、男女雇用機会均等法成立に際してわかりやすく「ワーキング・ウーマン―男女差別をなくす愛知連絡会」（W・W）と改称、男女雇用機会均等法を実効性あるものにする、女性が元気に働き続けるために差別解消裁判支援などを行いましたが、二〇一六年三月、会報一七八号を最終号として閉会しました。

県は新聞の「広報あいち」ページ全面で「「男女雇用機会均等法」が四月一日から施行され

ます。」（一九八六年三月二日）と掲載、二月から「女性であることを理由に不利益待遇をやめる」などと説明する会に、企業の担当者が溢れました。女医や女性警察官の夜勤・宿直が可能になり、設備も準備しなければならなくなりました。リクルート情報出版名古屋支社の調査では、男女雇用機会均等法があることも知らない独身OL二六%、あるのは知っているが中身は知らないが半数弱、内容を知っている独身OLは六%、企業の人事担当者で中身を大体知っている人は四五%程度、労働者は法律を自分として活用する姿勢が弱いようにみえます（朝日一九八六年四月二〇日）。

県・市婦人会館の設立

一九七八年まで市には誰でも安心して使える女性専用の施設はありませんでした。地域婦人会は学校後援会の性格をもつところが多かったので、小学校を借用し、中区栄の市教育館の一部を活動拠点としていました。県は青年労働者が集まる時期だったので、「青年の家」という青少年教育施設を設立していました。労働省は県に女子労働者の拠点として、勤労婦人センター設置の予算補助を付け、開館しました。主婦が社会教育を担ってきた自負を持つ市婦協、ク婦協は、全国各地で婦人会館設立の動きがあるので、社会教育を発展させるためにも一九七三年三月女性教育専用施設の新設を市に陳情します。一二月には市議会に請願書を出し、大きな組織を動員して七万九六〇〇余人の署名も提出しました。民社党・自民党の市会議員からも支援質問があり、市長も財政をにらんで努力すると答弁します。もう一歩、名古屋市の多様な女性のグループも女性会館を要望していることを示すために、平塚らいてう展に参加した小さなグループの団体署名を急遽集め、一一五団体の請願が国際婦人年記念の趣旨で一九七五年一月、横地さだゑ市婦協会長の協力で超党派（自民・公明・民社・社会・共産）議員の紹介を得て提出されました。こうして思想信条を超え、声の大きさも肌触りの違いも超えた婦人団体総連帯の力で、市婦人会館（のち市女性会館、市男女平等参画推進センター、略称イーブルなごや）建設は動き出したのでした。

建物だけではなく、脚の弱い人、子連れの母も集まるのだから会館の場所は地下鉄の駅から五分以内を譲らず、施設使用料についても名大の小川利夫に教えられて、教育は日本国民の権利だから無料でと粘り、他施設との関係で有料にはなりましたが、無料で使える区画を多くするなど、多様な女性がこれまでの活動で蓄えた知恵を絞って、最高に使い勝手の良い施設にしようとしました。国際婦人年という世界の女性の追い風と自分たちの本音をあわせて実現した婦人会館は、一九七八年七月開館しました。「私たちの会館ができた、おめでとうございます」の声が飛び交いました。

県の女性総合センター（ウィルあいち）は県消費生活センター等も入れて、「『男女共同参画社会』をめざす活動、交流の場」をキャッチフレーズに、情報ライブラリー、ホール、宿泊施設等も備えて、一九九六年五月開館しました。男性用トイレにもベビーチェアを備え、障がい者にも優しい施設として工夫されました（各紙一九九六年五月三〇日）。続いて六月には主として女性の生き方をテーマにした国内外の映画を集め、国際女性映画祭を実施、毎年継続しています。

一九九一年それまで普通に使われていた「婦人」という語句は大人にしか使わないなどの理由で主に「女性」が使われるようになり、婦人会館は女性会館に変更され、女性担当部署も男女平等というなじみ深い言葉から男女共同参画室というような名前になります。女性にとって自分たちを支援する場所、駆け込む場所ということには変わりはないのですが。

初めてばかりの婦人施策と壁

政府が一九七五年総理府に「婦人問題企画推進本部」を設置し、本部長（首相）への私的諮問機関である「婦人問題推進企画会議」を開くことを決め、やがて国内行動計画を決め、全女性へ開かれた行政窓口を設けた流れは、そのまま地方自治体へ同様の機関を設置する要請となりました。一九七六年七月、県は「愛知県婦人関係行政推進会議」を、九月「県婦人問題懇話会」も設置しました。翌年三月、初の部長職として中尾初生青少年婦人室（現県男女共同参画室）長を任命し、七月最初の県婦人問題懇話会が開催され、広報誌『ちゃるま　あいちの女性』が創刊されました。一九七八年には「県婦人労働サービスセンター」が開設されます。

市もその動きを追って、八月市民局に「婦人問題担当室」（現市男女平等参画推進室）を設置、初代室長（課長相当職）にそれまで社会教育主事だった中山恵子を任命し、テレビも新聞も大きく報道しました。一二月、局長・課長級で構成される「市婦人問題推進協議会」、学識経験者らの「市婦人問題懇話会」が設置されます。それまで女性は社会教育・労働行政等の縦割りで扱われていた行政の歴史が転換され、広報誌『女のひろば』が創刊されました。総理府の婦人問題企画推進本部は当面の課題として、地方公共団体に女性の審議会委員等への積極的登用と、女性公務員・職員の採用・登用、職域拡大と能力開発を要請していました。中山恵子は婦人問題の解決を対外的に働きかけていくには、市役所内で男女差別があってはならないと、女性職員問題にまず取り組みます。

市役所内が簡単に男女平等に塗り替えられたかといえば、そうではありません。一九七八年三月、市交通局は赤字解消のため女子職員一六四人全員を対象に退職者を募集し、労働組合も了承しました。中山婦人問題担当室長は怒りに燃え、交通局・婦人問題懇話会委員・婦人問題担当室は話し合いをもち、婦人団体も抗議し、結局交通局の退職案に応募したのは八人でした。それ以前、婦人問題担当室は市役所職員の採用制限、勤務場所、管理職登用等を調査し、人事課長から「労働組合の婦人部と同じことをいっては困る」といわれたそうですが、結局女子職員の職域拡大と能力開発の方向に進みました。名古屋市の女性係長以上の役職者は、一九八二年二七七人に達しました。一九八八年四月にわかっている数字でみると、都道府県庁で女性管理職比率がもっとも高いのは東京都で六・八〇％（愛知県は九番目で三・八五％）、指定都市では名古屋市がトップで五・五八％になり、女性管理職が多いから女性が働きやすいとは必ずしもいえないとしても、女性活用度の大きな目安になると解説されています（『日経ウーマン』一九八八年七月号）。一九九六年には地下鉄に全国初の女性車掌が登場しました。日本国憲法の「性差別を認めない」を市内に広く実現したい婦人問題担当室と、世間通念程度でよいとする旧来の考え方との葛藤はその後も続きますが、公務員は理屈が通れば仕事ができると、婦人問題担当室は調査と理屈と周囲の支えを背にがんばりとおします。

一九六〇年代以降市民女性は地域政治に関心をもつようになり、一九五〇年代後半には女性が代表者となっての議会請願は稀でしたが、一九六〇年代前半は年平均七・二件、後半は年平均一〇・八件になり、その中心は保育園新設、さらに既設保育園の充実や公立幼稚園新設要求請願となり、一九七〇年代に入って障がい者教育・施設要求が増加しました。女性も地域の主権者として議会に請願するようになった動きが、本山革新市政実現の底流になったと思われます。婦人問題担当室ができてのち、一九七八年「婦人のつどい」の基調講演「憲法三〇年と婦人のくらし」では、本山市長が婦人問題の基本は日本国憲法にある、女性差別を学習と連帯と行動で解決しようと語ります。ひきつづく市長と市民女性の対話集会は手話通訳付き、主婦、福祉、教育、職場の婦人問題のナマの声が交流されました。市長と市民女性は、憲法のもとで手を結んでいました（『女のひろば』一号、一九七八年）。しかし国際婦人年で婦人施策が進んだ一九七五年以降、女性は市長に任せた気になったのか、女性が代表になった請願は激減します。

2. 自立と自由を育てる教育を

ちくさ母親学級の実践

一九六八（昭和四三）年「民主教育を守る愛知県民の会」が発足、二か月後「民主教育を守る千種区民の会」が誕生、その母親部会「ちくさ母親学級」（初代事務局長大沢一子）は、母親自身が自覚的に教育の実情把握と民主教育の具体的な育成をしていこうとする集まりでした。高校進学希望者が激増し、受験戦争とまでいわれた、子も親も先生もつらい時期でした。一九七〇年代前半まで学習を続ける中で、夏休みの数日に、子どもを中心に親と先生が教え学ぶ「仲よし学校」を開設します。一九七七年「原爆」をテーマに仲よし学校で子どもも大人も熱心に話し合い、自分の目で原爆を見よう、自分の耳で被爆者の話を聞こうと、一九七九年子ども三六人、大人一九人の「ヒロシマにまなぶ旅」を実現し、記録集もつくります。その後も子どもと親と先生が対等平等に学びあう活動を続けました。

その間一九七五年には「このままでは中学浪人も出かねない」という母親の危機感から高校建設運動が広がり、一九七八年には「千種・名東区に公立高校建設をすすめる会」が発足、三度に及ぶ署名運動や県・市教育委員会への交渉を重ねます。親の子どもを思う気持ちは絶えることなくうけつがれ、一九八四年英語科一クラスと普通科の市立名東高校が開校しました。

女性の自立をめざす教育を

一九七三年、愛高教婦人部の自由なサークルとして「女子教育を考える会」が尾張・三河の二地区に分かれて発足します。この年、熊本の高校家庭科の教師が市川房枝に会って、中学では男子は技術、女子は家庭科、高校では女子だけ家庭科必修の政府の方針では、女子は昔の良妻賢母主義にもとづく家事責任を全部こなさなければならないと思わせると訴え、翌年「家庭科の男女共修をすすめる会」が設立されます。

全国的に女子教育の内容は問題になっていました。愛知の女子教育を考える会も推薦図書を検討、推薦文を書き、あいちの会と協力して活動します。一九七六年には第一回全国高校女子問題研究会が開催され、一九七八年には全国教育研究集会（全国教研）で、その翌年には県教研で女子教育の分科会が新設され、家出する女子生徒、学校に関心をもたない女子生徒に対する教師のとりくみを交流し、部活動と卒業生との交流で婦人問題に関心を深め、できることは何でもやっていこうと、市の集会や愛知婦人研究者の会、有職婦人クラブ、いずみの会などに参加し話し合います。その過程・成果は女子教育を考える会編・刊『人間らしく生きるために』（一九八二年）、『女性の自立をめざして』（一九八四年）にまとめられ、普及されました。

全国的に家庭科男女共修を進める運動が展開される中で、全国高校校長会協会家庭部会や全国高校ＰＴＡ連合会は家庭科女子必修にこだわり、女性を主婦役割、被扶養家族へ固定しようとします。しかし女性差別撤廃条約の精神で、固定的役割分担意識を克服する学校教育へ改善する方向をとどめることはできませんでした。

男女の特性か自立か

県教育委員会（県教委）の「教員研修の手引き」一九七七年度版は、男女の別はなくならないから、「男性は男性であることを確認し、女性は女性であることを納得する時期が必要」「例えば男性のたくましさ、忍耐強さ、冒険心、女性の人間的やさしさ、しとやかさ（中略）をみがき育てる必要がある」などと主張していました。愛知婦人研究者の会は県教委に対して、これは子どもの能力・特性を固定的にとらえている、男女共通の人間としての美徳を育てるべきで、固定的な男女分業観は否定すべき、男女の特性教育は差別撤廃の世界の動向に逆行する、と抗議しました。あいちの会はこの手引きは偏見と固定的な男女役割分担意識にとらわれているから全面的に削除すべきと申し入れました。愛高教婦人部はこの手引きは男女差別教育の強化を狙うもの、真の女子教育を進めようと県民に訴え、男女分業意識を克服できるよう求めた「手引き改正案」を提案します。県議会で吉崎社会党議員は世界行動計画・国内行動計画に反している、男女平等のための指針にすべきと主張しました。けれども県教委は、官制研修会を強化し、女子非行の増加や家庭崩壊が進行する中で「男女の特性を育てる教育」は必要との見解を維持し、一九八二年までこの方針を変えませんでした。

一九九三（平成五）年度から中学校で、一九九四年度から高校で家庭科の男女必修が実施されるのを機会に、名古屋市西山小学校と中島郡平和町（現稲沢市）立平和中学校で子どもたちが男女平等についてどう考えているか、県が調査しました。「男も女も家事はした方が良い」と思うのは中学女子八〇・五%、小学女子九〇・〇%に対し、中学男子は四五・七%、小学男子は二二・九%、人間が生きるために家事は必要なのに、男子は家事を敬遠しています。「男は仕事、女は家庭と決めるのはよくない」と思う中学女子は七八・一%、小学女子は七二・五%に対し、中学男子は四八・六%、小学男子は三四・三%で、仕事も家庭も自分で選びたいのは女子ですが、男子は支援してくれるとは限りません。男子が子どもの時から男子は仕事、女子は家庭という旧来の考えをもつのはなぜでしょうか。親の生活態度を踏襲するのが当然で自分は楽と思うのでしょうか。男女の感じ方考え方が食い違う現実を男女共修になった家庭科学習でどう克服できるかが問われます（『ちゃるま　あいちの女性』四四号、一九九四年七月）。

市婦人問題担当室は、教育委員会指導室の協力のもとに中学二年生向け『中学生男女平等学習資料　あなたが選ぶあなたの未来』を一九八三年四月作製、中学生に渡しました。自由に考え、討論できる時期に考える機会を提供したのです。

生きる道を学校生活に探ろう

一九八〇年前後、小・中学校の教育問題は非行・校内暴力から不登校、さらに「いじめ」問題へ、途絶えることはありません。一九八〇年代末には学校が校則で男子の頭髪の長短・丸刈りを決めるのは人権侵害と抵抗する生徒が出ます。女子の前髪やスカートの長さ、靴下の長さへの過度な規制もなぜそこまで窮屈にする必要があるのか疑問視されます。一九七八年始まった「ヤングテレホン」への匿名相談では、「いじめ」が目立つようになり、三年で四倍に増え、保護者と子ども自身からの相談が半々、友達がノートに「死ね」と落書きし、いじめる子の機嫌を取るために家から金を持ち出しておごるなど、警察としても見過ごせない状況が出てきます。一九九四年、西尾市の中学二年生の男子生徒がいじめられ、多額のお金をとられて自殺する事件が起き、家庭裁判所はいじめた中学生の加害を認定します。臨時ＰＴＡ総会では学校の対応に対する父母の批判と学校側の答弁がすれ違い、双方が悩み、生徒が自由になれる教育を親はのぞみ、教師は生徒が思っていることをいえる学校にしたいと語る会になりました（朝日一九九四年一二月一一日ほか）。他方親が子どもの教育方針に迷い、戸塚ヨットスクールのスパルタ教育に子どもを任せ、子どもが事故にあって責任を問う裁判も起きます。

一九八〇年「私学をよくする愛知父母懇談会」（愛知父母懇）が結成され、学費の公私格差の解消をめざし、公費助成要求運動、地域単位の教育懇談会等に取り組みました。県内私立高校は四九校、その内容を知りたいと父母と愛知私教連の先生が協力し、各校を訪問、アンケートをもとに比較できる『私立学校の道しるべ』という私立高校白書を作ります。「パーマ・リーゼント禁止」「喫煙は無期停学」など生活指導の中味や、学校の経費などがわかり、学校と親が協力する基礎をつくろうとします（朝日一九八二年一一月六日）。この時期一九八三年には県の高校進学率は全国最下位となり、五年連続最下位でした。その理由は専修・各種学校、公共職業訓練施設など「教育訓練機関等」への入学者が多いためとされています。高校に期待されることは何でしょうか。

一九八〇年代は「少女売春事件」が増加しました。東京発の「テレホンクラブ」が名古屋にも続々誕生、少女の好奇心をそそるチラシをまき、家出女子中学生を宿泊に誘い売春させるなど、新しい方法に対応する法律がなく、悩ましい問題になりました（朝日一九八六年四月一六日）。

戦後も私立高校は男女別学が普通でしたが、一九八五年市東邦高校が男女共学に転換、女子の進学希望者が増加して他校に波及、次第に男女共学が普通になります。一九八六年には岡崎の愛知学泉大学が翌年から家政学部に男子の入学を認め、内容も生活学に転換していくと決めました。翌年一〇人の男子学生が入学、栄養士やファッション関係の仕事に就きたいと希望し、教師は男子が専門職を意識しているから、女子によい影響を与えると期待していました（朝日一九八六年七月一七日、一九八七年五月一五日）。全国的にも愛知でも、女子が短大から四年制大学へ、文学・教育系から法学・経済学系へ、女子校から男女共学校への流れが進みました。高等教育が女性に開放されて以後の年月は、自分の生きる進路を自分で考え、周囲にも納得してもらい、実現させる道を築く過程でもあったのでしょう。

生きる道を探す子ども・親・教師・学校は、男女平等・自立も含めて人間らしく生きる未来を、探し当てようとしています。

一九八八年七月、県教委は名古屋市内を除く県内公立中学校、二年生とその親三者に校則・しつけについて意識調査を実施しました。生徒は校則を守る方向で考えていますが、自分の学校の校則は細かすぎる、もっと生徒の意見を取り入れてほしい、親の六割は校則をよい・やむをえないと答え、学校は家庭が学校任せの傾向がある、指導困難な一部の生徒への対応が困難、という調査結果となりました。県教委は生徒の意見を取り入れてほしいという声に配慮していけば、大半の生徒が校則を前向きに受け止めるようになるとしています（朝日一九八八年九月二三日）。問題が起きる前に、意見が集約され、情報が公開され、風通しの良い学校環境を築くことが課題になります。

3．女性への差別を拒否する

若い女性の未来を探る

一九七七（昭和五二）年一月、関西の立石電機は女性従業員二六〇〇人の初任給が四〇〇〇円も低い男女差別賃金など二年間分を、労働基準監督署命令で約六億円支払ったということです。企業は差別を自分から辞めようとはしません。二月自民党は三月三日（ひな祭りの日）を祝日にすると決定して女性を尊重している姿勢を見せたつもりでしたが、党内女性議員の反対で取り消しました。一九七八年四月、瀬戸山法相は閣議で「女は家庭に」と現実離れの発言をして問題化するなど、国際婦人年を過ぎ、国連婦人の一〇年に入っても、女性を人間として平等に扱う問題が理解されているわけではありません。この年六月、労働省婦人少年局は、女性差別定年制を維持している一万四二〇〇事業主・三九団体に改善措置を要請し、女子労働裁判で勝訴が重ねられている差別定年を行政の力で改善させる動きも出ています。九月総理府の男女有識者調査で「男は仕事、女は家庭」に賛成二〇%、反対六四%の結果も出ました。

女性差別やお金を楽に稼ぐ罠が待ち構えている世の中、子どもの未来に無関心でいられない母親は、一九八一年二月瀬戸市で有害図書追放運動を始め、図書自販機ゼロを実現しました。一二月、市名東区のポルノ店は住民の抗議で閉店します。翌年五月、モテル建設阻止住民大会やラブホテル建設反対運動が進みました。親は行動で子どもになってほしい未来像を示していきました。

女子労働裁判・調停申し立ては続く

一九七五年国際婦人年に集められた『女の声』の「就労上の差別を洗う」集会で語った「闘う女たち」の一人、三重県鈴鹿市職員山本和子は公務員にもある昇格・賃金差別を津地裁に訴え勝訴しましたが、鈴鹿市は名古屋高裁に控訴し、一九八三年名古屋高裁は鈴鹿市の運用は差別でないと判決します。山本は上告しましたが、市議会で市長が女性差別をしないと約束し、最高裁第二小法廷裁判長に憲法の精神で差別が行われないよう陳述したうえで一九八五年三月上告を取り下げ、勝利的和解となりました。社会通念に縛られて女性は差別を受け入れがちですが、差別を受けた痛みをはねかえさなければ幸せに生きていけない、そういう主体性が必要と山本は考え、一三年近くたたかいました。山本を支えたのは、女性の多い弁護団と、「鈴鹿市男女差別なくす山本さん守る会」、「同東京守る会」、「山本裁判を勝利させる支援連絡会議」、女子労働裁判の原告たち、その周りの労働組合、婦人団体でした。

「闘う女たち」の中には名古屋市立保育園保母もいました。一九七三年五人の保母が職業病（頚肩腕障害、腰痛等）認定の申請を出し、その後四六人の罹病者が出ます。乳児保育が増える中でパート保母が増え、長時間保育要求が強く、専任の保母も精神力で耐えていても、限界が来てしまうのです。一九七四年一月「職業病から保母を守る会」が結成され、名古屋市立七一保育園で保母大増員要求の全日ストを実行します。革新市政はこの要求を受けとめ、保母二〇〇人の増員、患者は経済的保障、健康診断を受ける権利を獲得しました。厚生省の最低基準を満たしていても、現実に業務が過重だから職業病になると認められ、公務上災害の認定が出たのです。

「ずうっと働く、楽しく働く、生き生き働く」を目標に一九九三年名古屋に誕生した働く人のネットワーク「イコールライツ・イン名古屋」が名古屋市北区でシンポジウムを開催、職場の実態や差別をなくす活動を交流しました。シンポジウムのパネラーは岡谷鋼機でコース別雇用制度による差別と闘う「商社に働く女性の会」の光岡美代子、野村證券名古屋支店で働く堀好子、銀行産業労働組合の竹内武弘、「商工中金から男女差別をなくす会」の尾藤憲和、会場から県学連の寺岡泉美、商工中金で昇格賃金差別を大阪地裁に提訴した横田幸子、住友軽金属で働く「恒常的長時間労働をやめさせて過労死を防ぎ健康と家庭を守る会」の近藤、その他の発言があり、最後にたたかえば道は開かれる、一緒に学習し交流して励ましあいながら運動を進めていきたいとまとめられました。各労働組合のほか、愛知労働問題研究所女性（婦人）労働部会、県労働組合総連合婦人協議会（連合）、自由法曹団愛知支部も協力しての集会でした。

シンポジウムで発言した商工組合中央金庫（商工中金）の尾藤憲和・ふき夫妻は、一九八七年導入されたコース別人事制度に反対して活動したのですが、別居しなければならない転勤命令が夫に出され、「商工中金の尾藤憲和さんの別居転勤を撤回させる会」を結成してたたかって一九八九年同居できる転勤を得ました。会の名称を「商工中金に働く者の権利を守り男女差別をはじめとするあらゆる差別をなくす会」と改め、全国でたたかう人を励まします。市熱田支店の堤玲子は一九九〇（平成二）年愛知婦人少年室に総合職へ昇格したいので援助してほしいと申し立て、翌年実現します。一九九三年には国連の女性差別撤廃委員会に職場の実態をカウンターレポートにまとめて送り、その要約は『日米女性ジャーナル』誌に掲載されました。視野を大きくもって、地元と全国の差別もなくそうとしました。

名古屋の老舗企業岡谷鋼機（鉄鋼専門の商社）に対し、光岡美代子、藤沢眞砂子はコース別雇用制度などによる女性差別は法律違反として、賃金差額・退職金差額請求、総合職への地位確認などを求めて、一九九五年提訴、二〇〇六年名古屋高裁で和解勧告がなされ、和解が成立しました。会社は女性も総合職に採用するようになり、違法なコース別雇用制度を修正し、県内で女性差別を争点とする重要な訴訟としてマスコミにもとりあげられ、平等のたたかいに寄与したと、渥美玲子弁護士は評価しています。林弘子は日本では性差別禁止を前進させたのは、かつて女性労働者と労働組合などによる結婚退職制・妊娠出産退職制・若年定年制・差別定年制裁判でしたが、一九八五年制定の雇用機会均等法で退職・解雇差別が禁止されると、争点は男女コース別雇用管理制度に移り、大きくは正規・非正規コース別雇用管理について、女性労働者の約五二％が非正規である状態を、どうたたかうかに変わったといいます。女子労働裁判は時間がかかり、一歩ずつ進められてはきましたが、企業は抵抗する女性が多くないと見越して女性差別を手放そうとはしません。世界の中で女性の社会的地位が低い日本での課題はまだ山積しています。

新日本婦人の会愛知県本部が集めた声

一九九五年世界女性会議・北京に向けて新婦人県本部は「男女差別・人権侵害」の経験等を調査しました。職場の差別の一位は「賃金・昇格差別」四六％、二位は「仕事の内容」一七％、三位「結婚退職・就職差別など」一五%、以下「お茶当番」「セクハラ」「女の子と呼ばれる」などです。家庭での差別の一位は「家事は妻」二五%、二位「妻の自由がない」一〇%、三位「親の介護」八%、以下「主人と呼ぶ」「法事などの手伝い」「夫の暴力」などです。戦後五〇年たっているのに、女性差別に関しては時間が止まっているようにも思えます。企業の長時間労働や、家事育児は女性の仕事とする意識が女性差別の基礎にあります。多様な問題点を解決するには、私はこうしたいという生き方を話し合い、間違っていないことを確信して行動し、協力しあうしかありません。

疲れきった女性の働き手

一九八九年、全国初の「過労死を考える家族の会」が労災補償の請求をしている遺族を中心に結成されました。過労死するのは男性だけではありません。渥美玲子弁護士は一九八七年仕事中にくも膜下出血で倒れた金沢弘子蒲郡市民病院看護婦、一九八九年岩田栄富士銀行員の例を挙げ、雇用機会均等法施行で、残業時間の規制緩和や変形労働時間導入など、女性の労働条件が悪化してきたことが要因と分析しています（朝日一九八九年三月六日、同一九九〇年一〇月一日）。

労働者に比べ、一年一回の健康診断さえ受けていない人が四三%もいるのは、業者婦人（中小企業の女性）です。愛知県商工団体連合会（旧民商、愛商連）婦人部協議会は一九九一年「くらしと健康実態調査」を実施しました。一七一六人の回答者は、首・肩こり、腰痛、目が疲れる等の症状を訴えています（愛知民報一九九一年一一月一七日）。女性が生き生きと働くことができる職場環境づくりは、今も続く課題です。

4. パート労働者の実態

パートという労働の定着

一九八二（昭和五七）年九月、パートタイマー専門の紹介所「なごやパートバンク」が市中村区に開設されました。東京、横浜、大阪に次ぐ四番目の設置です。一日平均二五〇人の求職者が来てにぎわいました。名古屋北公共職業安定所のアンケート調査によれば、パートで働く目的は家計費補助（子供の教育費と住宅ローン返済が多い）が六二%、次いで自由時間の活用一三%、貯金一〇%など。求人は事務、サービス業（店員、ウエートレス）が全体の六五%を占めます。パートという働き方は主婦層に定着していました。

労働省愛知婦人少年室は一九八八年約六四〇人の女性パートの実態と意識調査を実施しました。勤続年数は七年以上が四四%、九五%が週五日以上働いています。一日の労働時間は六〜

八時間が五六％、収入は五〜七万円が七四％で、長時間の割には低賃金です。通勤時間は一五分未満が五六％、今の会社を選んだ理由は通勤に便利が六四％、都合の良い勤務時間五四％、家庭生活との両立が重視されています。仕事での不満の第一が正社員との待遇に差がありすぎる三七％でした。

二〇〇〇（平成一二）年、労働力人口比率は県女性五一・一％（全国四八・二％）、県男性七八・五％（同七四・八％）ですが、正規雇用者比率は二〇〇二年県女性四二・八％（全国四五・〇％）、県男性七八・一％（全国七五・六％）です。全国と比べると県民の働く人はやや多く、働く場に恵まれていますが、女性の非正規雇用者が多いことも関係していると思われます。賃金格差については、二〇〇四年県女性は県男性の六六％（全国六九％）、女性の賃金格差は全国より大きいのです。

パートも職業病になる

一九七九年九月名古屋相互銀行豊明支店にパートとして働くようになった坂喜代子は、各種預金の通帳記帳、残高照会、住所変更などを電子計算機の端末に打ち込む仕事の主力となり、正確に早くと一生懸命仕事をしました。一年たたないうちに手・腕が痛み、一九八一年六月には頚肩腕障害と診断されて休業、労災申請をしましたが、銀行は職業病の発生を隠すため退職させようとするので、坂は「坂喜代子さんの職業病認定を支援する会」に守られながら、愛知労働基準局に認定要請を続け、名古屋東労働基準監督署にも監督・指導を要請し、パートでは初の労災認定を取り、やがて職場復帰します。一九九九年には「名古屋ふれあいユニオン」結成に参加、翌年から四年間委員長を務めます。もっと女性労働者のための活動をしたいと、二〇〇七年「女性ユニオン名古屋」を結成、委員長になりました。銀行産業労働組合（銀産労・現金融ユニオン）の団体交渉等で正社員化を要求、二〇〇七年改正パートタイム労働法に依拠して団交しましたが、銀行は正社員化を認めません。政治力で解決できるかと、二〇〇九年総選挙に社民党から東海ブロックの候補者として立候補しましたが、落選したので銀行に復職しようと交渉、パートの待遇は改善されて仕事を続けました（支援する会資料、一九八一年一二月二一日）。企業はパート労働を堅持しています。

5. 意識調査で県民をみる

意識調査が明らかにしたこと

県総務部青少年婦人室は、国連婦人の一〇年における意識の推移と傾向について、一九八五（昭和六〇）年八月～九月、県内成人三五〇〇人の調査を実施しました。そのなかの「職場における男女の協働をめぐる意識とその変化」をみると、国連婦人の一〇年間で女性の職場進出は増加したと判断されていますが（七七・五％）、女性が一生涯職業をもつことについて考え方が変わったかどうかについては、どちらともいえないと考える人が三割でもっとも多く、女性の就業に対する考え方で最も支配的な意識は「子どもができたら退職し、大きくなったら再就職する方が良い」四二・四％で女性は男性より多く、旧来の性別分業意識がなくなったわけではありません。調査担当者は、保育施設の充実が必要、長時間労働の現実では女性の正規職での就業が困難という問題を指摘しています。

就職募集、採用、配置、昇進の男女差に対する意識については、「違いはあってもよいと思う」が三七・二％でもっとも多く、ついで「男女は違うのだから当然」が三六・〇％です。「差別だから許されない」は一二・八％で、差別という意識は少数ですが、女性（一五・八％）は男性（九・八％）よりも多くなっています。女性が男性同様に就業するうえで必要なのは、「夫や家族の理解と協力」七九・三％、「保育所・学童保育などの社会施設の充実」五七・八％その他です。女性の社会的地位向上に必要なことについては「女性の教養、能力の向上」六三・四％、「男性の協力と理解」五五・九％、「古いしきたりや慣習の改正」三六・四％が主なもので、「政治・行政への参加」「法律や制度の改正」という社会的視点や、自分から変えようという姿勢は弱いようです。

「男は仕事、女は家庭」という考えに同感するかの問いに対して、県女性は一九七八年が「同感する」四八・五%、「反対する」六・〇%でしたが、一九八八年には二三・五%と二三・九%に変わりました（「わからない」は少数、「どちらともいえない」が相当多数）。一九八八年男性は「同感する」四三・一%と「反対する」二一・八%です。地域別にみると「同感しない方」がもっとも多いのは名古屋市で四三・七%、少ないのは海部・知多地域の二七%前後です。女性の考えは変化しましたが、男性の「同感する」に引きずられてしまう可能性もあります。女性が自立した生き方をするかが問われます。

一九九二（平成四）年市女性企画室が職員に実施した意識調査では、家事分担について「男女で分担」が女性職員五六%に対し男性は三〇%で半分近く、「男性はやらずに済めばやらないでよい」と考えている男性は女性の三倍近い三九%になりました。女性が仕事をもつ理由について、「経済的な自立のため」とする女子職員は二六%いたのに、男性は一一%、「家計や生計を維持するため」と答えた男性は四八%で、女性の就業を「家計の足し」程度に考えているようです。この調査結果の記事の見出しは「市職員の男女平等意識　男性なお消極的」となっていました（朝日一九九三年一一月二三日）。

二〇〇八年豊田市は「男女共同参画に関する意識調査」を実施しましたが、「子どもができても、ずっと仕事を続けるほうがよい」と答えたのは女性一九・五%（二〇〇七年度全国調査結果は四五・五%)、男性一六・七%(同四〇・九%)に過ぎず、内閣府が実施した全国男女との差が大きい結果となりました。豊田市男女共同参画センターは、豊田市の製造業では夜勤もあるのが一般的だからとし、女性の意に反した現実とすれば対策が必要といっています(朝日二〇〇九年六月一〇日)。

明治維新以来の歴史を考えると、女性の社会環境の変化は大きいのですが、意識は旧態依然のままの方が無難、波風立てない方が楽という姿勢は、男女ともにあります。社会の空気に従順な生き方がどういう生活をもたらすのか、戦時中の生活を思い返すと考えさせられる問題です。

高学歴女性就職後の状況

愛知労働問題研究所婦人労働部会は、一九七九〜九〇年の名大法学部女子卒業生二三九人を調査、一五一人から回答を得ました。名大法学部女子入学生は一九七六年四%弱、七九年一〇%、九〇年二四%、九二年三四%と順調に増加しています。卒業し就職しても、生き生きと暮らしているでしょうか。回答者一五一人中無職四三人、公務員五一人、民間企業で働く人五七人でした。民間企業五七人中子どもがいるのは五人だけ、公務員の二五%が子どもありと対照的で、無職で子どもありは四九%です。今の職場で定年まで働き続けたいのは、民間一二%、公務員三七%、不満の理由は両者とも賃金が安い、労働時間が長いが一位、二位ですが、公務員は「母性保護制度が十分活用されていない」が一〇位なのに対し、民間企業では三位です。男女雇用機会均等法施行以後、民間、公務員共に「大卒女性採用増加」「女性管理職への登用増加」の変化はあるそうですが、とくに母親でもありたい女子労働者に対する民間企業の厳しさがうかがえます（朝日一九九二年五月六日）。

愛高教婦人部は一九八五年成立した男女雇用機会均等法が女性の就職・労働をどのように変化させたか、一九九四年一月に四大・短大を卒業・就職してほぼ一年になる県立高校卒業生五〇〇人にアンケート調査用紙を送り、一〇三人から回答をもらいました。四大卒の人の結果を見ると、求人差別があったと感じた四大卒は一四人、なかった二四人（六三・二%）、採用時の差別があった四大卒八人、なかった三〇人（七八・九%）の結果です。親の世代からすれば、格段に良くなったと感じることでしょう。約一年働いて、お茶くみ・掃除を女性にさせ、昇格・コース別人事・賃金差別が残っている職場で、「事務」とは雑用係かと考えさせられる実態もあります。就職する時いつまで働き続けるつもりだったか尋ねると、結婚まで四人（一〇・八%）、出産まで一〇人（二七・〇%）、定年まで二一人（五六・八%）、その他二人、計三七人です。それが「現在の職場でこれからも働き続けようと思うか」と尋ねると、定年まで続けたい人は二人に激減、結婚したら退職したい人、出産したら退職したい人は各三人、「働ける限り」という不確定な人がもっとも多く一八人で約半数、転職したい人三人、その他四人（計三三人）でした。採用時の差別は法律の変更で変わりやすくても、職場の現実は厳しく、いつまで働けるか見通せない。定年まで働きたいのなら、自分たちで働きやすい職場に変えなければ難しいということです。

6. 愛知からの発信

「産業首都あいち」というけれど

一九七〇年代当初の全国の製造品出荷額は大阪、神奈川、東京、愛知が上位を占めていましたが、一九七七（昭和五二）年愛知が全国一位になり、一九八〇年代には鈴木礼治知事が「産業首都あいち」を県政の目標と示しています。県内総生産は一九七五年度から一九八九（平成元）年度にかけて、実質二・一倍に成長しました。その中で製造業は三六・五％から三九・六％へ比重を増し、その中心は輸送機械、つまり自動車関係です。全国的なサービス業好調の流れでサービス業は八・八％から一二・二％へ比重を増し、逆に卸売り・小売業は二二・三％から一七・五％へ減少しました。農林水産業は二・五％から〇・八％になってしまいました。

一九七五年県人口は五九二万三五六九人（男性二九六万六三八八人、女性二九五万七一八一人）、

産業は好調で一九八五年県人口六四五万五一七二人（男性三二二万六四四八人）に増加、男女ほぼ半々です。一五歳以上の就業者は一九七五年二八六万人〔男性一八二万人、女性一〇四万人（三六・四％）〕、一九八五年三二七・八万人〔男性一九六・七万人、女性一三一・一万人（四〇・〇％）〕で、働く場での女性の比重は増しています。

二〇〇〇年の女性就業者比率は、第一次産業（農業等）四九・五％、第二次産業（製造業等）二七・四％、第三次産業（サービス業等）四七・〇％、女性は依然として農業が多数派です。

一九八七年雇用者中男性は正規職員が一四五・六万人（九六・〇％）、パートは一万人、アルバイトが五・一万人、女性は正規職員が五三・九万人（六〇・二％）、パート三一・一万人、アルバイトが四・五万人でした。一九九二年雇用者中男性の正規職員は二二〇・六万人（八〇・〇％）、パート三八・六万人、アルバイト一六・四万人、女性の正規職員は六二・一万人（五八・一％）、パート三六・四万人、アルバイト八・三万人でした。非正規雇用の働き方は女性だけでなく男性にも広がっています。二〇〇二年正規雇用者比率は男性七八・一％、女性四二・八％になり、この傾向はいっそう強くなっています。一九九五年の賃金構造基本調査によれば、「きまって支給する現金給与額」は、愛知県では男性三七万二千円、女性二二万一千円で、女性は男性の五九・四％です。

一九八六年、愛知県が一番のものを集めた『あ　いちばん　データからみた日本一』というパンフレットを県企画部統計課が発行しました。「一世帯当たり貯蓄現在高」八四五万六千円、全国を一〇〇とすると一二六、多いのは郵便貯金、二番は東京都です。製造業の高卒初任給は男子一二万一五〇〇円、女子一一万四二〇〇円で両方全国一位。製造業の所定外労働時間数も一か月二四・四時間で全国平均の三二・六％増し、よく働きよく稼ぎよく貯める県民です。「三世代同居の世帯数」も一九八〇年国勢調査結果で一番、環境美化清掃運動参加人数、仏教系宗教団体数もトップです（朝日一九八六年一〇月二一日）。

女性農業者はずっと角のない牛

『あ　いちばん　データからみた日本一』によれば、農業・水産部門では、キャベツ、カリフラワー、フキ、ミツバ、シソ、鶏卵、ウナギなどが全国一です。一九九〇年県女性農業従事者四万四三〇五人中、四〇代と五〇代が四六・六％、六〇歳以上が四二・一％、中高年が九割近くを占めています。

一九九三年度に農業・農村の担い手となっている愛知県の四〇歳未満の既婚女性二一六人へのアンケート調査結果によれば、休日の取り方は決まった休みがなく農閑期程度と答えた女性が四〇・〇％、ほとんど休みなしが一八・九％、労働報酬の受け取り方法は毎月決まった額が五〇・三％、とくに受け取っていない人が三三・一％、農業経営への参加状況は、指示された作業に従事するが四二・六%、夫や親と一緒に全体的に参加する人が三一・九%です。「農業生産のあるべき方向」を複数回答で求めると、「休日の明確化」六五・七%、「女性の農業報酬の明確化」四三・一%と、企業で働く女性の生活様式に準じるのを望んでいます。農林漁業等自営業の女性は「夫と同じように働いても、仕事に対しても家計に対しても最終的な決定権は夫にあり、公の場での発言の機会が少ない」ので、「役乳両用無角牛」(耕作と家事育児両方に働き文句を言わない牛のような存在)といわれることもあるのだそうです。

「あいち女性プラン」を土台に

県総務部は一九八九年女性行動計画「愛知女性プラン」を策定し、「女性問題の意識啓発」をテーマに「愛知女性プラン推進研究会」に調査研究を依頼しました。多角的な女性問題について、安川悦子会長は「女性も男性も平等に、社会の中で働いたら評価され、報酬を得る(平等な労働の機会と賃金)ことができ、働くことが喜びとなるような社会のシステムを作ることを目指しましょう」と目標を示しています。

どのようにすればこういう社会のシステムに進めるでしょうか。女性が政治を通して事態を変えようとするとき、一九九五年年末現在女性県会議員は一〇六人中二人(一・九%)、女性市会議員は九七八人中七三人(七・五%)、女性町村会議員は一〇一五人中四七人(四・六%)、それぞれ奮闘していても、政治は数で決まる面があります。生活者女性の悩みを各地域の政治で解決していく道は築かれているでしょうか。県職員の女性管理職は知事部局だけで三・四％、（一九九五年四月一日現在）、県内事業所で働く女性労働者は、一般職が九二・九％、役職者は七・一％に過ぎません。政策・方針決定の場である審議会への女性の登用は、一九七六年一九三八人中九九人（五・一％）だったのが、一九九五年一七五七人中二六四人（一五・〇％）に増加しました（市は二〇・九％）。県の目標は二〇〇〇年に二〇％となっています（目標は国と同じ、名古屋市は目標三〇％）。

この間一九七三年のオイルショックは、「狂乱物価」といわれた物価上昇をもたらし、生活を直撃したので、一九七四年春闘は組織的に取り組まれ、成果を上げました。そのため経営側は対策を強化、以後春闘は連敗し、一九七五年は労働運動後退の転換点になり、労働組合の再編成が進められ、一九八九年日本労働組合総連合会愛知県連合会（連合愛知）と愛知県労働組合総連合（愛労連）を結成しました。

鈴木知事が一九八〇年代の目標とした「産業首都あいち」の実態には県民女性の格差がたくさんあります。女性はこのままでよいのでしょうか。女性は、働いている人も主婦や高齢者も、何をモデルとして生きるのでしょうか。「働く人がもっとも暮らしたいあいち」「女性の幸福感が一番強いあいち」を望むとしたら、どういう社会環境になればよいと考え、実現に進むのでしょうか。まだそういう大きな姿を思い描けないでいる状況でしょうか。

7. 元気な愛知の女性を探る

全国的な「女性史のつどい」が名古屋で誕生

一九七六（昭和五一）年夏、名古屋で行われた歴史教育者協議会（歴教協）全国大会に参加した愛媛県松山の女性史サークルの会員は、愛知は地理的に日本の真ん中にあるから、全国的な女性史の交流する場を愛知女性史研究会が設けてほしいと要望しました。愛知女性史研究会は話し合いの末、活動が思うように進まない壁を突き破ることができるかもしれないと、要望に応えることを決めました。全国に呼びかけるなど初めてのことで、手順も集会の構成も手探りの冒険でした。市の後援があれば勤労婦人センターは無料で使用できるので、お金はなくても何とかなるのでは、というなにもかも無限に信頼してのスタートです。一九七七年八月二七日、女性史初の全国集会は、「なぜ女性史を学び始め、なぜ学びつづけているか」というナマの声の交流、次いで「研究と研究方法報告」、二日目各地女性史研究会等から現状と問題提起、そして全体討論という素朴な集会になり、参加者は二四都府県から一五九人（男性三人）でした。「なぜ女性史を学ぶのか」で語られたのは、国際婦人年をきっかけに愛知で出ていたナマの声と共通していました。「結婚した時、結納や嫁入り道具をとやかくいわれ、嫁の立場の弱さを知った」「男子同級生と同じ職場に就職したが初任給に差をつけられた」「共働きして女性の労働過剰に疑問をもち退職」「農家の両親は家庭ではひどく不平等」「母が九歳の時死去、それからずーっと家事は私、勉強するなら女性史をしなければ」「市の婦人学級で女性史を学び、自分の歩みを振り返り、娘のいく末を案じて」「社会教育が仕事だが、女性史を学ぶ人が増えている」「高校教員だが女子生徒にとって結婚だけが夢となっている現実をどうしようかと考えて」など。差別をなくそう、平等な職場と家庭生活を、学習して変える力を身につけよう、だから女性史研究を発展させたいという、意

全国の女性史研究を結び合わせた、初の「女性史のつどい」（1977年）（『あいちの女性史』）

欲と連帯の会になったのです。学習と話し合いを重ねて、懸命に生きた女性の姿、働きぬいてなお貧困のまま、体制に従った母親の世代の生き方を調べよう、資料を集めようと確認していきました。松山の女性史サークルが構想し、愛知女性史研究会が実現・発信した女性史の研究交流のつどいは、数年おきに私たちがやりますと手を挙げた各地で開催され、北海道旭川市、神奈川県藤沢市、愛媛県松山市、沖縄県那覇市、山形市、神奈川県、岐阜市、新潟市、奈良市、

東京都、第一二回二〇一五年岩手県で開催ののち休会になっています。愛知が最初開催する勇気をもってよかったというのが、愛知女性史研究会の感想です。のちのつどいでそう発言した時、参加者が盛大な拍手で共感し、それ以後の集会もたくさんの勇気が集まって進められました。自分たちがより良く生きるために新しいことを創造する勇気を、女性は仲間の力でもつようになっていました。

「日本女性会議'84なごや」の出発

一九七七年革新市政のもとで、女性の視点・施策を現実に進めようとしていた市婦人問題担当室のスタッフは三人でしたが、どのような課題があるか婦人団体、グループ、労働組合等に検討してもらい、調査し、その課題をもとに集会を開催します。遠慮せずに市役所内の各部局でも検討するよう依頼、海外の情報をレポートしてもらってパンフレットを出し、全体像を市長に問題提起し、現実を変えようとしました。名古屋を住みよくしたいと学習し、ボランティアとして活動し、組織・施設をたちあげる主婦・母親・働く女性を励まし、励まされて、女性の存在感を市役所の内外で大きくする希望をもちました。

数年の努力をまとめて、名古屋中の女性が参加・交流する場として設定されたのが一九八三年の「なごや女性会議'83」、その翌年には日本中の女性と交流できる「日本女性会議'84なご

「日本女性会議'84なごや」は女性がやりたいことをやれる希望を広げた（『あいちの女性史』）

や」の開催で、「自立・平等・平和」のテーマで市が取り組んできた経験、問題解決に向かう方針検討などしたいと計画されました。夏休み初めの二日間、名古屋出身の松尾葉子指揮・名古屋フィルのドボルザーク「新世界より」で開幕、アメリカ最高裁判事サンドラ・オコーナー「アメリカの働く女性たち―男女平等と司法の役割」の講演、鶴舞公園屋内外で子どもの広場、原爆絵画展、加藤登紀子のコンサートなど多彩でした。二日目も国際交流、婦人問題行政、農山漁村主婦の体験報告、雇用での男女平等をめざす討論、平和を広げる講演、男女平等を進める活動の事例発表、子育ての男女協力を考える話し合い、コーラス・合同公演「うわなりうち」、モード・ショー、高野悦子の文化講演、そして諸活動交流と盛りだくさんの企画でにぎわいました。婦人問題担当室スタッフだけでは準備も手にあまり、女性が熱中する内容豊富なお祭りに、たくさんの市職員が手を貸しました。市はこのイベントに三二〇〇万円の予算を組みました。それまで婦人問題担当室がもっとも力を入れたのは広報誌『女のひろば』をはじめとする婦人問題広報資料の作成でしたが、印刷物を読む習慣のない人も、楽しみながら自分を豊かにしようとしました。

一九四五年以前には、愛知の女の子は大きくなったら何になるか、幼い子どもを育てるのに忙しい主婦も長くなった人生をどう楽しむか、の将来像を描けなかったとしても、一九八〇年代なら女性指揮者になる夢、歌手になる夢、劇団員になる夢、ファッションショーに出る夢、公務員・教師・外国語を話す人になる道も手が届くようになるかもしれない、たくさんの未来のモデルが見える時代になりました。行政がもつ「公共」の意味を、行政臭くない形で示した集会でした。

一九八五年国連婦人の一〇年最終年には、革新市長会でつながる川崎市が名古屋市の初心をうけつぎ、自立と連帯をめざす「かわさき女性フォーラム'85」を主催、以後も川崎、山形、北九州、那覇、高松、藤沢と独自の集会をつなげていきました。名古屋の最初の企画は個人でも都市でも国でもできるところでできる形で実現させればよいと考えての行事でしたが、総理府は一都市が日本〇〇会議の開催とは役割分担上問題という意見でした。また名古屋では「「日本女性会議'84なごや」を疑う会」がこの行事を「行政が女性を組織する」と批判し、これに対して〈名古屋・「'84女性会議なごや」を疑う会を疑うグループ〉の佐橋八寿子は「解放感あふれる良い会議だった」と反論するなど、意見の違いもあり、議論が交わされました。ともあれ、一九八〇年代は女性が元気に多様に発言し活動する時期になり、男性の協力も女性を励ましました（『あごら』九七号、一九八五年）。

きんさん・ぎんさん一〇〇年目の喜び

一九九一（平成三）年、数えで一〇〇歳を迎えた成田きん、蟹江ぎんのもとに、県知事と市長が訪問しました。敬老の日に高齢者を表敬訪問する行事ですが、この日から名古屋の一〇〇歳双子のきんさん・ぎんさんはテレビコマーシャルやドラマ、ＮＨＫ紅白歌合戦にも出演し、国内外の客が訪れ、色紙にサインし、県・市の福祉基金にＣＭ出演料を寄付して確定申告する人気者になりました。その笑顔、当意即妙の受け答えだけ見ると、一〇〇年幸せに生きたと思わせられますが、苦労は山のようでした。

一八九二（明治二五）年生まれのきんさん・ぎんさんは、五、六歳ごろから畑仕事や家事を手伝い、山の下まで天秤棒を担いで水くみに行き、学校は遅れて入学、夜は糸つむぎの手伝いとよく働きました。きん一八歳、ぎん二一歳に親が決めた男性が見に来て、結婚が決まります。親と親が話し合って決めてしまっているから、娘は「ハイ」というしかありません。結婚式の次の日から田畑に出て働き、出産後三日目には田畑へ出るのが普通でした。きんさんは一九年間に一一人の子を産み、五人早世、ぎんさんは一〇年間に五人の子を産み一人早世します。子どもが死んでも、泣いている暇があったら働けといわれ、大きくなったきんさんの息子二人は戦争に行き、留守宅の家族は空襲で逃げ回ります。伊勢湾台風にも襲われます。

普通のおばあさんだった二人が注目され、インタビューを受け、振り返った一〇〇年の思い出は、子どもの頃の母親がつくった食事のおいしさ、豊作のうれしさ、夫婦は愛とか恋とかは二の次の共同生活者だった、今までは難儀ばかり、今は恋愛とか良い世の中で何でも自分で決められる、いい世の中は捨ててはいかん、戦争はどんな理由があってもしてはいかん、絶対反対ということでした。家族は二人が世間から注目されるようになってから元気になったといい、社会的存在になる意味を語っています。

一九九五年県民生部の高齢者生活実態調査では、高齢者、とくに一人暮らしの男女は一九八五年から一〇年間で約二・一倍になり、ひとり暮らし世帯は全体の三・六%、その約八割が女性です。介護が必要になった時に心配がある高齢者は、ひとり暮らしの場合「よくある」二二・七%、「ときどきある」三九・五%、支援を必要とする人もいます。一九八四年名古屋市緑区は独居老人に給食サービスを開始しましたが、厚生省（現厚生労働省）は一九九三年名古屋市の状況は「在宅福祉後進型」にランク付けしています。介護保険がスタートしたのは二〇〇〇年四月、介護は社会的課題であることを示しました。

東海ジェンダー研究所設立

一九九七年六月、「〈男女平等社会実現・男女共同参画社会実現〉のための研究と人材育成」

をめざして、市に「東海ジェンダー研究所」が設立されました。家事・育児と研究・職業生活の両立に苦労した西山恵美が、母親から相続した遺産八億円を寄付、「女性が自分らしく生きられる社会づくりの礎になれば」と愛知周辺の研究者・文化人らの知恵と力を結集しようとした研究所です。

翌年ニューズレター『ＬＩＢＲＡ』『ジェンダー研究』を創刊、内外の研究者の講演、講座を重ね、愛知内外の知的向上に貢献しました。二〇一〇年には研究所一〇周年を記念して「ジェンダー平等の今―二一世紀の課題」のテーマで記念論集を出版することを決め、『越境するジェンダー研究』としてまとめられました。研究所の創立事情を内容とする関係者の座談会も収録されています。研究者が討論しながら民主的な女性運動を模索し、新しい組織につないでいく、研究所としては社会運動と一線を画していかないと研究として発展しにくい、二〇世紀は戦争と福祉の世紀だったが、二一世紀を見通し、世代から世代をつないでいきたいと話し合われます。この時女子労働裁判の弁護士大脇雅子は国際婦人年あいちの会の経験から、組織は活発なまま長くは続かない、一〇年ぐらいの単位で停滞すると述べましたが、研究所という組織形態が違った展開をみせる可能性が期待されます。

二〇一二年には「養育の社会化」をテーマとした「保育の社会化をめぐる歴史研究―名古屋の共同保育所運動の歴史・資料蒐集・整理と記録」の共同作業を始め、二〇一六年一〇〇〇

研究面から女性の展望を開く東海ジェンダー研究所。『越境するジェンダー研究』（明石書店、2010年）『資料集　名古屋における共同保育所運動』（日本評論社、2016年）

ページを超える『資料集　名古屋における共同保育所運動　一九六〇年代～一九七〇年代を中心に』を出版しました。運動の当事者たちが個人的に保管していた資料の相当部分が日の目を見ることができるようになり、「家庭保育の原則」に依拠する国・自治体の保育行政に対抗し、主権者である働く父母とその子どもたち、子どもの人間としての権利を守って生きる力を育てようとした保育者たちが、市民の協力を得て保育行政を変えた過程が共有財産になりました。

二〇一七年、東海ジェンダー研究所は名古屋大学と連携し、名古屋大学東山キャンパスの「名古屋大学ジェンダー・リサーチ・ライブラリ」（ＧＲＬ）に書籍等を寄贈し開館に寄与しました。ここには水田珠枝が長年蒐集した研究資料六〇〇〇冊が「水田珠枝文庫」として収蔵されています。

若い女子繊維労働者のたたかいの記録・映画

一九九九年五月、「あいち「青春の日々」刊行委員会」は一九五〇年代中頃から六〇年代初めの中学卒業後集団就職してきた若い女子繊維労働者のたたかいの記録を出版しました。「紡績女工はもう泣かない」「この道が私たちの生きる道です」「こんなこと許していいでしょうか」と、耐えて泣いていた一〇代の少女が、人間らしく生きる自分に変えた過程の記録です。若いのに疲れ果てる労働、でも人間らしく生きたい、どう生きたらいいのか、それは当然の権利なのに邪魔するものがある、仲間を信頼しよう、邪魔するものを見極めようとして職場の民主化に参加していく活動が「女工哀史」同様の生活を変えたといいます。結婚し退職しても地域の人々が人間らしく生きることができるように、議員になった人もいます。

本は三千部売られ、その内容を山本洋子監督は生きる力があふれたドキュメンタリー映画『明日へ紡ぎつづけて』によみがえらせ、県内三七会場七千人近くの人が観賞し、全国に広げられました。山田洋次監督は「働く女性がこのように自信にあふれていた時代があったのだ、ということと、この伝統を明日に紡ぎつづけなければ、というメッセージが力強く伝わってくる」と推薦しています。

一九六〇年前後、繊維王国だった愛知は多様な生活・活動を育て、二一世紀に新しい水源になる可能性をひそめていたのです。

8. 鳥も人も住み続けられる愛知に

広がる公害、広がる抗議

一九六七（昭和四二）年「公害対策基本法」が公布され、県内の公害への苦情は名古屋市だけでなく、県内各地から出されるようになりました。一九六七年県内公害苦情件数は一五七九件、内七三・八％は名古屋市でしたが、一九七三年には五三九七件の苦情中、名古屋市は二〇五一件で三八・〇％、名古屋市以外の市部は二五六五件四七・五％、町村部が七八一件一四・五％と変化しました。公害への苦情件数は横ばいですが、一九八九（平成元）年五四五六件の苦情中名古屋市が二一三五件三九・一％、名古屋市以外の市部二三二七件四二・七％、町村部九九四件一八・二％、町村部へ拡散していることがわかります。

当初名古屋市では公害企業に対して近隣の住民が地域を挙げて抗議に立ち上がり、規制を求めて行政・警察へ陳情し、訴訟にも至ったので、企業が廃業・移転せざるをえなくなったりして、健康を守る正義の抵抗が広がりました。一九七六年稲沢市大平産業大塚工場は住民の悪臭抗議で操業停止に追い込まれ、春日井市は王子製紙と新公害防止協定を調印しました。一九七九年、蒲郡市漁業振興協議会婦人部は合成洗剤追放運動に取り組んでいます。

その後一九九九年、市は「ゴミ非常事態宣言」を出し、ゴミ減量を呼びかけます。豊田市は

「買い物袋持参運動」を開始、ポリ袋のごみを減らそうと提唱します。二〇〇〇年、市は全国政令指定都市にさきがけ、分別収集を開始します。企業の公害たれ流しを止めると同時に、住民が環境を守る努力が求められる時代に入りました。

母親の願いで残せた藤前干潟

一九九九年市港区の藤前干潟を守った活動の前史は一九六四年名古屋港の西一区埋め立て計画から始まります。一九八〇年には市が廃棄物処理用地とするよう要請、これに対し県鳥類保護研究会などの「名古屋港の干潟を守る連絡会」が見直しと干潟保存要請を市議会に陳情しました。埋め立てするか、土地の買収、環境庁が鳥獣保護区設定について意見を県に照会、などいろいろありましたが、岐阜県にあるごみ埋め立て処分場があと三年で満杯になるから、藤前干潟をごみの埋め立て地にすると市は決めてしまいます。一九八七年「名古屋港の干潟を守る連絡会」(のち藤前干潟を守る会)が港区で結成されました。新婦人県本部は一九九七年から干潟保存の署名を集め、市議会に提出します。

一九九八年春、干潟の近くの三人の母親が「ダイオキシンから子どもを守る会」をつくって署名運動をしようと考えます。具体的にどうしたらよいかわからず、一人いた会員が相談したことから新婦人港支部全体で応援すると決め、藤前干潟の埋め立て着工を決める九八年九月市議会へ向けて干潟存続要求署名は一万六千筆集まります。「埋め立ての是非を問う住民投票条例制定を求める直接請求署名」へ進ませる中で、市のごみ行政は分別収集に遅れがあることもわかります。こうして確定できた直接請求の有効署名は、一〇万二五九八筆、新婦人の受任者（署名を集める人）は全受任者四五二〇人中一八五八人（四一・一％）でした。環境庁長官、運輸大臣は埋め立て計画を認めないと表明、市長は埋め立て困難といわなければならなくなり、干潟存続が実現、市民が政治を動かすことができました。新婦人が作成した総括の本『残せたよ干潟ありがとう』には「鳥が住めないような地に、人間が安心して住めるだろうか」「わしらはもう死ぬでいいけど、困るのはあんたら若い人だもんな」「漫然と流されて暮らしている市民が賢くなること、処理できないものを作り、売り続ける企業の規制しかない」と活動から生まれた言葉が豊かにあります。

環境問題は次第に地域住民の関心を呼ぶようになり、住民組織は各地でつくられました。一九七四年「矢田・庄内川をきれいにする会」（市守山区）、一九七五年「汐川干潟を守る会」（田原市）、一九八〇年「合成洗剤追放・健康と三河湾を守る東三河連絡会」、「中部リサイクル運動市民の会」（名古屋市）などです。一九七七年には県内環境を守る団体、県保険医協会や愛労評等が交流会を開き、自治体首長に訴え、解決の道を探る「健康と環境を守れ！　愛知の住民いっせい行動」を始めました。自治体と交渉するやり方は県独自の「愛知方式」といわれています。

子どものために原子力発電所を止めて

二〇一一年三月、東北大震災によって東京電力福島第一原子力発電所（原発）で大事故が起きました。四月の政府中央防災会議で静岡県浜岡原発について三〇年以内に大地震が起きる確率八七％ということがわかります。菅直人首相は浜岡原発に全炉停止要請を出し、県知事・市長にも理解を求めました。原発事故で生活が続けられない、子どもの未来に悪影響が出るかもしれないという心配が広がって、市出身の東京の大学生関口詩織は、高校時代の友人と浜岡原発運転停止の署名集めから、五月の母の日に原発を卒業する「卒原発」のデモ行進を企画します。太鼓や楽器を鳴らし、子ども連れの親子はハート形の風船をもち、ベビーカーを押して中部電力本店前で浜岡原発停止を訴えました。主催者によれば参加者約一五〇〇人。子どもの通う保育園で福島県から避難してきた母子と知り合い、「個人の力では子どもを守りきれない」とデモに参加した人もいました。

それ以前一九八八年四月に市緑区の丸山悦子は、原発の危険性に気づき「いらんがね！原子力発電なごや一〇〇〇人集会」を企画、白川公園から栄の中心街を通り、テレビ塔を回って中部電力本社までデモ、手をつないで本社ビルを取り囲み、「原発止めて」を繰り返しました。この年には中部電力が原発の「安全」ＰＲのため、全社二千人の女子社員に浜岡原発放射線管理区域内の安全体験研修を計画して、社内外から抗議されています。浜岡原発廃炉要求裁判は、二〇〇二年地域の人々から静岡地裁に提訴され、原発の危険性は、核のゴミ処理不可能という問題を通じても、全国に広がっていきます。

第六章　典拠・参考文献

愛知県史　通史編9
愛知県高等学校教職員組合婦人部編・刊『はたらくなかま1年生―女子卒業生の就職・労働実態調査から』一九九四年
あいち「青春の日々」刊行委員会編『「女工哀史」をぬりかえた織姫たち』光陽出版社、一九九九年
愛知県総務部青少年婦人室編・刊『婦人の生活実態と意識に関する調査報告書』一九八六年
愛知県総務部青少年女性室編・刊『'95愛知の女性』一九九五年
愛知県総務部青少年女性室編・刊『'96愛知の女性』一九九六年
愛知県企画部統計課編・刊『あ　いちばん　データからみた日本一』一九八六年
愛知女性史研究会編・刊『女性史の明日をめざして―女性史のつどいなごや報告集　1977・8』一九七七年
あいち女性プラン推進研究会編『女性問題あ・ら・か・る・と』愛知県総務部青少年女性室、一九九六年
愛知婦人研究者の会・国際婦人年あいちの会・あごら東海編・刊『資料集　男女平等を推進するために差別文書「教員研修の手引き」（愛知県教育委員会発行）をめぐって』一九七八年

綾野まさる編『きんさんぎんさんの百歳まで生きんしゃい』小学館、一九九二年
イコールライツ・イン名古屋編・刊『ずうっと楽しく生き生き働く―だから　イコールライツ』一九九五年
伊藤康子「地域女性史の可能性」『現代と思想』三三号、一九七八年
伊藤康子「女子若年定年制撤廃と戦後改革」『草の根の女性解放運動史』吉川弘文館、二〇〇五年
伊藤康子『市川房枝　女性の一票で政治を変える』ドメス出版、二〇一九年
映画「明日へ紡ぎつづけて」製作委員会事務局「お知らせ」二〇一一年
国際婦人年あいちの会「女の声を集めるグループ」編・刊『女の声―一九七五年の場合』一九七五年
国際婦人年日本大会の決議を実現するための連絡会議編・刊『連帯と行動　国際婦人年連絡会の記録』一九八九年
国際婦人年の講演をきく会編・刊『国際婦人年とこれからのわたしたち　メキシコ・ベルリンそして日本』一九七六年
国立女性教育会館編『男女共同参画統計データブック　二〇〇六』ぎょうせい、二〇〇六年
商工中金に働く者の権利を守り男女差別をはじめとするあらゆる差別をなくす会編・刊『やればできる　You Can Fight』第二集、一九九四年
女子教育を考える会編・刊『人間らしく生きるために』一九八二年
女子教育を考える会編・刊『女性の自立をめざして』一九八四年
新日本婦人の会愛知県本部編・刊『女のひとりごと…ではすまされない』一九九五年
新日本婦人の会愛知県本部編・刊『残せたよ干潟　ありがとう』一九九九年

東海ジェンダー研究所記念論集編集委員会編『越境するジェンダー研究』明石書店、二〇一〇年

東海ジェンダー研究所編『資料集　名古屋における共同保育所運動　１９６０年代～１９７０年代を中心に』日本評論社、二〇一六年

特集「岡谷裁判平等への歩み」『あごら』三〇八号　二〇〇六年一一月

中川幸作・鈴木一七子『写真集　いまがしあわせ　きんさん、ぎんさん一〇〇年の旅』風媒社、一九九二年

中山恵子「女性職員の職域拡大とその可能性」『地方自治職員研修』一九八二年五月号

中山恵子『お言葉を返すようですが…。─肝っ玉母さんと呼ばれて三五年─』中央出版、一九九二年

日本婦人団体連合会編・刊『婦人白書』一九七五年

日本婦人団体連合会編『婦人白書・１９８５年版』ほるぷ出版、一九八五年

野間美喜子追悼文集呼びかけ人一同編『自由を愛した人へ　野間美喜子追悼文集』遺族一同、二〇二一年

婦人に関する諸問題調査会議編『現代日本女性の意識と行動』大蔵省印刷局、一九七四年

編集委員会編『婦人の未来をきり開くために　愛高教婦人部二十年史』愛知県高等学校教職員組合婦人部、一九八六年

編集委員会編『女性研究者　愛知女性研究者の会　二〇年の歩み』ユニテ、一九九六年

山本和子『女はどうして　女性差別裁判を闘って』風媒社、一九八七年

渡辺治『現代日本の支配構造分析　基軸と周辺』花伝社、一九八八年

労働省婦人少年局編『婦人の歩み30年』労働法令協会、一九七五年

第七章　日本国憲法は女性の宝

1．憲法は私自身の問題

憲法の男女平等についてベアテは語った

ベアテ・シロタ・ゴードン『1945年のクリスマス―日本国憲法に「男女平等」を書いた女性の自伝』が日本で出版されたのは一九九五（平成七）年一〇月のことでした。「憲法公布から五〇年間、トップシークレットだったから沈黙していたベアテの貴重な歴史的証言」を最初に話したのは一九九三年二月「日本国憲法を生んだ密室の九日間」（朝日テレビ系）といわれます。日本国民の戦争体験の記録が進み、既婚女性も働くことが珍しくなくなり、ようやく家

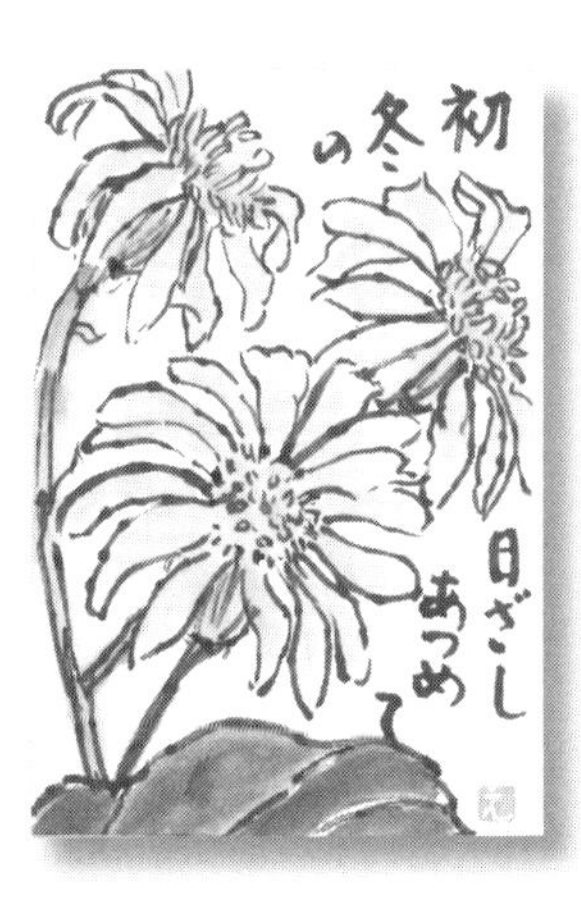

庭科の男女共修が始まり、憲法が女性の生活を変えた民主化がどういうものだったか、自分自身のこととして考えられるようになってきました。

一九九六年、東海市の加藤龍子はビデオ「私は男女平等を憲法に書いた」を見て仲間と相談、ベアテの講演を聞きたいと、東海市の「女性ネットワークＴＯＫＡＩ準備会」で集会を企画、ベアテが全国を講演して回る中で一九九七年実現しました。一九九八年には日進市の太田和代が呼びかけ、日本語と英語で憲法二四条の条文をデザインしたスカーフをつくって基金の一部とし、市中村区、大府市で講演会、江南市の高田朝子も呼びかけ、一九九九年にも元教師たちが呼びかけ、交流会と講演会が開催されました。一九九九年には「ベアテさんと語る会·ｉｎ名古屋」が主催して市芸術創造センターで講演会が企画され、ベアテは「愛と平和の信念をもって二一世紀に向かって前進いたしましょう」と呼びかけました。ベアテは二〇〇〇年に参議院憲法調査会に招かれて来日した際尾西市（現一宮市）でも講演し、「日本国憲法はよい憲法だから五〇年以上改憲されなかった、ほかの国がまねすればよい

ベアテを囲んで、日本女性の願いを語る（1999年11月23日）

と思う」と語り、尾西出身の市川房枝について八〇歳を超えても運動を続けた、尊敬していると回想したといいます（朝日一九九七年四月一〇日、同一九九八年九月一二日、同一九九九年一一月二二日、同二〇〇〇年五月八日ほか）。ベアテの発信を自分たちのこととして受け取り、仲間や地域に広げようとする敏感で行動力のある女性たちが県内には育っていたのです。

一九四五（昭和二〇）年当時のベアテは女性がしあわせにならなければ日本は平和にならない、その前提は男女平等と考えました。日本の図書館から諸外国の憲法を資料として借り出し、日本にいたころ見聞した女性や子供の人権無視の生活を思い出して、女性、子どもの権利と福祉についての条文を検討しました。日本政府側は「日本には女性が男性と同じ権利をもつ土壌はない」といって抵抗し、アメリカ占領軍側は「日本で育ったベアテが一心不乱に書いたのだ」と反論し、ベアテの書いた男女平等、結婚と家庭での夫婦の平等、社会保障は基本的に憲法に盛り込まれることになります。若かったので高齢者については考えが至らなかったとベアテは振り返っています。

「憲法」という雲の上の絵のような「難しい」問題は、女性の不幸な過去の克服として検討され、現在と未来に実現すべき内容として、ベアテは改めて愛知でも語りました。一九九〇年代までに、憲法を守る意志はじわじわと定着したのです。

若者と皇室

一九八八年一〇月、市瑞穂区の私立名古屋大谷高校の一年生が文化祭で「天皇」についてアンケート調査をしました。展示を見に来た生徒たち五六七人中「天皇の病状について家庭で話題になる」と答えたのは二一三人（三七・六％）、友達との話題になる生徒もほぼ同数でした。しかし祭りや祝い事の自粛についてては「自粛すべきでない」が二八七人（五〇・六％）になり、「部分的に自粛すべき」一八五人（三二・六％）、「自粛すべきだ」は七二人（一二・七％）と意見が分かれます。病状報道についてては「別に気にならない」が一二二人（二一・五％）、「目ざわり、行き過ぎ」一五三人（二七・〇％）、「大変親切でいい」と答えたのは八七人（一五・三％）とこれも意見は分かれました。父母・教師の回答者五〇人中、八割が家庭で話題になると答え、自粛問題についてては「部分的に自粛すべき」三一人（六二・〇％）が「自粛すべきでない」一三人（二六・〇％）を大きく上回りました。

生徒と親世代では意見が分かれ、生徒世代では自粛すべきでないが半数以上なのに対し、親世代は自粛すべきが六割を超え、時代の空気について無難にやり過ごそうとしているようで、天皇は微妙な存在です。

一九八八年から翌年にかけて、天皇（昭和）の病気に国民「自粛」の声がマスコミ等で広がり、名古屋ではドラゴンズ優勝バーゲンもなくなりました。女子学生五六人に天皇（制）をどう考えているのか尋ねてみました。

国の代表的象徴、偉い人…六人／わけのわからない存在（偉いともどうでもいいとも思う）…七人／大切にしすぎ、「自粛」はおかしい…一二人／気の毒な存在、普通の人になれば本人も幸せ…一〇人／天皇なんてなくていい　一一人／まったく無関心、無関係…一〇人

「偉い人」とするのは一割、尋ねられなければ「無縁の人」、関心はありません。

天皇死去の一九八九年一月七日・八日に何をしていたか尋ねました。テレビをずっと見ていて、やがて飽きたのでビデオを見たのがほとんど。スキー、ドライブ、自動車学校、アルバイト、その他いつも通り、予定通りの日常でした。親に「こういう日は慎むもの」と言われて遊びに出なかった一人だけが例外でした。

非日常世界だったのはマスコミと大企業、「デパートはピンクの制服を白のブラウス、黒のスカートに変え、客へ話しかけないこととされた」とアルバイト学生はいいます。

「天皇はあってもなくても私の生活はかわらないと思う。でも天皇が亡くなったというだけでいろいろなところに影響が出てかわいそうだなあと思う時があったけど、天皇が周りにいい影響を与えたということはきいたことがないので、ない方がいいと思う」と尋ねられたから考

えた女子学生もいました。

一九九三年、皇太子（現天皇）妃に小和田雅子が内定したとの報道をどう思っているか、女子学生（二二六人）に尋ねました。

「私がそのような立場に立った場合」個人的な心情はどうあれ皇太子と結婚しようとは考えない…六五・〇％／自分として愛があるなら自分の生活が拘束されても結婚する…一七・七％／恋愛なら皇太子をおりてもらう…〇・九％／自分がやりたい仕事を続けることを条件に結婚する…九・三％。

「外交官は試験にパスすればだれにでも権利はあるが、皇太子妃は選ばれた人にしかなれないものなので、なってみる価値はあると思う」「結婚というよりは『皇室に就職』が正しいのかもしれない」と書いた学生がいました。自由記述では「皇太子妃にふさわしい、すばらしい人、おめでたい、決めたのだからがんばって」と好意的感想が多く、「外交官をあきらめるのは気の毒」と同情する人もいます。

「日本の皇室について」皇室はもっと王様らしく権威と財力を持たせるのがいい…一・

三％／現状維持…五四・九％／皇室は存続してもいいが、生活はつつましく…二四・八％／皇室はない方がいい…六・六％。

現代の女子学生も主権者として、天皇存続の決定権をもちます。大日本帝国憲法下の天皇が国民の生死を支配していたことは意識にありません。敗戦前後に女学生が天皇の言葉に縛られ、天皇に生き方を決められていたのに対して、女子学生は自分自身で感じ、考え、自分としては自由に生きられるのがよいとしています。皇室については現状維持、特別考えていない印象で、やはり微妙な存在です。

イラク自衛隊派遣と憲法と私

二〇〇四年、イラクへ米軍支援の自衛隊を派遣するのは非戦の誓いを明示した憲法九条に反する、イラク派遣を差し止めるべきと弁護士が名古屋地裁へ訴えた訴訟に全国一二六二人が原告になると応じ、その半数は県在住者でした（最終的には原告三二六八人）。全盲の梅尾朱美は、戦争はいつも障がい者の人権を脅かす、私は安心して生きたいと意見陳述しました。いずみの会の麻田和歌子は小学校卒業後最初の同窓会に参加して、クラスメートの男子二七人中一一人が戦死したことを知り、夫に召集令状が来た時の恐怖を重ね、戦争は権力者が選ぶのに、犠牲は庶民が負うと戦争絶対反対を訴えます。派遣された自衛隊の情報開示を要求しても、黒塗りの資料が出され、事実がわからない裁判での判決となり、すぐに控訴します。

二〇〇八年四月、名古屋高裁はイラクの首都は戦闘地域に該当する、航空自衛隊のイラクでの空輸活動は他国の武力行使と一体化しており、イラク特措法、憲法九条一項に違反と判断しました。イラク派遣の差し止めを認められなかった原告は敗訴ですが上告せず、勝訴した国は上告できないので、憲法違反の判断を得た実質的勝利の判決は確定しました。新聞は「空自イラク活動違憲」「9条生きていた」と大きく掲げましたが、福田康夫首相は活動継続を言明しました（各紙二〇〇八年四月一八日）。

二一世紀になって、平和憲法を国民が知恵と力を絞って守ろうとし、ひそかに実質的に崩していこうとするのが政府であることが、目に見えるようになりました。

2. 女性は結婚したいとは限らない

未婚率増加と男女の意識

一九七五（昭和五〇）年国際婦人年以後二一世紀に入る前後に問題として意識されるようになったのは、一五歳以上の女性の未婚率・離婚率の増加でした。一九七五年二一・七％だった女性の未婚率は二〇年後の一九九五（平成七）年二四・八％に増えます（男性は三〇・二％から三三・七％へ増加）。その結果将来推計人口は一九九五年六八六万八千人から二〇一〇年には七四一万人に増加しますが、高齢者はもっと増加するので、一五歳〜六四歳の人口は四九一万九千人から四七三万五千人に減る計算です。結婚しない人が増えれば、日本は内縁関係で出産する人は少ないといわれている国なので、子どもも減ります。

県の女性が生涯に産む子供の平均数（合計特殊出生率）は一九七〇年には二・一九でしたが、その後晩婚化による未婚率上昇を主な原因として減少傾向が続き、二〇〇二年には一・三四、戦後最低になりました。県内の平均初婚年齢は夫二九・一歳、妻二七・二歳、一九七〇年と比べると夫が二・三歳、妻は三・四歳上がっています。県人口は二〇一〇年七二〇万人をピークに減少し、高齢化率は二〇〇〇年一四・五％から二〇三〇年には二七・一％に上がると推計されています（朝日二〇〇三年七月一九日）。そうなれば就業者が少なくなるだろうと予測されます。「産業首都あいち」を目標にした愛知にとっては、他県・他国から労働者が入ってくるとしても、大問題です。

県青少年婦人室調査で、「男は仕事、女は家庭」という考え方に、一九七八年「同感する」女性は四九％、「同感しない」は六％でしたが、一九八八年には二四％と三四％となり、「国連婦人の一〇年」の中でかなり意識が変わったことがわかります。けれども家庭での仕事分担を聞くと、「主に妻がやる」という答えが男女とも約八割になり、女性と職業については、「子どもができたら退職し、大きくなったらまた働く」が三七％、「結婚まで」「子どもができるまで」が三三％、「定年まで働き続ける」は一三％で、一九八八年には依然として家庭生活中心が女性の人生と考えられています。

男性が家事育児に本格的に取り組む第一歩として、男性が育児休暇を取ることを政府は推奨し、とる男性は微増していますが、東京で妻五〇八人に育休中の夫について尋ねると、家事・育児時間が一日二時間以下という回答が三二％だったので、調査した「コネヒト」はその状況を「とるだけ育休」と名付けました（朝日二〇二〇年三月三日）。育休は取るけれども本気で父親として子育てをする、本気で妻と平等な家事・育児をするという姿勢がなければ、女性の身体的精神的負担は減るとは限りません。

一九九一年度の県政世論調査（二〇歳以上の男女二〇〇〇人）で、男女平等社会実現のための方法について「女性が意識をたかめ、職場や社会活動に進出する」が四割、「男性が家庭生活や地域活動を重視するように意識を変える」という答えも三人に一人あり、さらに「男は仕事、女は家庭」という考え方に「同感しない」は四六％、「同感する」の三〇％を上回りました。女性は二〇代から五〇代まで「同感しない」が四割から六割ですが、男性は二〇代と三〇代だけ、若い男性は女性並みに近づきつつあります。男性が家庭や地域生活を重視しなければ、女性は仕事も家庭も一人前の働きをするのは過酷すぎるから非正規労働者に甘んじる、あるいは結婚生活を重視し苦楽を共にする男性でなければ結婚を敬遠する可能性があります。日本は「男は仕事、女は家庭」への賛否がいつまでたっても尋ねられる国です。

日本は世界に遅れた女性差別の国だから

このような状況の根には、世界経済フォーラムが調査・報告している「男女格差（ジェンダーギャップ）」で、二〇一九年日本が一五三か国中一二一位、主要七か国ではもちろん最低という現実があります。教育・健康分野では日本女性の評価は高いのに、政治・経済分野での女性は後退しています。日本では男女格差が放置されたままなのに、諸外国は多様性を尊重し、女性がチャンスを活用する仕組みをつくってきたのです。国連女子差別撤廃委員会は日本政府に実質的な女性差別解消のための政策、たとえば「セクハラ禁止と制裁の法令化」、「女子差別撤廃条約に付属する選択議定書の批准」を求めていますが、日本政府は実行しない、本気で男女格差を解消しようとしていないようなので、日常生活の女性差別を減らせません（朝日二〇一九年一二月一八日、同二〇一六年七月一八日）。

3．再び戦争を政府が起こさないように

戦争資料を集める

一九九二（平成四）年始められた「あいち・平和のための戦争展」は、戦争時代の体験者が少なくなるにしたがって記憶が風化する、その中で国・政府がひそかに進める戦争美化の傾向が育つのではないかと危惧し、年一回の展覧会を続けます。諸記録の集大成を一九九三年から重ねて、進んだ研究・増えた証言・記録で充実させた『戦時下・愛知の諸記録二〇一五』が出版されました。「政府の行為によって再び戦争の惨禍が起こることのないやうに」という日本国憲法前文を、改めて国・県・市民に念を押す活動です。

「ピースあいち」を誕生させたのは

一九九三年、戦争の加害・被害が忘れ去られることを危惧し、恒久の平和を願う人たちが、愛知に戦争資料館をつくろうという運動を始め、一九九四年「戦争メモリアルセンターの建設を呼びかける会」が発足しました。呼びかけ人は一〇〇人を超え、戦争を体験し、戦後を生きて、自分たちがやるべきことだった、戦争は国策として遂行されたのだから、それを後世に伝えるのは公的機関の義務という考えで、県・市に働きかけます。県議会・市議会は満場一致で、

この請願を採択します。しかし不況が続き、実現に動きません。

一〇年以上過ぎた二〇〇五年、結婚後一年で夫と死別、定年まで働きながら看護婦・助産婦の資格を取って昼夜働きぬいた加藤たづが、働いて得た土地九〇坪と建物建設費一億円を「世の中に役立てたい」から寄付すると連絡してきます。女性が自分の働きで得た資産を、自分の願う「永遠の平和」に向けて使う、その覚悟を受けとめて、この寄付をもとにたくさんのボランティアが学習し、活動し、希望を形にして、「非営利活動法人　平和のための戦争メモリアルセンター　ピースあいち」（ピースあいち）が市名東区に設立されました。二〇〇七年開館、基本メッセージを「希望を編み合わせる」と定め、一年間の来館者は一万二〇〇〇人になりました。基本構想を「歴史的な客観性と総合性」、「愛知の特殊性」の二つに置き、寄付された戦時中の衣食住資料や文献をボランティアが並べて展示し、語り部が体験談を伝えます。来館者が「学び、考え、平和のために行動する」よりどころとなり、軍国主義国家だった日本の過去を克服する場として活用されています。来館した子どもが「戦争は兵隊だけが死ぬのではなくて、子どもも死ぬということがわかりました。戦争は絶対にしてはいけない」「戦争はかっこいいものだと思っていたけれど、考えを変えることにした」と感想を残し、ピースあいちのスタッフを励ましています。戦後の主権者は国民、将来加害者にも被害者にもならないための主権者の活動です。

初代館長は弁護士の野間美喜子、小学生の時先生が教室で読んだ憲法前文の平和主義に感銘を受け、名古屋大学法学部を卒業、一九六四（昭和三九）年弁護士になりました。四日市公害訴訟、新幹線公害訴訟、中国残留孤児訴訟などにかかわり、弁護士約二〇〇人を組織する名古屋憲法問題研究会を立ち上げ、「あいち女性九条の会」の共同代表も務めました（朝日二〇〇八年五月八日）。

一九八一年五月設立された名古屋憲法問題研究会の事務局長は野間美喜子、政治的立場や世代をこえ、「日本国憲法の理念を護る」の一点で、活発化しつつある改憲論に対抗し、科学と立憲主義を尊重しない政府に対峙してしなやかに運動を支えたと、憲法研究者の小林武は評価しています。

愛知・名古屋　戦争に関する資料館

戦争メモリアルセンターの建設を呼びかける会の働きかけもあって、県や市は一九九八年から市民が保存していた資料を受け取り、財政危機のため「ハコモノ凍結」として資料館は建設されませんでしたが、二〇〇〇年にインターネットのホームページで収集された四三〇〇点の資料を公開することにしました（朝日二〇〇〇年八月三〇日）。その後市中区の県庁大津橋分室一階に「愛知・名古屋　戦争に関する資料館」（戦争資料館）が設けられ、戦時中の生活資料・

平和学習パンフレット『愛知・名古屋　私たちのまちにも戦争があった―平和について考えよう』

図書や二五〇キロ爆弾、集束焼夷弾の模型や体験ビデオが見られるようになります。一九九九年春は憲法に真っ向から対立する新しい日米防衛協力のための指針（ガイドライン）関連法が国会で審議され、自衛隊が米軍の後方支援をできるように、地方自治体も協力しなければならないように変えられようとしていました。「新ガイドラインとその立法化に反対する愛知県民連絡会」や「新ガイドライン（戦争法案）に反対する愛知女性の会」の集会・デモが行われるなかで、愛知に戦争資料館ができたのです。二〇二〇年、戦後七五年に際し、戦争資料館は県内の戦争被害や戦時下の厳しい生活を『愛知・名古屋　私たちのまちにも戦争があった―平和について考えよう』という平和学習パンフレットを発行、無料で配っています（朝日二〇二〇年八月一九日）。

4.「九条の会」と若者に希望をつなぐ

全国に、地域に、九条の会

二〇〇四（平成一六）年六月、井上ひさし、梅原猛、大江健三郎、奥平康弘、小田実、加藤周一、澤地久枝、鶴見俊輔、三木睦子ら九人が、日本国憲法は、今、大きな試練にさらされているという認識のもとに、「日本と世界の平和な未来のために日本国憲法を守る」という一点で手をつなぎ、「改憲」を阻もうと訴えました。この呼びかけに応え、中央では「女性の憲法年連絡会」が、愛知では二〇〇五年一月「あいち九条の会」が発足します。「自民党新憲法草案　条文案」が二〇〇五年八月発表され、一一月「あいち女性九条の会」は青木みか、野間美喜子、山田昌を代表に選び誕生しました。日本を「戦争のできる国」につくりかえようとする自民党の新憲法草案に反対し、戦争につながるあらゆる権利の制約を許さない全国の地域や分野別の「会」はすぐに三〇〇〇を超え、自民党の改憲実行への危機感を表していました。

市天白区では、二〇〇六年九月「天白学区九条の会」を設立、そのニュース『てんぱ九』三号（二〇〇六年九月）には、高坂・しまだ学区、山根学区、平針南学区、八事東・表山学区、野並学区、相生学区、大坪学区、天白学区の九条の会が結成されたこと、その活動が紹介されています。

あいち女性九条の会と野間美喜子の願い

誕生したあいち女性九条の会は、二〇〇六年二月「学びのつどい」でまず憲法が私たちの生活にどうかかわっているのか、今後どうかかわってくるのか、憲法学の森英樹から学びました。次に戦争体験を聞きました。「戦争をしない国　日本」「アメリカばんざい」「ＳＴＯＰ戦争への道～続戦争をしない国　日本」「九条を抱きしめて」「民主主義ってこれだ！」と憲法関連の映画をたくさん見て、討論しました。歌を歌い、音楽を聴いて、平和と連帯を感じました。さらに学習やバザーも続けています。

二〇一四年、愛知学院大学学生への講演で、野間美喜子は嫌な戦争のことを忘れたいのは自然なことだけれど、アジア太平洋戦争は日本人が三一〇万人、アジアでは二千万人が死んだ日本の大失敗の戦争だった。その体験者はいなくなるけれども、人間は理性で学ぶことができるので、現在政府が「集団的自衛権」といってアメリカが戦争するとき日本もいっしょに戦争しようとしている社会状況を学び、自分は自衛隊に入らないから関係ないと思うかもしれないけれど、政府が戦争に向かって動くときは、社会全体が戦争をするように変えていく、それは若い人に深い関係があるのだから、「関係ない」とか「めんどくさい」といわずに、日本と自分の未来に関係と責任をもつように選挙に行ってほしい、個人にどれだけ戦争が関係するかピースあいちの展示品を見に来てほしい、と語りました。

このちあいち女性九条の会の共同代表だった野間・青木の二人が永遠の旅立ちをします。戦争を体験した世代は本当に少数になって、憲法を守る活動の重要性がいっそう大きくなっています（「あいち女性九条の会行事略歴」）。

自立・平等・連帯・平和への道は続く

歴史を学べば、たくさんの先輩たちが自分の心の奥の叫びに忠実に、がんばったり挫折したりもありましたが、後悔のない人生をもとうとしたことがわかります。私たち自身が社会をしっかり見つめ、世界の動き、日本の動きを理解し、「木を見て森を見ない」ことがないよう広く学び、誇りをもって日本・世界の歴史と現実を理解し、連帯して生き続ければ、先輩たちが世の中をじわじわと変えたのだから、これからも変えられると愛知女性の歴史も語っているのです。

第七章　典拠・参考文献
あいち・平和のための戦争展実行委員会編・刊『戦時下・愛知の諸記録二〇一五』二〇一五年
伊藤康子「女子学生にとっての天皇」日本婦人団体連合会編『天皇―女たちは発言する』新日本出版社、一九八九年
伊藤康子「〈皇太子妃決定〉女子学生の意見」『婦人通信』四〇六号、一九九三年
自衛隊イラク派兵差し止め訴訟の会編『自衛隊イラク派兵差止訴訟　全記録』風媒社、二〇一〇年

10周年記念誌編集委員会編『希望を編み合わせる』戦争と平和の資料館ピースあいち、二〇一七年
野間美喜子追悼文集呼びかけ人一同編『自由を愛した人へ　野間美喜子追悼文集』遺族一同、二〇二一年
ベアテ・シロタ・ゴードン著　平岡磨紀子構成・文『1945年のクリスマス　日本国憲法に「男女平等」を書いた女性の自伝』柏書房、一九九五年

愛知女性史年表　1872～2000

年	愛知の女性にかかわる動き	国内外情勢
1872（明治5）	8・県、飯盛り女の新規召し抱え禁止	8・学制制定、11・旧尾張・三河地域の県を合併して愛知県に
1873（明治6）	8・竹内六太夫ら、宝飯郡三谷村に綿織物場開設	1・徴兵令、2・キリスト教解禁、7・地租改正
1874（明治7）	10・県、遊所席貸定常場規則等制定、遊郭を定める	1・板垣退助ら、民撰議院設立建白書提出
1876（明治9）	1・市大須観音堂西に旭郭設置、9・ガラ紡績機完成	10・神風連の乱、秋月の乱、萩の乱、12・伊勢暴動
1877（明治10）	この年県立養蚕伝習所等設置、県内小学校就学率38％	2・西南戦争、5・第1回県会議員選挙
1878（明治11）	4・県、女子教育奨励の諭達を出す	8・竹橋騒動、12ごろ、県初の民権結社羈立社結成
1879（明治12）	この年豊橋地方から13人が富岡製糸場へ派遣される	1・朝日新聞創刊、9・教育令で男女別学を規定
1880（明治13）	4・県、窮民へ救助金交付、町村に衛生委員設置指示	4・集会条例制定、7・刑法・治罪法布告
1881（明治14）	9・村松愛蔵、『愛岐日報』に女性を含む国税納入者に選挙権がある憲法草案を掲載	3・大隈重信、国会開設意見書提出、以後諸憲法草案続出、10・1890年に国会開設の勅諭
1882（明治15）	5・県会で娼妓・席貸営業を3年で廃止の建議可決	1・軍人勅諭、3～板垣退助東海道遊説、岐阜で遭難
1883（明治16）	10・村雨のぶらが豊橋婦女協会設立	4・新聞紙条例改正、言論取り締まり強化

年	愛知の出来事	日本・世界の出来事
1884（明治17）	県内席貸茶屋・娼妓数、計286軒1285人	10・自由党解党、この年名古屋事件等起きる
1885（明治18）	3・初の洋式機械の名古屋紡績会社開業、小渕志ち、糸徳製糸工場設立、生糸生産開始	5・荻野吟子、初の女医開業、7・『女学雑誌』創刊、11・大阪事件、12・第1次伊藤博文内閣
1886（明治19）	3・武豊―熱田間鉄道開通、『新愛知』の前身発刊	6・甲府の雨宮製糸場女工争議
1887（明治20）	4・高橋瑞子、医業開業試験合格	この年各地にキリスト教系女学校設立
1888（明治21）	8・初の女子ミッションスクール清流女学校設立	5・第3師団設置、この年以降仏教系婦人会輩出
1889（明治22）	10・名古屋市制施行、12・名古屋電灯営業開始、12・愛知廃娼会設立	2・大日本帝国憲法発布、皇室典範制定、衆議院議員選挙法公布、5〜民法典論争、7・東海道線全通
1890（明治23）	2・小室重弘ら、県会に娼妓全廃建議提出、12・愛知YMCA、廃娼演説会開催	5・欧米各地で世界初のメーデー、7・第1回総選挙、集会及政社法公布、10・教育勅語発布
1891（明治24）	4・小垣江小学校に子守科設置、10・濃尾地震	8・穂積八束「民法出テ、忠孝亡ブ」発表
1892（明治25）	3・大須大火、この年小渕志ち、玉繭解舒に成功	7〜大阪紡績系で職工争奪盛ん
1893（明治26）	5・矯風会名古屋支部設立、この年モルフィ来名	9・ニュージーランド、世界初の婦人参政権実現
1894（明治27）	7・愛知医学校内に産婆養成所・看護婦養成所設置	7・日英通商航海条約調印、8・日清戦争開始
1895（明治28）	11・一宮紡績設立	4・日清講和条約調印、三国干渉
1896（明治29）	6・県名古屋高女（のちの名古屋市一）設立	4・第1回近代オリンピック、アテネで開催
1897（明治30）	1・金城婦人会設立、この年半田等11町村遊郭設置請願	この年綿糸の輸出額が輸入額を超える

1898（明治31）	10・名古屋に電話開通	6・民法親族編・相続編公布、大隈憲政党内閣
1899（明治32）	10・娼妓小六、名古屋地裁へ娼妓廃業届調印請求訴訟	7・幸徳秋水ら普通選挙期成同盟会結成
1900（明治33）	1・光明寺村小島織工場火災で31人焼死	3・治安警察法公布、5・『婦女新聞』創刊
1901（明治34）	1・軍人遺族救護義会愛知支会結成、12・愛国婦人会愛知支部設立、この年以降娼妓の自由廃業続く	2・奥村五百子ら、愛国婦人会結成、4・日本女子大学校開校、5・社会民主党結成、即日禁止
1902（明治35）	2・名古屋婦人矯風会主催、足尾鉱毒救済演説会	1・日英同盟協約調印、4・日本女医会結成
1903（明治36）	3・愛知県立高女設立、5・第1回産婆試験	3・『職工事情』、4・国定教科書制度成立
1904（明治37）	2・出征軍人子女の小学校授業料減免措置	2・日露戦争、9・与謝野晶子「君死にたまふこと勿れ」
1905（明治38）	4・名古屋裁縫女学校（のち椙山）、愛知淑徳女学校開校、この年軍人家族支援活動多い	1・堺ため子ら治警法第5条改正請願書提出、9・日露講和条約調印、10・YWCA創設
1906（明治39）	7・大日本興国婦人衛生会設立、11・『名古屋新聞』創刊、救世軍名古屋小隊開設	1・堺利彦ら日本社会党結成、島崎藤村『破戒』、11・南満州鉄道（満鉄）設立
1907（明治40）	4・愛国婦人会愛知県支部第1回総会	1・『世界婦人』創刊、3・義務教育6年に延長
1908（明治41）	6・金城女学校「地球節事件」、10・大谷派婦人法話会支部設立	3・ニューヨークでパン寄こせデモ（国際婦人デーの端緒）
1909（明治42）	3・県、熱田遊郭に稲永新田への移転命令	8～大阪婦人矯風会、廃娼運動展開
1910（明治43）	3・いとう呉服店（松坂屋）開店	8・日韓併合条約調印、11・帝国在郷軍人会設立
1911（明治44）	1・いとう呉服店、子ども会開催、3・いとう呉服店、少年音楽隊結成、4・豊橋で遊郭移転疑獄	1・大逆事件24人死刑判決、3・工場法公布、78・警視庁に特高課設置、9・平塚らいてうら『青鞜』創刊

1912(大正元)	4・愛知女子師範開校、7・女子師範の市川房枝ら良妻賢母主義教育抗議のスト、9・大正琴発売	1・中華民国成立、7・明治天皇死去、9・乃木希典夫妻自死、12・東京で憲政擁護第1回大会開催
1913(大正2)	1・旭郭大火、7・六郷村田中織工場火災、21人焼死、10・稲永遊郭移転疑獄事件(翌年無罪)	2・第1次護憲運動で桂内閣総辞職、大正政変、8・岩波書店開業、10・石原修「女工と結核」講演
1914(大正3)	9・名古屋電鉄電車賃値下げ要求市民大会	7・第1次世界大戦開始、8・日本、対独宣戦布告
1915(大正4)	この年日本女子大学校同窓会桜楓会名古屋支部発足	1・中国へ21か条要求提出、5・中国各地で排日運動
1916(大正5)	11・橋本越南・越原春子ら婦人問題研究会設立	1・『婦人公論』創刊、6・友愛会婦人部設置
1917(大正6)	7・市川房枝、名古屋新聞記者になる(翌年8月上京)、12~愛知郡鳴海小作争議	2・『主婦の友』創刊、10・第1回全国小学校女教員大会開催、この年ロシアで2・10月革命
1918(大正7)	6・県女教員大会、7・二葉保育園開設、8~名古屋市で米騒動、県内に拡大、11~市公設市場開設	1~米価暴騰、2・母性保護論争、4・全国処女会中央部設立、5~スペイン風邪流行、8~シベリア出兵、11・第1次世界大戦終結
1919(大正8)	2・婦人参政権問題研究会設立、8・中京婦人会・名古屋新聞社共催夏季婦人講習会講師に平塚らいてう来名、市川房枝、平塚を繊維工場に案内	2・東京で普通選挙期成大会開催、3・朝鮮で3・1運動、コミンテルン創立大会、5・中国で5・4運動、6・ベルサイユ講和条約調印、11・第1回関西婦人団体連合大会で、平塚らいてう新婦人協会創立趣意書配布
1920(大正9)	1・名古屋普通選挙期成同盟会結成、桜楓会第1回文化講演会「経済学」、3・清流女学校廃校、11・新婦人協会名古屋支部設立、この年女性向け講演会多数開催	2・新婦人協会、治警法第5条改正請願書両院に提出、5・上野公園で初のメーデー、8・米で婦人参政権実現、10・第1回国勢調査、11・国際連盟第1回総会
1921(大正10)	8・名古屋市周辺町村合併、大名古屋と称する、この年小作争議数全国一	4・足尾銅山争議、赤瀾会結成、7・矯風会内に婦人参政権協会設立、12・藤田農場小作争議

1922（大正11）	5・名古屋新聞社主催女性のための政談演説会、新婦人協会名古屋支部主催女性の政談演説会、6・豊橋市でも女性の政談演説会	3・全国水平社創立大会、4・治警法改正公布、女性の政談集会企画・参加承認、7・日本共産党非合法に結成、12・ソビエト社会主義共和国連邦成立宣言
1923（大正12）	3・愛国婦人会愛知支部、県庁構内に会館新築、4・旭遊郭、大須から中村へ移転、繁盛、矯風会の廃娼運動続く	2・婦人参政同盟設立、4・職業婦人社設立、5・名古屋初のメーデー、9・関東大震災、東京連合婦人会結成、10・名古屋市立図書館開館
1924（大正13）	4〜名古屋紡績争議、騒擾罪で惨敗、12・愛知の娼妓数2254人、全国8位	5・全国小学校連合女教員会結成、12・婦人参政権獲得期成同盟会結成、東京『職業婦人調査』刊
1925（大正14）	3・名古屋市『職業婦人生活状態調査』刊、7・名古屋放送局本放送開始、県乳児死亡調査	4・治安維持法公布、5・衆議院議員男子普通選挙法公布、7・細井和喜蔵『女工哀史』
1926（昭和元）	4・初の女性方面委員任命、5・亜細亜製靴争議、10・子女を養育する寡婦8933人、全国1位	10〜日本農民党・社会民衆党・日本労農党結成、12・大正天皇死去、昭和と改元
1927（昭和2）	9・金城女子専門学校開校、10・県女子青年団発足	9・初の男子普選で県会議員選挙
1928（昭和3）	12・矯風会名古屋支部、2000人署名の廃娼請願	6・張作霖爆殺事件、治安維持法に死刑・無期刑
1929（昭和4）	3・女人連盟名古屋支部設立、5・名古屋新聞社提唱名古屋連合母の会設立、10・県婦人連盟発会、女子青年教化総動員大会	4・松村喬子「地獄の反逆者」『女人芸術』に遊郭の実態を告発、6・母への感謝日（地久節）、7・工場法改正、女子・年少者の深夜業禁止、10・世界恐慌
1930（昭和5）	2・YWCA「友の家」開設、4・第三女性連盟、産児制限問題講演会、5・社会民衆婦人同盟名古屋支部	4・第1回全日本婦選大会（愛知から7人参加）、11・全国友の会中央部設立、この頃昭和恐慌
1931（昭和6）	5・県廃娼期成同盟会結成、8・婦人公論読者名古屋グループ設立、10・大谷派婦人法話会等慰問袋送る	3・地域婦人会・母の会・主婦会統合、大日本連合婦人会発会、9・満州事変

年	愛知	全国・世界
1932（昭和7）	6・桜楓会名古屋支部、小児保健所開設、8・ロス・オリンピックで前畑秀子平泳ぎ2位	3・満州国建国宣言、大阪で国防婦人会発会、7・独総選挙でナチス第1党に、9・日満議定書調印
1933（昭和8）	2・名古屋YWCA設立、6・名古屋連合母の会、結婚相談所開設、8・昭和毛糸紡績争議	1・ヒトラー、独首相に、2・小林多喜二殺害される、3・日本、国際連合脱退、10・ドイツも脱退
1934（昭和9）	5・内田あぐり、小学校女教員大会で婦人参政建議を求め否決される	3・満州国帝政実施、9・室戸台風、母性保護法制定促進婦人連盟結成
1935（昭和10）	8・婦選獲得愛知県支部設立、10婦人文芸講演会、婦人文芸名古屋支部設立	4・東山公園開園、5・戦前最後のメーデー、8・選挙粛正婦人連合会結成、10・伊、エチオピアに侵攻
1936（昭和11）	3・県初の満州移民、5・国防婦人会名古屋支部結成、6・第3師団管下の国防婦人会本部結成、8・前畑秀子、ベルリンオリンピック女子200メートル平泳ぎ優勝	1・ロンドン軍縮会議で日本全権が脱退通告、2・26事件、5・軍部大臣現役武官制復活、11・日独防共協定調印、12・西安事件
1937（昭和12）	2・県職業課・愛婦愛知支部、満州移民に花嫁斡旋、3・名古屋汎太平洋平和博覧会開催、10・30校余の女学生15000人、愛国子女団結成	1・最後の全日本婦選大会、3・丸岡秀子『日本農村婦人問題』、母子保護法公布、4・保健所法公布、7・盧溝橋事件で日中戦争本格化、11・日独伊防共協定
1938（昭和13）	4・一宮市に県初の保健所開設、9・県軍人遺家族世話係規程制定	1・厚生省設置、3・オイル配給切符制、4・国家総動員法・国民健康保険法・社会事業法公布
1939（昭和14）	1・県連合婦人会、非常時の生活費3割切り下げ要請、4・名古屋帝国大学設立、6・県衛生課、乳幼児健診一斉実施	3・人事調停法公布、4・米穀配給統制法公布、7・国民徴用令公布、7・米、日米通商条約廃棄通告、9・独、ポーランドに侵攻、第2次世界大戦開始
1940（昭和15）	9・門前警察署、管内の妾に正業に就くよう説得、11・市、牛乳等配給制に、11・10人以上の子宝家庭表彰	5・国民優生法公布、9・内務省、市町村常会整備要綱通達、9・婦選獲得同盟解消、10・大政翼賛会発足、11～紀元2600年祝賀

1941（昭和16）	1・市厚生局、人口増加のため早婚奨励、4・市で米穀配給実施、全国初の妊婦届出制、8・県民皆働運動	4・小学校、国民学校に、8・米、対日石油輸出全面禁止、12・アジア太平洋戦争開始
1942（昭和17）	4・名古屋初空襲、日婦県支部設立、9・新愛知・名古屋新聞統合、『中部日本新聞』に	2・愛婦・連婦・国婦統合、大日本婦人会設立（日婦）、4・翼賛選挙、6・ミッドウェー海戦で日本軍大敗
1943（昭和18）	9・小尾ふさ夫妻、長男戦病死を犬死と通知し検挙される	6・女子等の坑内作業拡大、9・伊無条件降伏、10・学徒出陣壮行大会、12・都市疎開実施要項閣議決定
1944（昭和19）	6・朝鮮女性約300人、市の三菱航空機工場へ動員、女学校の軍需部品工場化6校、8・市学童集団疎開開始、12・東南海地震	1・横浜事件、7・サイパン島日本軍全滅、東条内閣総辞職、8・女子挺身勤労令公布、10・神風特攻隊、初の米艦突撃、年末・婦人雑誌3誌に統合
1945（昭和20）	1・三河地震、3・名古屋市街地夜間空襲、各地空襲続く、6・大日本婦人会等解散、義勇隊結成、8・豊川海軍工廠空襲、10・米軍第25師団司令部設置、11・日本社会党県支部連合会設立、以後労働組合結成続く、12・新日本婦人同盟愛知県支部発足	2・ヤルタ会談、4・米軍沖縄に上陸、5・独、降伏、8・広島・長崎に原爆投下、ソ連対日参戦、天皇、日本降伏発表、第2次世界大戦終結、10・GHQ開設、5大民主化指令、国際連合成立、11・新日本婦人同盟設立、12・衆院選挙法改正、婦人参政権実現
1946（昭和21）	1・総同盟県連合会結成、2・新円切り替え、4・戦後初の総選挙、女性衆議院議員39人誕生、愛知で越原春子、5・11年ぶりの復活メーデー、8・県産別会議結成、9・市で「働く女性の会」設立	1・天皇人間宣言、GHQ軍国主義者の公職追放指令、公娼制度廃止命令、2・極東委員会成立、3・「鉄のカーテン」演説、婦人民主クラブ設立、5・極東国際軍事裁判所開廷、食糧メーデー、11・日本国憲法公布
1947（昭和22）	3・婦人民主クラブ名古屋支部発足、4・県民主婦人大会・デモ、『東海民主婦人』発刊、戦後初の県知事・市長村長・参院・県市町村議員選挙、6・県教組結成	1・2・1ゼネスト中止命令、3・教育基本法・学校教育法公布、4・労働基準法公布、5・日本国憲法施行、9・労働省婦人少年局設置、12・改正民法公布
1948（昭和23）	3・初の国際婦人デー大会、4・東山公園で集団見合、5・中部主婦の会設立、7・市婦人団体協議会設立、10・地方教育委員選挙	1・都教組、男女同一賃金獲得、4・新制高校発足、6・衆参両院、教育勅語・軍人勅諭等の失効決議、12・国連総会「世界人権宣言」

1949(昭和24)	2・県小中学校PTA連絡協議会設立、3・椙山女学園大学設置、6・新制名古屋大学に女子12人合格、6・東京から「象列車」名古屋へ	4・北大西洋条約(NATO)発足、第1回婦人週間、7・下山事件、三鷹事件、8・松川事件、10・中華人民共和国成立、11・湯川秀樹にノーベル物理学賞
1950(昭和25)	3〜4・県立女子短大等女子短大多数設置、10・愛知県地方労働組合評議会結成(愛労評)、10・第5回国民体育大会開催	3・ストックホルム・アピール、6・朝鮮戦争開始、7・マ元帥、警察予備隊創設指示、日本労働組合総評議会結成、11・全国未亡人団体協議会設立
1951(昭和26)	9・初の民間放送・中部日本放送(CBC)本放送開始、9・名古屋クラブ婦人団体連絡協議会設立	5・児童憲章制定、9・対日講和会議、講話条約・日米安全保障条約調印、10・社会党、左右両派に分裂
1952(昭和27)	12・愛知婦人民主クラブ発足、5・県地域婦人団体連絡協議会設立、7・大須事件、9・伊良子岬試射場設置反対運動、10・市立鶴舞図書館開館	1・首相、防衛隊新設発表、2・日米行政協定調印、4・平和条約等発効、5・血のメーデー、7・破防法・公安調査庁設置法公布、9・内灘闘争
1953(昭和28)	1・市立保育短大など保育・福祉系短大設置、8・名古屋市地域婦人団体連絡協議会、木曽川の上水取り入れ口近くの化学工場建設反対署名運動で中止させる	2・NHKテレビ本放送開始、4・日本婦人団体連合会結成、7・初の共同保育ゆりかご保育園設立、朝鮮戦争休戦協定調印、12・全日本女子学生大会、全国日雇婦人協議会設立、奄美群島返還協定調印
1954(昭和29)	3・名古屋子どもを守る会設立、4・NHK名古屋テレビ本放送開始、6・名古屋テレビ塔竣工、7・愛労評婦人協議会結成、11・李徳全女史歓迎会、この年朝日女性サークル発足	3・米、ビキニ環礁で水爆実験、第5福竜丸被災、日米相互防衛援助協定(MSA)調印、6〜近江絹糸人権争議、周恩来・ネルーの平和5原則発表、7・自衛隊発足、8・原水爆禁止署名運動全国協議会結成
1955(昭和30)	1・愛知女子学生の会設立、6・第1回愛知母親大会開催、7・世界母親大会に服部勝尾送り出し活動、10・「いずみの会」設立、10・第1回名古屋まつり、この年電気釜発売、家庭電化時代へ	2〜主婦論争、6・第1回日本母親大会、8・第1回原水爆禁止世界大会、9・沖縄で由美子ちゃん事件、原水爆禁止日本協議会結成、10・社会党統一大会、11・保守合同で自由民主党設立

1956(昭和31)	3・愛知母親連絡会発足、8・日本住宅公団市志賀団地に入居開始、10・犬山市にモンキーセンター設立、この年県への転入者激増	2・衆参両院、原水爆実験禁止要望決議、4・第1回はたらく婦人の中央集会開催、5・売春防止法公布、12・国連総会、日本の加盟可決
1957(昭和32)	1・県民生部に婦人児童課設置、県原水爆被災者の会結成、3・原水爆禁止県協議会設立、8・原水爆禁止県大会開催、11・名古屋市営地下鉄開通	2・初の女性週刊誌『週刊女性』創刊、8・朝日訴訟、10・ソ連、人工衛星スプートニク1号打ち上げ成功、12・日教組、勤評反対闘争非常事態宣言
1958(昭和33)	2・勤評反対総決起大会、8・県産別会議解散、10・警職法改悪粉砕大会、11・県・市教委、勤務評定実施	1・米、人工衛星打ち上げ成功、3・文部省、4月から小中学校道徳授業実施通達、12・1万円札発行
1959(昭和34)	1・挙母市、豊田市と改称、4・県図書館開館、安保条約改定阻止県民会議結成、9・伊勢湾台風、救援活動、12・ヤジエセツルメント保育所開設	3・社会党・総評ら日米安保条約改定阻止国民会議結成、三菱四日市工場完成、以後各地に石油コンビナート建設、4・皇太子結婚、12〜三井三池争議
1960(昭和35)	4・県内13女子短大調査、高卒女子の62・6%が短大進学、5・新安保粉砕・岸内閣打倒県民集会、6・11婦人団体、6・4ゼネスト支持声明、民主主義擁護県民大会、8・女子工員の引き抜き防止で帰郷特別列車、10・愛労評主催、物価値上げ反対おしゃもじデモ	1・日米新安保条約・新協定調印、民社党発足、4・沖縄県祖国復帰協議会結成、5・安保阻止国民会議国会請願デモ、6・樺美智子国会構内で圧死、岸内閣総辞職、7・中山マサ、初の女性大臣、セイロンのバンダラナイケ、世界初の女性首相、高校全入運動全国に拡大、12・南ベトナム民族解放戦線結成
1961(昭和36)	1・子どもを小児マヒから守る県協議会結成、3・愛労評主婦の会結成、4・中国婦人代表団来名、5・小牧基地撤去県民総決起大会	5・文部省社会教育局に婦人教育課新設、6・厚生省、小児マヒ生ワクチン緊急輸入決定、8・仙台高裁、松川事件無罪判決、10・初の全国一斉学力テスト実施
1962(昭和37)	5・市婦協『婦人なごや』創刊、8・県婦連『婦人あいち』創刊、5・池内共同保育所開設、9・市教育館に婦人教育センター開設、11・新婦人県本部結成	4・中学男子は技術、女子は家庭に分離、7・創価学会、公明党結成、8・第8回原水禁大会、ソ連核実験問題で紛糾、第1回全国保育問題研究集会、10・新日本婦人の会結成

1963（昭和38）	2・守山区誕生、4・緑区誕生、市昭和区に杁中共同保育所開設、豊橋市の夫婦、製薬会社に初のサリドマイド民事訴訟、8・憲法擁護県実行委員会結成、11・市が婦人交通指導員40人委嘱	4・高校で女子家庭科4単位必修に、7・老人福祉法公布、8・政府主催第1回全国戦没者追悼式開催、11・三井三池三川鉱炭塵大爆発、458人死亡、ケネディ大統領暗殺
1964（昭和39）	1・朝日文化センター開設、4・県公害防止条例公布、11・興亜火災カナタイピストで腱鞘炎になった安藤啓子を守る会結成、12・県がんセンター開業	3・春闘、初の全国統一スト、4・町田市に米軍機墜落4人死亡、7・母子福祉法公布、8・トンキン湾事件、政府、米原潜寄港受諾通告、10・第18回東京オリンピック
1965（昭和40）	3・第1回愛知保育のつどい、4・市立星ヶ丘保育園開設、6・県、硫黄酸化物常時測定開始、8・いずみの会『主婦の戦争体験記』刊	2・米、北爆開始、防衛庁「三矢作戦」4・憲法改悪阻止県各界連絡会議結成、6・家永三郎、教科書検定違憲訴訟、日韓基本条約調印、批准阻止活動
1966（昭和41）	5・第1回市ママさんバレーボール大会、5・山種証券木全志ず子、30歳定年制で解雇、12・猿投町で保育園児の列にダンプが突っ込む事故	5・中国文化大革命始まる、10・総評、初のベトナム反戦統一スト、12・東京地裁、住友セメント鈴木節子の結婚退職制違憲判決
1967（昭和42）	2・稲沢女子短大、繊維工場2交代制に合わせた学科開設、3・豊田市、自動車工場労働者のための集団見合、5・県地婦連、駅ごとに「悪本ポスト」設置決定	2・初の建国記念日、4・社共推薦の美濃部亮吉、都知事当選、7・ヨーロッパ共同体（EC）発足、8・公害対策基本法公布、11・国連総会、女子に対する差別撤廃宣言採択
1968（昭和43）	5・高蔵寺ニュータウン入居開始、8・飛騨川に観光バス転落、104人死亡事故、帝国興信所吉田礼子、生理休暇の賃金カット分支払い請求訴訟、この年、交通事故死者数全国一	4・日米政府、小笠原諸島返還協定調印、5・富山イタイイタイ病が公害病第1号に、7・核拡散防止条約に62か国調印、10・明治百年記念式典、この年国民総生産が資本主義国中第2位に

年	地域	全国
1969（昭和44）	3・教科書検定訴訟を支援する県連絡会結成、4・名古屋放送大木捷代、30歳定年制で解雇、裁判へ、5・東名高速道路全通、名古屋女性史研究会『母の時代』刊	6・水俣病患者、チッソを提訴、7・米宇宙船アポロ11号月面着陸、10・全米でベトナム反戦行動拡大、12・東京都、老人医療費無料化実施、この年大学紛争激化
1970（昭和45）	2・市婦協研究協議大会で「老後」に関心集中、7・一宮市で水路転落防止柵設置運動、11・県青少年公園開園、11・県社保協、老人医療費無料化直接請求運動	3〜大阪万博開催、6・日米安保条約自動延長、7・東京都杉並区で初の光化学スモッグ、9・カラーテレビ買い控え運動、11・初のウーマン・リブ大会
1971（昭和46）	2・市南部工業地帯で柴田喘息患者急増、初の死者、3・名古屋で第31回世界卓球選手権大会、10・県、75歳以上老人医療無料制度実施、10・沿線住民の「名古屋新幹線公害対策同盟」結成、11・保育統一行動	3・東京電力福島原子力発電所運転開始、6・沖縄返還協定調印、7・環境庁発足、9・天皇夫妻、欧州訪問、10・NHK総合テレビカラー化、国連総会、中国の国連復帰決定
1972（昭和47）	2・横井庄一、グアム島から31年ぶりに帰国、3・名古屋空襲を記録する会設立、愛知私学助成をすすめる会発足、3・市で障がい児の不就学をなくす会結成、5・岩倉市議会植手かま、県初の婦人議長、9・市0歳児医療費無料化、10・愛知女性史研究会発足	2・札幌冬季オリンピック、ニクソン米大統領訪中、4・米、北爆開始、5・沖縄施政権返還、沖縄県発足、6・田中角栄「日本列島改造論」、老人医療費無料化、7・鈴鹿市役所山本和子、男女昇格差別提訴、四日市公害訴訟、患者側全面勝訴、9・日中国交回復共同声明
1973（昭和48）	1・市公害防止条例公布、名古屋市・東海市、国の公害病指定地域に決定、3・中性洗剤で皮膚障害、愛知消費者協会安全洗剤要望、4・革新統一候補本山政雄、名古屋市長に当選、5・名古屋放送大木・清水の差別定年制無効判決、8・市で全国戦災傷害者連絡会結成	1・ベトナム和平協定調印、米国防長官、徴兵制廃止発表、3・熊本地裁、水俣病患者側勝訴判決、東京地裁、日産自動車男女差別定年制無効判決、4・高校「家庭一般」4単位女子のみ必修、8・金大中事件、長沼ナイキ訴訟で自衛隊違憲判決、10・第1次オイルショック
1974（昭和49）	1・職業病から保母を守る会結成、市立71保育園で保母大増員要求の全日スト、2・名古屋市議会、婦人会館建設請願採択、3・新幹線沿線住民、騒音・振動差し止め訴訟、4・市で「平塚らいてう展」、9・名古屋高裁、名古屋放送の女子30歳定年制無効判決	1・家庭科の男女共修をすすめる会発足、外務省公電漏洩事件の蓮見喜久子に有罪判決、6・全国無認可保育所連絡協議会結成、8・ニクソン大統領、ウォータ－ゲート事件で辞任、10・佐藤栄作前首相、ノーベル平和賞受賞、この年経済成長率戦後初のマイナス

1975（昭和50）	1・名古屋放送、女子30歳定年制を撤廃、大木・清水現職復帰、3・市勤労婦人センター開館、田原市で「汐川干潟を守る会」結成、4・国際婦人年あいちの会発足、5・中部電力従業員90人、人権侵害・思想差別撤廃要求提訴、7・岡崎空襲を記録する会発足、11・県婦人研究者の会結成、12・篠島女教師暴行事件の主犯4人に実刑判決、県障がい者の生活と権利を守る連絡協議会発足、この年県小学校女教師、半数を超える	1・国際婦人年をきっかけにして行動を起こす女たちの会発足、4・秋田地裁、秋田相互銀行の男女差別賃金違憲判決、婦団連『婦人白書』創刊、ベトナム戦争終結、6・国連の国際婦人年世界会議、7・沖縄国際海洋博覧会、9・天皇夫妻、初のアメリカ訪問、10・東ベルリンで国際婦人年世界大会、11・国際婦人年日本大会、第1回主要先進国首脳会議（サミット）、12・国連「国連婦人の10年」決定、英、男女同一賃金法、性差別禁止法施行、国際婦人年連絡会結成
1976（昭和51）	1・国際婦人年あいちの会『女の声―1975年の場合』刊、3・保育運動センター設立、4・県青少年婦人室・婦人悩みごと相談開設、愛知統一労組懇結成、8・稲沢市の大平産業大塚工場、住民の悪臭抗議で操業停止、9・県婦人問題懇話会設置、12・春日井市、王子製紙と新公害防止協定調印、この年保育運動活発、県部落解放運動連合会発足	2・米でロッキード事件表面化、『日本婦人問題資料集成』10巻刊行開始、ASEAN5か国首脳会議、東アジア友好協力条約調印、4・天安門事件、6・民法改正公布、離婚後旧姓使用可能に、7・ベトナム社会主義共和国樹立、育児休業法公布、ロ事件で田中角栄前首相逮捕、8・第1回全国高校女子問題研究会
1977（昭和52）	1・市民生局長、産休明け保育実現を議会で表明、3・県初の女性部長職、中尾初生青少年婦人室長、7・県婦人問題懇話会初会合、8・市市民局に婦人問題担当室新設、初代室長中山惠子、8・市で初の女性史全国集会（女性史のつどい）、10・市博物館開館	2・自民党、3月3日を祝日とする決定、党内女性議員の反対で見送り、3・保母資格取得を男性に開放、6・労働省、若年定年制・結婚退職制等改善年次計画策定、7・文部省「君が代」国歌と規定、8・14年ぶり原水禁統一世界大会、11・国立婦人教育会館開館
1978（昭和53）	2・『愛知県地婦連二十年史』刊、3・市交通局、全女子職員退職募集再建案を提示、問題化、4・市、職員採用試験に男女区別廃止、5・市第1回婦人のつどいで本山市長講演「憲法30年と婦人のくらし」	2・NGO軍縮世界会議で、被爆者渡辺千恵子ら、核兵器反対の訴え、4・瀬戸山法相、閣議で「女は家庭に」発言、問題化、5・新東京国際空港開港、8・総理府『えがりて』創刊、日中平和友好条約調印

年	地域	国内・世界
	7・市婦人会館開館、9・大須事件騒擾罪確定	10・靖国神社、A級戦犯合祀、11・「日米防衛協力のための指針（ガイドライン）」決定
1979（昭和54）	1・国際児童年子どもの人権を守る愛知連絡会議結成、5・名古屋婦人レクリエーション・バレーボール大会、423チーム参加、6・蒲郡市漁業振興協議会婦人部設立、合成洗剤追放運動推進、市、米飯給食1部学校で試行、10・有効な男女雇用平等法を成立させる第1回会議	1・米中国交回復、初の共通1次試験実施、3・米スリーマイル島原発事故、5・先進国初の女性首相、英サッチャー、NEC、PC発売、以後普及、6・元号法公布、日本女性学会発足、10・第1回エイボン女性年度賞、大賞市川房枝、WHO天然痘根絶宣言、12・マザー・テレサにノーベル平和賞、国連総会、女性差別撤廃条約採択
1980（昭和55）	1・第1回県婦人国際事業派遣団、東南アジア4国へ、4・市名東区の暴力団、家出少女らに売春させる事件、6・私学をよくする愛知父母懇談会結成、8・「ぼけ老人をかかえる家族の会」愛知のつどい	1・印、インディラ・ガンジー首相就任、3・衆院予算委で初の婦人問題集中審議、4・総合女性史研究会設立、任天堂、電子ゲーム機発売、5・民法改正で配偶者の法定相続分2分の1に引き上げ、韓国光州事件、7・国連女性の10年中間年世界会議、11・同日本大会
1981（昭和56）	1・『あいち従軍看護婦の記録』刊、2・瀬戸市の婦人会員、有害図書追放運動、図書自販機ゼロ実現、11～新婦人、子育て110番、はたらく婦人の悩み110番開始、12・市名東区のポルノ店、住民の反対・抗議で閉店、この年国際障がい者年	3・中国残留孤児47人、正式来日、4・市川房枝の記録映画「八十七歳の青春」完成、5・平和・民主主義・革新統一を進める全国連絡会（革新懇）結成、7・神戸商船大の変更で、全国立大の女子受験制限撤廃、9・女子差別撤廃条約発効、この年、ガン、死因の1位に
1982（昭和57）	1・半田空襲と戦争を記録する会発足、3・名古屋でも反核署名開始、9・名古屋出身松尾葉子、仏の国際指揮者コンクールで女性初の優勝、11・父母による白書『私立高校への道しるべ』刊、12・新白砂パート、労働組合結成、解雇撤回闘争	3・『新しい家庭科 We』創刊、5・富士通、ワープロ発売、8・沖縄県婦人協議会、教科書から日本軍の住民虐殺の事実削除に反対する活動、老人保健法公布、12・国連総会、核凍結と核不使用決議

年		
1983（昭和58）	4・市、中学生向け『あなたが選ぶあなたの未来―男女平等を考える』刊、全2年生に配布、11・自立・平等・平和を求める「なごや女性会議'83」開催	3・「高齢化社会をよくする女性の会」設立、4・NHK「おしん」放映、9・日経連、男女雇用平等法反対表明、10・東京地裁、ロッキード事件田中角栄に実刑判決
1984（昭和59）	3・市初の女子フルマラソン、市初の『なごや婦人白書』刊、4・公立高校建設運動で市立名東高校開校、7・「日本女性会議'84なごや」開催、11・労基法改悪反対・実効ある雇用平等法の制定を進める県連絡会決起集会	2・黒柳徹子、日本人初のユニセフ親善大使就任、5・NHK衛星テレビ放送開始、国籍法・戸籍法改正公布、父母両系主義に変更、12・印ボパール米殺虫剤製造工場で有毒ガス漏れ事故、2600人以上死亡
1985（昭和60）	2・市東邦高校男女共学開始で女子志願者急増、3・第1回名古屋国際女子マラソン、5・岡崎世界こども美術博物館開館、この年の県人口動態、出生・結婚は最低、死亡は横ばい、国勢調査で老年人口・未婚女性急増	1・寝たきり老人366000人、介護者の9割が女性、4・厚生省、生活保護基準額の男女格差解消、6・男女雇用機会均等法公布（翌年4月施行）、労働者派遣法成立、7・国連婦人の10年世界会議、女性差別撤廃条約発効、11・「国連婦人の10年」日本大会
1986（昭和61）	3・新幹線公害訴訟和解成立、6・市かわらまち保育所、午前1時までの夜間保育開始、7・県公文書館開館、10・都市高速1号線開通	3・矯風会、女性の家HELP設立、4・ソ連チェルノブイリ原発で爆発事故、10・北海道で初の日米共同統合演習、国鉄分割民営化法可決
1987（昭和62）	2・名古屋港の干潟を守る連絡会結成、9・市勤労婦人センター編『名古屋の働く女性たち』刊、この年高校進学率90・1%、5年連続全国最下位	5・塩川文相「子供が義務教育期間中、母親は家庭に戻れ」発言、問題化、9・第1回全国高齢者大会、10・NY株式市場大暴落（ブラック・マンデー）、11・伊の原発政策に国民投票、80%反対で原発凍結
1988（昭和63）	7・中部電力、女子社員の原発見学研修を批判され変更、9～天皇の病状急変で、郷土英傑行列、ドラゴンズ優勝セールなど自粛	5・農山村の嫁不足で、国際結婚を考える結婚フォーラム、6・米人口危機委、女性の地位の国際比較、1位スェーデン、日本34位

年	地域・女性関連	国内・世界
1989（平成元）	3・フィギュアスケート伊藤みどり、パリ世界選手権大会で優勝、8・戦後初の県出身総理、海部俊樹内閣発足、10・ヒロシマ・ナガサキアピール署名、名古屋で市民の過半数に、県「あいち女性プラン策定」、11・愛労連、連合愛知結成	1・昭和天皇死去、平成と改元、エイズ予防法公布、4・消費税3％実施、6・中国天安門事件、8・福岡地裁に元出版社社員が上司のセクハラ提訴、11・総評解散、全国労働組合総連合（全労連）結成、日本労働組合総連合会（連合）結成、ベルリンの壁崩壊
1990（平成2）	8・「なごやかヘルプ事業」開始、12・市職労組婦人部の3年間の運動で、市は育児休暇を全職種に広げる条例案提出	1・大学入試センター第1回試験実施、6・合計特殊出生率1・57、史上最低、9・南北朝鮮、初の首相会談、10・東西独統一
1991（平成3）	5・市立女性情報センター開館、8・第1回名古屋ゴミ会議、9～100歳の双子きんさん・ぎんさん有名になり、CM出演などブームになる	1・湾岸戦争開始、政府90億ドルの追加支援、避難民輸送用自衛隊機派遣決定、「従軍慰安婦問題を考える会」結成、6・日の丸・君が代を国旗・国歌と明記、8・韓国金学順、元慰安婦と名乗り出る、9・韓国・北朝鮮、国連加盟、12・ソ連邦消滅宣言
1992（平成4）	2・春日井市のトンネル工事現場監督に、女性技術者を起用、10・名古屋港水族館開館、愛知芸術文化センター開館	1・宮沢首相、日韓首脳会談で「従軍慰安婦」問題のお詫びと反省表明、4・育児休業法施行、9・学校週5日制実施、10・天皇夫妻、初の訪中
1993（平成5）	4～県新婦人、連続憲法講座（6回）、10・「小選挙区・比例代表並立制に反対する愛知女性の会」、女性議員が少なくなる可能性があるとアピール発表	1・永住外国人の指紋押捺廃止、4・中学校で家庭科の男女必修開始、天皇夫妻初の沖縄訪問、6・パートタイム労働法公布、8・土井たか子衆院議長に選出、11・欧州連合（EU）発足、11・環境基本法公布
1994（平成6）	4・県・市、3歳未満児まで医療費無料に、8・米軍依佐美送信所完全返還実現、11・いじめで西尾市の中学生大河内清輝自殺、社会問題化	2・日本介護福祉士会設立、4・高校家庭科の男女必修実施、日弁連、夫婦間暴力テーマに全国女性の権利110番、6・松本サリン事件、9・関西国際空港開港、12・被爆者援護法公布、この年国連の国際家族年

1995（平成7）	3・「女性を議会に！ネットワークあいち・ぎふ・みえ」設立、4・市、「男女共同参画プランなごや」策定、9・新婦人県本部『女のひとりごと…ではすまされない』県内726人の差別告発証言刊、12・岡谷鋼機女子労働者、職掌差別提訴、この年文部省調査で1994年度いじめ全国57000件、愛知は3300件	1・阪神淡路大震災、3・地下鉄サリン事件、オウム真理教麻原彰晃ら5月逮捕、個人加入の労働組合「女性ユニオン東京」結成、6・容器リサイクル法公布、7・政党助成法に基づく政党交付金支給開始、8・第4回世界女性会議NGOフォーラム北京、9・第4回世界女性会議、沖縄で米兵が小学生女児に暴行、10月に沖縄県民総決起集会、11・高齢社会対策基本法公布
1996（平成8）	4・市の109校中55校で中学校給食実現、5・県女性総合センター（ウイルあいち）開館、引き続き愛知国際女性映画祭開幕、7・痴呆性高齢者デイサービス事業開始	2・国連人権委、慰安婦問題で国の法的責任、個人補償金、加害者処罰等を政府に勧告、8・新潟県巻町で原発建設可否の住民投票、反対派勝利、9・沖縄県民投票、米軍基地整理縮小と日米地位協定の見直し賛成89％、12・広島原爆ドーム、世界遺産に
1997（平成9）	2・県労働部、企業内の女性活用実態調査結果発表、女性管理職がいる企業77・0％、女性の割合は3・4％等、6・財団法人東海ジェンダー研究所設立	4・消費税5％へ引き上げ、6・均等法・労基法改正公布、募集・採用・配置・昇進の差別禁止、セクハラ防止、残業・深夜業の保護規定撤廃等、7・英、香港を中国に返還、9・日米政府、有事を想定した日米防衛指針合意、12・地球温暖化防止京都会議、介護保険法成立
1998（平成10）	1・YWCAで「選択的夫婦別姓を考えるシンポジウム」、9・愛高教『愛知の高校教育白書』刊、11・藤前干潟・住民投票の会発足、12月108158署名を集め、埋め立て断念に追い込む	5・女性のカンパで『朝日新聞』に「憲法を21世紀に」の意見広告、普天間基地返還要求「人間の鎖」、6・国連子どもの権利委員会、日本政府にいじめや婚外子差別の是正等22項目の提案・勧告
1999（平成11）	2・市、ごみ非常事態宣言、3・「新ガイドライン（戦争法案）」に反対する愛知女性の会結成、元女子勤労挺身隊員の韓国女性、賠償と謝罪を求め提訴、5・豊	1・単一通貨「ユーロ」誕生、4・均等法改正施行、育児・介護休業法施行、女性の深夜労働禁止規定撤廃、5・新ガイドライン関連法公布、日米安保体制新段階へ

	田市で買い物袋持参運動、9・県新婦人『残せたよ干潟ありがとう』刊、11・春日井市に「日本自分史センター」設置、このころ県内各地でベアテ・シロタ・ゴードン講演会	6・女性選挙候補者支援ネットワークWINWIN発足、男女共同参画基本法公布施行、8・国旗・国歌法公布、10・国連総会、女性差別撤廃条約の選択議定書採択、この年国際高齢者年
2000（平成12）	1・107歳のきんさん死去、3・ニチメンの石原愛子・伊藤たえ子、名古屋地裁へ地位保全仮処分申請、4・市緑区の扇台中学で5000万円恐喝事件、8・市、ゴミ分別収集開始、9・東海豪雨	1・衆参両院に憲法調査会設置、2・女性初の知事、大阪府太田房江、4・介護保険制度実施、5・仏下院選挙候補者は原則男女同数の「パリテ法」可決、6・金大中韓国大統領、北朝鮮訪問、南北共同宣言、独、2030年代に原発全廃決定

主要典拠

①『愛知県史　通史編10　年表・索引』2020年
②丸岡秀子・山口美代子『日本婦人問題資料集成　第十巻　近代日本婦人問題年表』ドメス出版、1980年
③鈴木尚子編『現代日本女性問題年表　1975—2008』ドメス出版、2012年
④愛知女性史研究会編・刊『愛知近代女性史年表　1871～1945』2010年
⑤愛知女性史研究会編・刊『戦後愛知女性史年表—明日を生きるために—』1975年
⑥愛知女性史研究会編『なごやの女性の歴史　1975年～1985年』名古屋市市民局広報相談部婦人問題担当室、1987年
⑦塩澤君夫・斎藤勇・近藤哲生『愛知県の百年』山川出版、1993年
⑧中村政則・森武麿『年表　昭和・平成史　1926—2011』岩波ブックレット、2020年
⑨編集委員会編『半世紀をこえて歩みつづける女性群像』新日本婦人の会愛知県本部、2020年

おわりに

一九七五（昭和五〇）年国際婦人年は、日本の女性にとってこれまでの運動を継続する追い風であり、世界の女性と共にたたかう自信をつけ、世界の女性はすでに獲得している権利だから必ず追いつき追い越せる運動の構想を確かめた年でした。国連が簡潔に示した「平等・開発・平和」（三二一ページ参照）を軸に、各国の現実をより良くするために、国連だけでなく、NGOや当時の社会主義国も国際的集会を開催、内容を充実させようとしました。国だけでなく、各自治体や団体も諸集会に調査団を派遣して世界の潮流を学ぶなど、世界の女性と多かれ少なかれ一体感を感じる流れがありました。一九七五年一年間では達成できないので「国連婦人の一〇年」として女性の現実世界を変えようとされたことも、女性の力を強めました。

諸国女性の動向を見て国連が決め、世界全体が動こうとする時代の潮流があり、敏感に声をあげた日本の婦人運動、女性主権者の声に押されて日本政府も動かざるを得なかった時期、愛知女性にとって、突然「平等・開発・平和」の目標が降ってきたのでしょうか。「はじめに」に書いたSさんの想い、その後の女性の動きをたどると、愛知の現実の中で「自立・平等・連帯・平和」を求めつづけてきた内容は共通しています。

明治維新以後、自由民権運動の中で、村雨のぶたちは、女性も人間だから自分の尊厳を主張する、仲間と支えあう連帯をだいじにする、人間は平等だから手を組んで、とささやかではあっても毅然と活動しました。それ以後、時に日本は神の国という「話」に惑わされ、貧しい隣国より偉い、強いとの優越感をもち、軍事力・金力が国の力だと思わされ、人を殺す人権無視も悲劇と感じなくなります。他方県民の地道な働きで経済発展することが目に見えるようになり、教育で人間の力を信じることができるようになり、新聞・雑誌を読んで社会への目を開くようになり、男性が政治を動かす権利を獲得すると、女性も人間として参政権が必要と考える、そういう積み重ねの中で、自分のこととして自立・平等・連帯・平和を感じ、「権利」「人権」という言葉になじみ、人間の命は何物にも代えがたいと思うようにもなりました。

女性の力は強いとはいえなくても、最初は少数の動きだったとしても、県民の半分は女性です。一緒に学び暮らし働く女性の力を、男性は認めざるを得なくなり、評価すれば生活は充実するようになり、行政は女性の力を活用するほうがよいと知っていきます。女性の生活力・知力・行動力という目線で女性に日の目を当て、地域をゆっくり底から動かしていく多数の女性の可能性に満ちた歴史を私は探ろうとしました。とはいえ、教育を受けた女性しか書くことができず、文化の先端を受けとめる力の強弱もあり、記録を残せず思うように足跡をとどめられなかったでしょうから、限界もないとはいえません。それでも生きていれば才能や努力をつぼ

1985年、ケニアのナイロビで開催されたNGO世界会議で世界の女性と交流した名古屋市婦人代表団

みから花に、花から実に育てていくことができました。その途中で戦争は、才能があってもなくても誰彼の見境なく男女とも殺してしまったのです。

愛知女性の近現代史として、ここに探しあてた事実を読みながらご自分の経験や知識で空白部分を埋めてください。近現代愛知の無数の女性がさらに生きかえってくることでしょう。

一九七二年誕生した愛知女性史研究会の発足当時会員は二三人、二〇二一年には五人になりました。その成果は第五章（三〇二〜三〇三ページ参照）に紹介し、『愛知県史』とともに愛知女性史研究会の成果も本書で自由に活用しました。省略せざるを得なかった愛知県民、とくに女性の多様な動向を、県史や女性史研究会の仕事で、より広く読んでいただければ幸いです。二〇二一年現在、青柳清子、伊藤康子、河辺淑子、西悦子、森扶佐子が女性史研究会会員です。会員は最初の原稿を読んでもっと正確に、もっと読みやすくわかりやすくと助言し、より多数の女性の活動を書き加えました。青柳清子が描いたカバー絵は「ピースあいち」を受けつぐ子どもたち、裏の絵は約百年前に四市しかなかった愛知県全図、恐慌・戦争・経済の高度成長を経た県民生活全体の変化を考えてください。庶民の芸術である絵手紙のカットは西悦子の作品です。

私自身は、敗戦後の民主化の風が強く吹いた東京から一九六六年愛知に転居し、愛知の人の上下関係意識、「家」や村意識、宗教観念が強いのに違和感をもち続けました。他方中山恵子はじめ心優しい友人と女性史研究の仲間に出会い、子どもは共同保育所・保育園で育ち、労働組合の講師や各種審議会委員に迎えられ、原稿を書き、研究職に就くなど、さまざまな支援を受けました。本書は、愛知の有名無名の多数女性の足跡ですが、私の見聞もその中にあり、資料や写真もその中で集め、研究対象・研究材料も発見しました。私は愛知の先輩たちへの敬愛の念をこめて本書を書きました。その人々と共に、女性の生涯は惨めと考える人がいなくなるように願っています。

私の女性史仕事始めになった名古屋女性史研究会編『母の時代―愛知の女性史』の出版社風媒社から本書を世に出すことができ、厳しい出版事情の中で劉永昇さんのお世話になりました。

みなさま、ありがとうございました。

二〇二三年二月

伊藤康子

［著者略歴］
伊藤 康子（いとう・やすこ、旧姓倉本）
1934年中国東北区瀋陽市（旧満州奉天市）に生まれる。
1959年東京大学文学部国史学科卒業。
編集職を経て、1966年名古屋市へ転居、女性史を学び始める。1980年中京女子大学（現志学館大学）専任教員となり、2002年定年退職。
主な著書に『戦後日本女性史』『女性史入門』『新日本の女性史』『闘う女性の二〇世紀』『草の根の女性解放運動史』『草の根の婦人参政権運動史』『市川房枝』がある。愛知女性史研究会会員。

愛知を生きた女性たち　自由民権運動からピースあいちへ

2023年3月15日　第1刷発行　（定価はカバーに表示してあります）

著　者　　伊藤　康子

発行者　　山口　章

発行所　名古屋市中区大須 1-16-29
振替 00880-5-5616 電話 052-218-7808　風媒社
http://www.fubaisha.com/

＊印刷・製本／モリモト印刷　　乱丁本・落丁本はお取り替えいたします。
ISBN978-4-8331-1152-2